HONORÉ DE BALZAC

LES PAYSANS

Chronologie et préface

par

Pierre Barbéris
maître de Conférences à
l'Ecole Normale Supérieure de Saint-Cloud

GARNIER-FLAMMARION

CHRONOLOGIE

1799 : Naissance, à Tours, le 20 mai, d'Honoré Balzac, fils du « citoyen Bernard-François Balzac » et de la « citoyenne Anne-Charlotte-Laure Sallambier, son épouse ». Il sera mis en nourrice à Saint-Cyr-sur-Loire jusqu'à l'âge de quatre ans. Il aura deux sœurs : Laure, née en 1800, et Laurence, née en 1802; un frère, Henri, né en 1807.

1804 : Il entre à la pension Le Guay, à Tours.

1807 : Il entre, le 22 juin, au Collège des Oratoriens de Vendôme, où il passera six ans de rigoureux internat.

1813 : Il quitte Vendôme le 22 avril 1813. En été, il est placé pour quelques mois comme pensionnaire dans l'institution Ganser, à Paris.

1814 : Pendant l'été, il fréquente le collège de Tours. En novembre, il suit sa famille à Paris, rue du Temple.

1815 : Il fréquente deux institutions du quartier du Marais, l'institution Lepître, puis, à partir d'octobre, de nouveau l'institution Ganser; il suit vraisemblablement les cours du lycée Charlemagne.

1816 : En novembre, il s'inscrit à la Faculté de droit et entre, comme clerc, chez Me Guillonnet-Merville, avoué, rue Coquillère.

1818 : Il quitte, en mars, l'étude de Me Guillonnet-Merville pour entrer dans celle de Me Passez, notaire, ami de ses parents et qui habite la même maison, rue du Temple. Il rédige des *Notes sur l'immortalité de l'âme*.

1819 : Vers le 1er août, Bernard-François Balzac, retraité de l'administration militaire, se retire à Villeparisis avec sa famille. Honoré, bachelier en droit depuis le mois de janvier, obtient de rester à Paris pour devenir homme de lettres. Installé dans un modeste logis mansardé, rue Lesdiguières, il y compose une tragédie, *Cromwell*, qui ne sera ni jouée ni publiée de son vivant.

1820 : Il commence *Falthurne*, récit qu'il n'achèvera pas. Le 18 mai, il assiste au mariage de sa sœur Laure avec Eugène Surville, ingénieur des Ponts et Chaussées. Ses parents donnent congé rue Lesdiguières pour le 1er janvier 1821.

1821 : Il commence *Sténie*, autre récit qui restera inachevé. Le 1er septembre, sa sœur Laurence épouse M. de Montzaigle.

1822 : Début de sa liaison avec Laure de Berny, âgée de quarante-cinq ans, dont il a fait la connaissance à Villeparisis l'année précédente; elle sera pour lui la plus vigilante et la plus dévouée des amies. Pendant l'été, il séjourne à Bayeux, en Normandie, avec les Surville. Ses parents emménagent avec lui à Paris, dans le Marais, rue du Roi-Doré.
Sous le pseudonyme de Lord R'Hoone, il publie, en collaboration, *l'Héritière de Birague* et *Jean-Louis;* puis, seul, *Clotilde de Lusignan; le Centenaire* et *le Vicaire des Ardennes*, parus la même année, sont signés Horace de Saint-Aubin.

1823 : Au cours de l'été, séjour en Touraine.
La Dernière Fée, par Horace de Saint-Aubin.

1824 : Vers la fin de l'été, ses parents ayant regagné Villeparisis, il s'installe rue de Tournon.
Annette et le Criminel (Argow le pirate), par Horace de Saint-Aubin. Sous l'anonymat : *Du droit d'aînesse; Histoire impartiale des Jésuites.*

1825 : Associé avec Urbain Canel, il réédite les œuvres de Molière et de La Fontaine. En avril, bref voyage à Alençon. Début des relations avec la duchesse d'Abrantès.
Sa sœur Laurence meurt le 11 août.
Wann-Chlore, par Horace de Saint-Aubin. Sous l'anonymat : *Code des gens honnêtes.*

1826 : Le 1er juin, il obtient un brevet d'imprimeur. Associé avec Barbier, il s'installe rue des Marais-Saint-Germain (aujourd'hui rue Visconti). Au cours de l'été sa famille abandonne Villeparisis pour se fixer à Versailles.

1827 : Le 15 juillet, avec Laurent et Barbier, il crée une société pour l'exploitation d'une fonderie de caractères d'imprimerie.

1828 : Au début du printemps, Balzac s'installe 1, rue Cassini, près de l'Observatoire. Ses affaires marchent mal : il doit les liquider et contracter de lourdes dettes. Il revient à la littérature : du 15 novembre à la fin d'octobre, il séjourne à Fougères, chez le général de Pommereul, pour préparer un roman sur la chouannerie.

1829 : Balzac commence à fréquenter les salons : il est reçu chez Sophie Gay, chez le baron Gérard, chez Mme Hamelin, chez la princesse Bagration, chez Mme Récamier. Début de la correspondance avec Mme Zulma Carraud qui, mariée à un commandant d'artillerie, habite alors Saint-Cyr-l'Ecole. Le 29 juin, mort de Bernard-François Balzac.

En mars a paru, avec la signature Honoré Balzac, *le Dernier Chouan ou la Bretagne en 1800* qui, sous le titre définitif *Les Chouans*, sera le premier roman incorporé à *la Comédie humaine*. En décembre, *Physiologie du mariage*, « par un jeune célibataire ».

1830 : Balzac collabore à la *Revue de Paris*, à la *Revue des Deux Mondes*, ainsi qu'à divers journaux : le *Feuilleton des journaux politiques*, *la Mode*, *la Silhouette*, *le Voleur*, *la Caricature*. Il adopte la particule et commence à signer « de Balzac ». Avec Mme de Berny, il descend la Loire en bateau (juin) et séjourne pendant l'été dans la propriété de La Grenadière, à Saint-Cyr-sur-Loire. Pendant l'automne, il devient un familier du salon de Charles Nodier, à l'Arsenal.

Premières « Scènes de la vie privée » : *la Vendetta ; les Dangers de l'inconduite (Gobseck) ; le Bal de Sceaux ; Gloire et Malheur (la Maison du Chat-qui-pelote) ; la Femme vertueuse (Une double famille) ; la Paix du ménage*. Parmi les premiers « Contes philosophiques » : *les Deux Rêves, l'Elixir de longue vie...*

1831 : Désormais consacré comme écrivain, il travaille avec acharnement, tout en menant, à ses heures, une vie mondaine et luxueuse, qui ranimera indéfiniment ses dettes. Ambitions politiques demeurées insatisfaites. *La Peau de chagrin*, roman philosophique. Sous l'étiquette « Contes philosophiques » : *les Proscrits ; le Chef-d'œuvre inconnu...*

1832 : Entrée en relation avec Mme Hanska, « L'Etrangère », qui habite le château de Wierzchownia, en Ukraine. Il est l'hôte de M. de Margonne à Saché (où il a fait et fera d'autres séjours); puis des Carraud, qui habitent maintenant Angoulême. Il est devenu l'ami de la marquise de Castries, qu'il rejoint en août à Aixles-Bains et qu'il suit en octobre à Genève : désillusion amoureuse. Au retour, il passe trois semaines à Nemours auprès de Mme de Berny. Il a adhéré au parti néo-légitimiste et publié plusieurs essais politiques. *La Transaction (le Colonel Chabert).* Parmi de nouvelles « Scènes de la vie privée » : *les Célibataires (le Curé de Tours)* et cinq « scènes » distinctes qui seront groupées plus tard dans *la Femme de trente ans.* Parmi de nouveaux « Contes philosophiques » : *Louis Lambert.* En marge de la future *Comédie humaine :* premier dixain des *Contes drolatiques.*

1833 : Début d'une correspondance suivie avec Mme Hanska. Il la rencontre pour la première fois en septembre à Neuchâtel et la retrouve à Genève pour Noël. Liaison secrète avec Maria du Fresnay, née Daminois. Contrat avec Mme Béchet pour la publication, achevée par Werdet, des *Etudes de mœurs au XIXe siècle,* qui, de 1833 à 1837, paraîtront en douze volumes et qui sont comme une préfiguration de *la Comédie humaine* (I à IV : « Scènes de la vie privée »; V à VIII : « Scènes de la vie de province »; IX à XII : « Scènes de la vie parisienne »).
Le Médecin de campagne. Parmi les premières « Scènes de la vie de province » : *la Femme abandonnée ; la Grenadière ; l'Illustre Gaudissart ; Eugénie Grandet* (décembre).

1834 : Retour de Suisse en février. Le 4 juin naît Marie du Fresnay, sa fille présumée. Nouveaux développements de la vie mondaine : il se lie avec la comtesse Guidoboni-Visconti.
La Recherche de l'absolu. Parmi les premières « Scènes de la vie parisienne » : *Histoire des Treize* (I. *Ferragus,* 1833; II. *Ne touchez pas la hache (la Duchesse de Langeais),* 1833-1834; III. *La Fille aux yeux d'or,* 1834-1835).

1835 : Une édition collective d'*Etudes philosophiques* (1835-1840) commence à paraître chez Werdet. Au printemps, Balzac s'installe en secret rue des Batailles à Chaillot. Au mois de mai, il rejoint Mme Hanska, qui est avec son mari à Vienne, en Autriche; il passe trois semaines auprès d'elle et ne la reverra plus pendant huit ans.
Le Père Goriot (1834-1835). *Melmoth réconcilié. La Fleur des pois (le Contrat de mariage). Séraphîta.*

1836 : Année agitée. Le 20 mai naît Lionel-Richard Guidoboni-Visconti, qui est peut-être son fils naturel. En juin, Balzac gagne un procès contre le *Revue de Paris* au sujet du *Lys dans la vallée.* En juillet, il doit liquider la *Chronique de Paris,* qu'il dirigeait depuis janvier. Il va passer quelques semaines à Turin; au retour, il apprend la mort de Mme de Berny, survenue le 27 juillet.
Le Lys dans la vallée. L'Interdiction. La Messe de l'athée. Facino Cane. L'Enfant maudit (1831-1836). *Le Secret des Ruggieri (la Confidence des Ruggieri).*

1837 : Nouveau voyage en Italie (février-avril) : Milan, Venise, Gênes, Livourne, Florence, le lac de Côme.
La Vieille Fille. Illusions perdues (début). *César Birotteau.*

1838 : Séjour à Frapesle, près d'Issoudun, où sont fixés désormais les Carraud (février-mars); quelques jours à Nohant, chez George Sand. Voyage en Sardaigne et dans la péninsule italienne (avril-mai). En juillet, installation aux Jardies, entre Sèvres et Ville-d'Avray.
La Femme supérieure (les Employés). La Maison Nucingen. Début des futures *Splendeurs et Misères des courtisanes (la Torpille).*

1839 : Balzac est nommé, en avril, président de la Société des Gens de lettres. En septembre-octobre, il mène une campagne inutile en faveur du notaire Peytel, ancien codirecteur du *Voleur,* condamné à mort pour meurtre de sa femme et d'un domestique. Activité dramatique : il achève *l'Ecole des ménages* et *Vautrin.* Candidat à l'Académie française, il s'efface, le 2 décembre, devant Victor Hugo, qui ne sera pas élu.
Le Cabinet des antiques. Gambara. Une fille d'Eve. Massimilla Doni. Béatrix ou les Amours forcés. Une princesse parisienne (les Secrets de la princesse de Cadignan).

1840 : *Vautrin*, créé le 14 mars à la Porte-Saint-Martin, est interdit le 16. Balzac dirige et anime la *Revue parisienne*, qui aura trois numéros (juillet-août-septembre); dans le dernier, la célèbre étude sur *la Chartreuse de Parme*. En octobre, il s'installe 19, rue Basse (aujourd'hui la « Maison de Balzac », 47, rue Raynouard).
Pierrette. Pierre Grassou. Z. Marcas. Les Fantaisies de Claudine (Un prince de la bohème).

1841 : Le 2 octobre, traité avec Furne et un consortium de libraires pour la publication de *la Comédie humaine*, qui paraîtra, avec un *Avant-Propos* capital, en dix-sept volumes (1842-1848) et un volume posthume (1855). *Le Curé de village* (1839-1841). *Les Lecamus (le Martyr calviniste).*

1842 : Le 19 mars, création, à l'Odéon, des *Ressources de Quinola.*
Mémoires de deux jeunes mariées. Albert Savarus. La Fausse Maîtresse. Autre étude de femme. Ursule Mirouët. Un début dans la vie. Les Deux Frères (La Rabouilleuse).

1843 : Juillet-octobre : séjour à Saint-Pétersbourg, auprès de Mme Hanska, veuve depuis le 10 novembre 1841; retour par l'Allemagne. Le 26 septembre, création, à l'Odéon, de *Paméla Giraud.*
Une ténébreuse affaire. La Muse du département. Honorine. Illusions perdues, complet en trois parties (I. *Les Deux Poètes,* 1837; II. *Un grand homme de province à Paris,* 1839; III. *Les Souffrances de l'inventeur,* 1843).

1844 : *Modeste Mignon. Les Paysans* (début). *Béatrix* (II. *La Lune de miel*). *Gaudissart II.*

1845 : Mai-août : Balzac rejoint à Dresde Mme Hanska, sa fille Anna et le comte Georges Mniszech; il voyage avec eux en Allemagne, en France, en Hollande et en Belgique. En octobre, il retrouve Mme Hanska à Châlons et se rend avec elle à Naples. En décembre, seconde candidature à l'Académie française.
Un homme d'affaires. Les Comédiens sans le savoir.

1846 : Fin mars : séjour à Rome avec Mme Hanska; puis la Suisse et le Rhin jusqu'à Francfort. Le 13 octobre, à Wiesbaden, Balzac est témoin au mariage d'Anna Hanska avec le comte Mniszech. Au début de novembre, Mme Hanska met au monde un enfant mort-né, qui devait s'appeler Victor-Honoré.

Petites Misères de la vie conjugale (1845-1846). *L'Envers de l'histoire contemporaine* (premier épisode). *La Cousine Bette.*

1847 : De février à mai, Mme Hanska séjourne à Paris, tandis que Balzac s'installe rue Fortunée (aujourd'hui rue Balzac). Le 28 juin, il fait d'elle sa légataire universelle. Il la rejoint à Wierzchownia en septembre.
Le Cousin Pons. La Dernière Incarnation de Vautrin (dernière partie de *Splendeurs et Misères des courtisanes*).

1848 : Rentré à Paris le 15 février, il assiste aux premières journées de la Révolution. *La Marâtre* est créée, en mai, au Théâtre historique ; *Mercadet*, reçu en août au Théâtre-Français, n'y sera pas représenté. A la fin de septembre, il retrouve Mme Hanska en Ukraine et reste avec elle jusqu'au printemps de 1850.
L'Initié, second épisode de *l'Envers de l'histoire contemporaine.*

1849 : Deux voix à l'Académie française le 11 janvier (fauteuil Chateaubriand) ; deux voix encore le 18 (fauteuil Vatout). La santé de Balzac, déjà éprouvée, s'altère gravement : crises cardiaques répétées au cours de l'année.

1850 : Le 14 mars, à Berditcheff, il épouse Mme Hanska. Malade, il rentre avec elle à Paris le 20 mai et meurt le 18 août. Sa mère lui survit jusqu'en 1854 et sa femme jusqu'en 1882. Son frère Henri mourra en 1858 ; sa sœur Laure en 1871.

1854 : Publication posthume du *Député d'Arcis*, terminé par Charles Rabou.

1855 : Publication posthume des *Paysans*, terminés sur l'initiative de Mme Honoré de Balzac. Edition, commencée en 1853, des *Œuvres complètes* en vingt volumes par Houssiaux, qui prend la suite de Furne comme concessionnaire (I à XVIII. *La Comédie humaine ;* XIX. *Théâtres ;* XX. *Contes drolatiques*).

1856-1857 : Publication posthume des *Petits Bourgeois*, terminés par Charles Rabou.

1869-1876 : Edition définitive des *Œuvres complètes* de Balzac en vingt-quatre volumes chez Michel Lévy, puis Calmann-Lévy. Parmi les « Scènes de la vie parisienne » sont réunies pour la première fois les quatre parties de *Splendeurs et Misères des courtisanes*.

PRÉFACE

I

Les Scènes de la vie de campagne ont deux sources lointaines dans la conscience de Balzac : le sous-développement des cellules de vie rurale dans une France par ailleurs en pleine expansion; les conflits qui opposent les
propriétaires à leurs mandataires, à leurs « vassaux », ou
à leurs voisins.

La première tient à des informations d'origine obscure
dont fait état le jeune romancier dans des brouillons de
1823; il s'agit de ces villages de montagne, coupés de toute
« civilisation », pour qui il n'y a eu ni révolution politique,
ni révolution économique : un mystérieux « ancien Receveur Général du Cantal » lui aurait communiqué ses
observations sur ces laissés-pour-compte d'une « France
nouvelle » plus soucieuse de s'assurer des profits à court
terme par des spéculations « industrielles » que de songer
au développement de ses campagnes; celles-ci étaient
laissées à l'initiative de quelques propriétaires éclairés, à
celle de l'Eglise ou, dans les meilleurs des cas, à celle de
pionniers, comme le duc de La Rochefoucauld (en son
village picard de Liancourt), comme l'agronome Mathieu
de Dombasle (en sa ferme modèle de Roville en Lorraine),
comme le pasteur Oberlin (dans son village alsacien du
Ban-de-la-Roche). En 1830 le budget total de l'Etat pour
l'agriculture était de soixante-dix mille francs, sur près
d'un milliard (*Mémorial catholique*, 31 mars 1830).
Selon le besoin ou l'occasion, cette réalité pourra être
exploitée dans deux directions : roman du développement, recours aux valeurs préservées qu'incarnent les
hommes des campagnes à l'écart d'un « progrès » de plus
en plus suspect de n'être que celui des bourgeois libéraux.

La seconde source tient à une double série de souvenirs,
autour de la vingtième année. Près de Villeparisis, où la

famille Balzac était allée s'installer après la mise à la
retraite du chef de famille, en 1819, habitait un M. d'Orvillers, qui avait acheté sous l'Empire l'antique seigneurie de Dedelay de la Garde ; il eut de graves difficultés avec
les habitants de la commune pour une affaire de commu-
naux qu'il cherchait à s'approprier ; on voyait son château
de la maison de Balzac ; dans le village, il était surnommé
le Dévorant. D'autre part, dans la région de l'Oise, autour
de L'Isle-Adam, de Montmorency et de Beaumont, que
Balzac connaissait bien pour y avoir séjourné à plusieurs
reprises de 1817 à 1821 chez le vieil ami de son père,
Louis-Philippe de Villers-la-Faye, il semble que le jeune
vacancier ait entendu parler de quelque affaire qui aurait
opposé un châtelain à son homme de confiance. Dans *Un
début dans la vie* (1842), il est beaucoup parlé des démêlés
du comte de Sérizy, châtelain de Presles (proche de L'Isle-
Adam) avec son régisseur Moreau. Or, dans *les Paysans*,
à propos du conflit qui oppose le général de Montcornet,
lui aussi, à son régisseur Gaubertin, il est fait renvoi pour
exemple et illustration à l'affaire Sérizy. De même, lorsqu'il est question de la vente et de la division des terres
nobles, quels exemples Balzac va-t-il chercher ? Quatre
domaines de la vallée de l'Oise : Persan, le Val, Montmorency, Cassan. Cassan, lieu reparaissant du roman
balzacien (*Wann-Chlore, Physiologie du mariage, Splendeurs et misères des courtisanes*), jadis propriété du fermier général Bergeret (comme les Aigues appartenaient à
Bouret) a été acheté par l'affreux père Moreau, Moreau
de l'Oise, député, le fameux « centrier » (*Un début dans
la vie*, 1842) qui a fait sa fortune à Presles, assez bonne
graine de Gaubertin. Et l'exemple de Cassan, lié à
d'autres pris dans la vallée de l'Oise, est bien loin, dans
les Paysans, d'être simple hasard. Dès le premier scénario
on lisait : « Hier la charrue a passé sur le parc de Saint-
Leu, et les pierres de son château sont allées là où sont
allées celles de Persan, qui avait mis à sec la bourse du
chancelier Maupéou, celles de Montmorency, qui avaient
coûté des sommes folles à des Italiens groupés autour de
Napoléon, celles du Val, celles de Cassan, en tout cinq habitations royales disparues dans la seule vallée de Montmorency. » Ce n'est pas pas tout. L'un des villages qui
entourent le domaine des Aigues s'appelle Ronquerolles.
Souvenir de l'*Histoire des Treize* ? Certes, mais surtout,
Ronquerolles existe réellement, près de L'Isle-Adam, ainsi
qu'Hérouville et Fosseuse, que Balzac a utilisés pour

baptiser des personnages de *Modeste Mignon* et du
Médecin de campagne. Enfin, La Ville-aux-Fayes a été visi-
blement forgé sur le nom du vieil ami Villers-la-Faye. Le
moins que l'on puisse dire est donc que la vallée de l'Oise
assiège la conscience du romancier lorsqu'il fabrique son
roman « bourguignon ». Dans l'état actuel des connaissances, on ne saurait en dire plus. Mais le fait qu'une
première ébauche des *Paysans* se soit vu assigner pour
cadre une tout autre région que la Bourgogne, cet autre fait,
désormais bien connu, que Balzac déplace aisément dans
une région ce qui s'est en réalité passé dans une autre, tout
pousse à conclure que *les Paysans*, comme tant de romans
de Balzac, sont nés des souvenirs lointains et vivaces. Qu'on
ajoute la mort de Paul-Louis Courier, assassiné par ses
paysans en 1825, et dont la très jeune femme — tout le
monde alors le savait — était une gourgandine ; Courier
non pas hobereau, mais héros du libéralisme, ayant contre
lui le mauvais vouloir populaire, et le roman est presque
constitué. Tant de diversité, tant de mobilité dans les
sources prouve que ce qui compte, dans *les Paysans*,
ce n'est en aucune manière les coordonnées étroitement
locales ou personnelles de l'histoire, mais bien le *problème*
que perçoit Balzac par-delà les apparences de l'anecdote.
Les Paysans ne relèvent pas d'une littérature régionaliste,
mais d'une littérature des problèmes de la campagne
française après les grandes mutations consécutives à 1789.

II

Les thématisations « paysannes » de Balzac se font dès ses premiers romans. Dans *le Vicaire des Ardennes* (1822) et dans *la Dernière Fée* (1823), apparaît cette nouvelle faune des campagnes et des petites métropoles de province constituée par les acquéreurs de biens nationaux. Il y a là une nouvelle couche de notables, aux dents longues, opportuniste, changeant l'écharpe tricolore pour l'écharpe blanche, prête à débaptiser le moment venu, n'en doutons pas, comme à Soulanges, tous les *Café de la Guerre* en *Café de la Paix*, socialement conservatrice, attachée à l'argent, formellement libérale et de « gauche », mais représentant des intérêts rien moins qu'universalistes.

Voici maintenant quelques détails : dans *la Dernière Fée*, aux côtés de Granvani, qui a fait sa fortune à la manière de Grandet, et désormais préside aux destinées de son village, figure Jacques Bontemps, déjà ancien cuirassier de la Garde Impériale... qui n'avait pas de cuirassiers, comme le fera remarquer à Balzac, en 1844, *le Moniteur de l'armée*. Montcornet, à cette date, n'avait pas encore commandé ce corps d'élite qui, comme on le voit, avait déjà, de manière assez curieuse, ses anciens. Un lien s'ébauche ainsi, en tout cas, entre des *Scènes de la vie de village* et les souvenirs militaires de l'Empire ; sur ce chemin, Balzac suivait certes Béranger, mais il annonçait surtout le Balzac du *Médecin de campagne* et du Napoléon raconté dans la grange. C'est dans *La Dernière Fée*, d'autre part, qu'apparaît le premier intérieur paysan, que Balzac réutilisera plusieurs fois : lit à colonnes torses, rideaux de serge verte, gravures grossièrement coloriées. On le retrouve en 1830 dans la *Scène de village*, en 1831 dans *la Peau de chagrin* (épisode du séjour de Raphaël au Mont-Dore), puis en 1832 dans *le Médecin de cam-*

pagne; il en subsiste des éléments dans la demeure des Tonsard.

Dans *le Vicaire des Ardennes,* il est question à deux reprises du cabaret du grand I Vert et, parmi les proverbes que répète avec une mécanique complaisance le curé Gausse, figure celui qui fournira son premier titre aux *Paysans : Qui terre a, Guerre a.* Choses vues, choses entendues, n'en doutons pas. Un autre détail le suggère; dans ses lettres, écrites de Bayeux, Laure Surville, née Balzac, ne raconte-t-elle pas comment « *le plus lourd des paysans attrape le plus spirituel des Parisiens* »? Ceci peut aussi bien conduire à Margaritis trompant l'illustre Gaudissart qu'au père Fourchon vendant sa loutre à Blondet. Comme c'est pendant le séjour de Balzac à Bayeux, en mai-août 1822, qu'il entendit parler cette madame d'Hautefeuille qui devait lui fournir le thème de *la Femme abandonnée* (aussitôt exploité dans *Wann-Chlore,* en 1823), l'anecdote du paysan qui attrape le Parisien, perdue dans les lettres de Laure, prend un intérêt particulier.

Il faut bien dire, toutefois, que les paysans, chez le jeune Balzac, ne sont pas encore là en tant que réalité autonome. Lorsque, dans *le Vicaire des Ardennes,* s'appuyant sur Paul-Louis Courier et sa célèbre *Pétition,* il évoque l'arbitraire du pouvoir qui entend les empêcher de danser le dimanche, il réagit, et écrit encore en bon libéral, qui pense et voit les paysans au travers des combats d'une bourgeoisie éclairée. Les choses changeront sans doute quelque peu lorsque, en 1826, Balzac découvrira le mythe Oberlin et le drame des paysans du Ban-de-la-Roche. En 1828, il écrira — du moins en partie — ce mystérieux roman, *Une Blonde :* étrange odyssée d'un homme qui, pour oublier une catastrophe privée, est allé se faire le bienfaiteur d'un village pyrénéen; à sa mort, les paysans ont exprimé leur gratitude par une inscription sur sa tombe. Mais c'est qu'en cette fin de Restauration, toute une littérature, du *Globe* au *Mémorial catholique,* attire l'attention sur le sous-développement rural français. La bourgeoisie, les libéraux, alors, décrochent objectivement de la cause paysanne, et le premier grand témoignage balzacien s'en trouve, en 1828-1829, dans le *Dernier Chouan.* Les paysans de Bretagne, qui n'ont rien gagné à la révolution des robins et des hommes d'affaires, y apparaissent comme des êtres sauvages, ne comprenant rien au monde qui est le leur, manifestant comme ils le peuvent contre un changement de régime qui les embrigade mais ne change rien à leur sort. Balzac était parti d'un simple projet de mélo-drame (la belle espionne qui tombe amoureuse de celui qu'elle doit perdre), et dans lequel les populations rurales de l'Ouest n'étaient guère représentées que par le paysan Pineau, simple utilité de théâtre. Mais, à Fougères, il découvre la paysannerie réelle. Dans le *Dernier Chouan*, les paysans, *objets* de l'Histoire, cherchent déjà, par d'obscurs chemins, à devenir *sujets*. Leur ennemi y est déjà, beaucoup plus que le naïf et brave commandant Hulot fourvoyé lui aussi en cette aventure, l'usurier d'Orgemont, acquéreur de l'abbaye de Juigny, dont la comparution devant les hommes du Bocage est bien autre chose qu'un pur et simple épisode de « contre-révolution ». « Ta République », lui dit déjà Pille-Miche et : « Tu es trop gras pour avoir le souci des pauvres ». *Ta* république : pas *la nôtre*.

L'étape suivante est la rencontre, peut-être capitale, de fin juillet 1830 : le 25 de ce mois, Balzac, se rendant à pied de Tours à Saché, était entré, près de Pont-de-Ruan, dans la pauvre maison d'une certaine femme Martin qui élevait des enfants de l'Hospice. La *Scène de village*, qu'il rédigea alors, ne parut jamais, mais elle fut utilisée dans *le Médecin de campagne*, purement et simplement transportée en Savoie. Cette fois, il ne s'agissait plus de la paysanne-rie, mais d'une classe simple et pure, que Balzac, au moment où l'on hissait sur Paris le drapeau tricolore de la haute Banque, au moment où la bourgeoisie, une fois de plus, utilisait le peuple pour se débarrasser de ceux qui la gênaient, jetait à la face de la « civilisation ». En même temps, la *Scène de village* marquait bien l'attirance qu'exer-çait sur Balzac le réel, le quotidien, l'apparement banal. Pendant l'année qui suit, il va s'en détourner, donner furieusement dans le fantastique et l'exceptionnel *(la Peau de chagrin* et les *Contes philosophiques)*. Mais, sous ce Balzac « romantique », continuait à vivre l'autre. Le conte inachevé *les Deux Amis*, écrit à la fin de 1830, manifeste, par quelques silhouettes et notations, une curiosité résolument orientée vers la vie de campagne. Un an plus tard, à propos de certaines particularités de la mentalité « villageoise », on lit dans les *Contes bruns :* « La vie campagnarde et paysanne attend son historien. » A ce moment, le genre fantastique a fait son temps, et Balzac revient au récit réaliste. Dès septembre 1831, immédia-tement après *la Peau de chagrin*, il publie *le Rendez-vous*, une nouvelle qui n'avait pu trouver place dans les

Scènes de la vie privée de 1830 et qui sera l'un des éléments
de la future *Femme de trente ans*. La seconde « découverte »
par Balzac du monde et du problème paysans est donc
inséparable de son retour au roman réaliste et de mœurs.
Il n'a pas, toutefois, que des soucis de vérité descriptive :
si les paysans font parti du réel français, ils constituent
aussi une humanité de référence, et c'est la paysannerie-
réalité aussi bien que la paysannerie-recours qui forment,
en 1832, le sujet du *Médecin de campagne*, par ailleurs
roman du défrichement et de la mise en valeur. Les
paysans de Benassis sont rudes, eux aussi, encore supers-
titieux, prompts au coup de fusil, mais laborieux, comprenant, pourvu qu'on leur montre, où est leur véritable
intérêt, susceptibles d'enthousiasme ; ils incarnent une
humanité encore préservée, garante, contrairement à la
bourgeoisie, de ce que l'humanité conserve un avenir
moral.

On peut dire ainsi qu'il existe, dès les origines, deux
séries possibles de *Scènes de la vie de campagne :* celle de
la mise en valeur (avec ses implications morales), et celle
de la propriété. *Le Médecin de campagne* et *le Curé de
village* sont les deux illustrations éclatantes de la première.
Il faut y joindre *le Lys dans la vallée* (d'abord *Scène de la
vie de province*) : roman d'une femme et d'un jeune
homme ; c'est aussi, en partie, le roman de l'aménagement
d'un coin de terre, lié à une aventure personnelle (rachat,
salut, emploi de ses forces). Dans ces trois œuvres, toutefois, les paysans ne sont pas là premiers, en masse, existant indépendamment de tout regard qui les découvre et
qui les crée. Même dans *le Médecin de campagne*, si l'on
parle d'eux en tant qu'humanité particulière, on ne les
connaît guère que par le biais de quelques rencontres et
de quelques aventures ou devenirs individuels. En fait,
pour Balzac, en 1838, pour celui qui, cette même année,
évoque (dans *la Maison Nucingen*) le révolte des canuts
lyonnais, à laquelle les bourgeois libéraux ne comprennent
rien et ne peuvent rien comprendre, le véritable roman
des paysans demeurait à écrire : roman de la propriété-
destin, roman dans lequel les paysans, au lieu d'être
occasion pour des héros étrangers à la campagne, seraient
les véritables agents de l'histoire.

A Genève, en 1834, Mme Hanska avait demandé à Balzac d'écrire un livre sur ce sujet : *le Grand Propriétaire*. Qu'avait-elle en tête ? Le comte Hanski, ou quelque relation de la famille, avait-il des difficultés avec ses moujiks ? Ce qui est sûr, c'est que Balzac ne pouvait écrire pour sa maîtresse un roman russe et qu'il écrirait, nécessairement, un roman français, un *roman des rapports sociaux français*. Le temps des Jacqueries était passé en France, mais il y avait eu la grande affaire des biens nationaux, toute une immense mutation de propriété, la Charte qui avait garanti les nouvelles acquisitions, le milliard des émigrés, certaines tentatives de revanches nobles, les craintes de tant de propriétaires de fraîche date, donc un conflit nécessaire entre bourgeoisie et petite bourgeoisie rurale, d'une part, grands propriétaires nobles d'autre part. Dans ces conditions, si le peuple s'opposait aux grands propriétaires, ce ne pouvait être que par l'intermédiaire de la bourgeoisie et de la petite bourgeoisie, manipulé, *tenu* par elle.

Aux premiers mois de 1834, Balzac rédigea la vingtaine de feuillets du *Grand Propriétaire* qui ont échappé au naufrage et qui ont été publiés en 1901. L'intrigue se passe aux confins de la Touraine, du Poitou et du Berry; elle oppose le comte de Grandlieu, propriétaire du château d'Ars, aux bourgeois de La-Ville-aux-Fayes. Comme la rivière qui borde le château s'appelle l'Arneuse, comme une véritable Arneuse bordait la maison qu'habitèrent les Balzac à Villeparisis à partir de 1819, comme Balzac, en 1823, avait nommé Mme d'Arneuse la mère abusive et cruelle de *Wann-Chlore* qui est un portrait direct de sa propre mère, on voit quels autres liens, ténus, mais réels, s'affirment avec de lointains souvenirs. On repense à

M. d'Orvillers, domicilié, lui aussi, de l'autre côté de l'Arneuse...

Le vieux comte de Grandlieu était un brave homme, vétéran de la douceur de vivre, et qui avait su, malgré la Révolution, demeurer en bonne intelligence avec ses voisins. Mais son fils, rentrant d'émigration, va déchaîner contre lui les jalousies, puis les haines. Il y a là deux mouvements successifs qui se retrouveront dans *les Paysans* : du temps de Mlle Laguerre, les choses allaient assez bien, mais tout s'est gâté avec l'arrivée du nouveau propriétaire, le général Montcornet. Le jeune comte n'entreprend pas, lui, de faire respecter des propriétés que nul ne pillait, mais seulement de rendre du lustre à son fief ; il rétablit le château dans toute sa splendeur et, par son luxe, insulte à l'orgueil des oligarches bourgeois de La-Ville-aux-Fayes. Une petite guerre éclate, mais les escarmouches judiciaires ne donnent rien ; les Grandlieu, soutenus par le pouvoir, tiennent bon. Qu'aurait-on inventé contre eux ? Tout ceci, que Balzac a laissé en blanc, n'est pourtant que secondaire. Ce qui nous intéresse, c'est la nature du conflit, les forces en présence.

La-Ville-aux-Fayes est le pur produit par sa puissance, par sa richesse, de la Révolution de 1789. Quadrillée par quelques familles bourgeoises, qui sont toutes alliées entre elles et qui se sont assuré les postes-clés, cette petite métropole qui a doublé de population depuis que la République en a fait une sous-préfecture, vit d' « un grand commerce de laine brute, de vins, de tan, de cuirs, de fourrages et de bestiaux » ; les fortunes s'y sont « triplées par l'acquisition des biens ecclésiastiques *et surtout par l'usure* ». Voici un élément nouveau dans la peinture des provinces ; Balzac, avec Gobseck (1830), avait peint l'usurier des villes qui vit des folies mondaines (fils de famille, comtesses aux ruineux amants) ; avec Grandet, il avait bien montré, en 1833, un type d'homme qui, « la Révolution aidant », s'était constitué une extraordinaire puissance à partir, lui aussi, de l'acquisition des biens d'Eglise ; mais Grandet, s'il découvrait les beautés des placements sur l'Etat, ne faisait pas l'usure sur le plan local. La pratique de l'usure en province comme instrument de l'accumulation primitive : il y a là, en 1834, quelque chose de résolument neuf. Pour deux raisons.

D'abord parce que, à qui les usuriers de La-Ville-aux-Fayes peuvent-ils bien prêter, *sinon aux paysans* ? Il est certain qu'ils ne devaient pas faire le commerce des trous-madame à la Molière. Quand et comment s'enrichit l'usurier des campagnes, sinon quand le paysan ne dispose pas des sommes nécessaires à l'achat, à l'exploitation ou à l'entretien de la terre ? Certaines expériences modernes dans des pays ex-coloniaux, qui se trouvent entre l'ère féodale et tout ce qui pourra naître de leur liberté, ont prouvé qu'il ne servait de rien de faire la réforme agraire et de partager les terres, si l'on ne mettait pas en place un système démocratique et centralisé de crédit. L'usure ne se développe pas en système purement féodal [1]. Elle n'apparaît et ne prospère qu'avec la multiplication d'illusoires et impuissants propriétaires. Voilà pour le mécanisme originel.

Mais, par ailleurs, l'usure apparaît ici comme l'instrument d'une puissance réelle et structurée. La puissance de Gobseck, espèce de philosophe, était surtout exemplaire et morale ; il s'agissait, alors, de mettre en garde la jeunesse contre certains périls : Gobseck, héros des *Dangers de l'inconduite* (titre de l'édition originale), beaucoup plus qu'un type social, à plus forte raison une force sociale, incarnait une *leçon*. Lorsque Balzac réédite sa nouvelle en 1835, il accentue d'ailleurs ce caractère de son usurier, dont il fait comme un double de l'antiquaire de *la Peau de chagrin*. Mais en même temps il en fait une victime de sa propre passion. Gobseck meurt au milieu de ses richesses, sur son tas d'or inemployé, non investi, rigoureusement inutile. Sa fortune doit aller à la Torpille, une courtisane symbole à elle seule de la plus folle consommation. Gobseck n'a pas d'avenir économique, alors qu'en auront les Rigou et les Gaubertin, hommes de l'argent, mais hommes des structures nouvelles, ayant besoin de la démocratisation de la propriété foncière pour développer et assurer leur empire de loueurs d'argent. Cette indication, perdue dans les quelques feuillets d'un manuscrit abandonné, constitue en fait l'intuition fondamentale des *Paysans* en tant que roman du réel français.

Seule la suite, toutefois, permet d'assigner à quelques mots du manuscrit de 1834 une telle importance. Pour ce qui est explicite, *le Grand Propriétaire* est encore un texte de la Belle Epoque libérale. Le conflit demeure

---

1. « Sa femme, ses enfants, les soldats, les impôts /Le créancier et la corvée/ Lui font d'un malheureux la peinture achevée » (La Fontaine, *La Mort et le Bûcheron*) : il n'est pas question du seigneur, mais on voit paraître l'usurier. Le paysan de La Fontaine est déjà un paysan du monde moderne, engagé dans la mutation capitaliste.

rigoureusement circonscrit : il n'oppose au comte de
Grandlieu que les bourgeois de La-Ville-aux-Fayes, et ce
dans la perspective « industrielle » d'alors. L'un des
meneurs, Massin, convoite le château *pour y établir une
filature*. Il y a là un autre trait de réalisme : l'industrie
textile est alors l'industrie de pointe, celle qui, s'accom-
modant du financement familial, n'exigeant pas d'énormes
investissements, pouvant s'arranger de la « manufacture
dispersée » et du travail donné à façon dans les villages
(voir *le Député d'Arcis*), permet le plus facilement le
passage des bas de laine à la grosse unité de production.
La concentration dans le textile est financière avant
d'être géographique, l'établissement d'une manufacture,
qui suppose recrutement de main-d'œuvre, déracinement
de populations rurales, prolétarisation, étant l'étape
ultime. Les capitaines d'industrie en France, alors, ceux
contre qui prennent position aussi bien Stendhal en 1825
(D'un nouveau complot contre les industriels) que Balzac en
1830 (dans *Lettres sur Paris*) ce sont les fabricants de
calicot et, dans *la Vieille Fille* (1837), l'homme qui révo-
lutionne et modernise la Normandie est le filateur Bousquier dont on peut penser qu'il a pour modèle cet autre
filateur Ternaux. Dans un roman de son camarade Victor
Ducange, dont Balzac lui-même avait rendu compte dans
le *Feuilleton des journaux politiques* du 7 avril 1830 *(Isau-
rine et Jean-Polh, ou les Révélations du château de Gît au
Diable)*, on voyait déjà la victoire libérale sur les forces
rétrogrades symbolisée par l'installation d'une filature
dans le château d'un émigré devenu bien national. Cet
élément du scénario, en 1834 est donc d'une grande
importance, parce qu'il montre que ce que voulait alors
exprimer Balzac n'était pas tant la soif vaine et dévorante
d'acquérir la terre que l'agacement des libéraux devant
le parasitisme aristocratique. Remplacer un château par
une manufacture constitue un progrès objectif et mobilise
les énergies de façon valable. Ainsi le conflit de 1834 se
situe encore dans la perspective certes déjà ambiguë,
mais toujours ouverte et positive, de la lutte des forces
industrielles contre les freinages ou les gaspillages de la
vie noble. Le peuple n'y a guère sa place. A terme, il
est seulement appelé à fournir des ouvriers à Massin,
comme déjà il paie une rente à ses collègues usuriers.
Dans l'immédiat, Balzac n'éprouvait pas le besoin de
le faire intervenir. C'est pourquoi on ne sent pas se
dessiner, dans *le Grand Propriétaire*, ce mouvement de

marée qui prend à la gorge dans le roman de 1844.
Il faut attendre 1838 pour voir ressortir le projet.
D'après les lettres à Mme Hanska, *Qui a terre, a guerre*
est alors mis en chantier, puis, paraît-il, écrit. En fait,
Balzac n'avait rédigé à la hâte qu'un assez informe canevas qu'il avait sans doute l'intention, selon son habitude,
de faire éclater sur épreuves. Il en reste aujourd'hui
cinquante-huit feuillets. Cette fois le sujet n'est plus du
tout le même. Le grand propriétaire est un fils du peuple,
enrichi et anobli par la Révolution et l'Empire, devenu
aristocrate de fait. Certes, l'intrigue se déroule toujours
sous la Restauration, *mais la problématique n'est plus celle
de la Restauration;* dès lors, la nature du conflit n'étant
plus la même, qui oppose le peuple, manipulé par les
bourgeois, aux conséquences mêmes de la Révolution
(personne ne craint plus, en 1838, les revenants de
Koblenz), à des Montcornet, il faudra bien parler un
autre langage, recourir à d'autres arguments, *poser
d'autres questions.* Outre les allusions aux nouveaux pro-
phètes de la révolution prolétarienne, qui ne sauraient
viser la Restauration, c'est le sujet même, quoique allant
surimpressionner une histoire de 1823, qui, dans *les
Paysans*, opère le raccord avec la réalité contemporaine
immédiate.
César Birotteau (1837) l'avait déjà montré : le conflit,
d'extérieur à la bourgeoisie, et l'opposant à la seule aristocratie, se déplace vers l'intérieur de la bourgeoisie elle-
même et de l'univers qu'elle a mis en place. Le banquier
Keller et le banquier Nucingen liquident l'industriel
moyen Birotteau, qui n'a pas les reins assez solides pour
se lancer dans la spéculation. Le nouveau schéma des
Paysans va dans le même sens. La Révolution et la victoire bourgeoise doivent s'arranger avec leurs propres
conséquences. Sur ce point, en 1838, Balzac se montre
d'une extraordinaire lucidité. Depuis 1830, expose-t-il,
le paysan (c'est-à-dire dans son esprit le peuple) est
partout; il s'est agrandi; il le ronge; il détient des instruments du pouvoir. Dangereuse erreur de la bourgeoisie!
Napoléon avait « préféré les chances de son malheur à
l'armement des masses ». En clair : mettant, pour son
propre service, le peuple en mouvement, la bourgeoisie
engendre, ne peut qu'engendrer la révolution prolétarienne. Depuis la fin de la Restauration, c'est une leçon
que les politiciens de droite ne cessaient de faire aux
classes moyennes. Mais Balzac entreprend de le montrer,

dans les faits, par l'analyse d'un engrenage. Il est vrai
qu'il ne commence pas exactement par là. Comme souvent chez lui, l'analyste, précédant le romancier, entend
comme lui dicter ce que, par son art, il doit démontrer.
C'est ainsi que le théoricien Balzac, non sans quelque
naïveté, suggérait dans un passage, d'ailleurs soigneusement barré (en marge : « Ne composez pas ceci »), que
c'est l'abolition du droit d'aînesse qui avait conduit à
l'infinie division des terres, à l'atomisation du corps
social et de sa force productive, à la naissance de ces men-
talités de termites. Ce n'est pas là chez lui nouveauté :
l'idée avait été déjà éloquemment exposée — dans une
perspective, d'ailleurs, plus anti-libérale que pro-aristo-
cratique — par une brochure anonyme qu'il avait publiée
en 1824. Ce à quoi déjà il était sensible, c'était l'émiette-
ment, l'explosion, sous la pression des intérêts individuels, de l'ensemble social. Simplement, obnubilé, comme
tout le monde alors en France, par le problème agraire,
il ne voyait pas qu'à la division des propriétés foncières
stables s'opposaient la création des richesses *mobilières* et
leur progressive *concentration*. Mais peu importe cette
fausse manœuvre. En avançant, en se mettant à raconter,
Balzac rectifie. S'il se censure ici lui-même, c'est que les
discussions sur le droit d'aînesse étaient devenues parfaitement inactuelles en 1838. D'autre part, l'analyse,
même si elle voit et dit moins que le roman, progresse
elle aussi. Il est très important, par exemple, que Balzac,
toujours dans ce passage censuré, instaure en ces termes
le procès de ce qu'est la « civilisation » selon la bourgeoisie :
« Civiliser n'est pas accumuler sur un point des populations où le nombre de pauvres est toujours supérieur au
nombre de riches... » « Et il développe : civiliser, c'est
développer harmonieusement, non follement déraciner,
brasser, entasser, pour préparer les bases objectives de
révoltes nouvelles. Depuis 1830, les yeux s'ouvrent : *La
« civilisation » de fait, en avançant et en se développant,
n'engendre pas l'ordre, mais le désordre*. Telle est la mutation qualitative du scénario de 1838 par rapport à celui
de 1834. Tel est ce qu'il a de neuf, scientifiquement, et, par
conséquent, malgré quelques foucades verbales contre le
danger populaire, ce qu'il a de réellement révolutionnaire.
    La rédaction commencée, commence aussi la longue
odyssée du roman. Après bien des hésitations (publication en librairie, publication en feuilleton), en 1844 l'affaire se fait avec *la Presse* d'Emile de Girardin. Mais le

manuscrit est loin d'être complet, et Balzac doit travailler à force. Comme toujours en de telles circonstances, les moments d'euphorie alternent avec les moments de dépression ou d'épuisement. Le 3 décembre 1844, la publication du feuilleton commence dans *la Presse*, provoquant aussitôt un grand nombre de désabonnements. Balzac et Girardin se fâchent. Girardin préférait *la Reine Margot* de Dumas, qui, elle, ne faisait pas fuir l'abonné. Par ailleurs, Balzac n'arrivait pas à finir son œuvre. En 1846, ce fut la rupture. Girardin disait avec insolence qu'il ne consentait à finir de publier *les Paysans* que parce que Balzac lui devait encore de l'argent. De vieilles avances. Balzac se fâcha tout rouge, remboursa. Le dernier versement fut effectué... le 30 septembre 1848. Mais *les Paysans* ne furent jamais terminés.

La Presse n'avait publié que ce qui constitue aujourd'hui la première partie, jusqu'au départ de Rigou pour Soulanges. En fait, il ne s'agissait que d'une exposition. L'actuelle deuxième partie, qui peint la société de Soulanges, était restée inédite. Balzac mort, sa veuve, après avoir songé à faire terminer le roman par Champfleury, puis par Rabou, décida de le publier tel que l'auteur l'avait laissé. Aux feuilletons parus dans *la Presse* elle ajouta les chapitres de la seconde partie demeurés inédits et, pour les cinq derniers, elle utilisa, au prix de quelques raccords, la version de 1838 : c'est l'édition de Potter, cinq volumes, de 1855. *Les Paysans*, et pour cause, n'avaient pas été intégrés à *la Comédie humaine*. Jean-Hervé Donnard a donné, en 1964, dans les *Classiques Garnier*, un texte aussi correct que possible de ce roman dont Balzac ne put jamais fixer l'état définitif. C'est ce texte qui est reproduit ici.

IV

IV

Pourquoi la Bourgogne ? Cette question demeure obscure. La Bourgogne fait pourtant son apparition très tôt dans l'œuvre romanesque de Balzac. Dans *Wann-Chlore*, en effet (1823), Horace Landon possède une terre à Lussy, en Bourgogne. Le thème du voyage de Paris en Bourgogne apparaît de manière curieuse au tome II, avec des évocations presque précises, lors du voyage de noces d'Eugénie et d'Horace. Pure invention ? Il est certain que Mme de Berny avait des attaches dans la région où se situera, plus tard, l'intrigue des *Paysans*. Mais, de toute façon, le fil, si ténu, se perd. On ne le renoue guère qu'avec Lautour-Mézeray, le vieux camarade de chez Girardin, nommé sous-préfet de Joigny, mais seulement en 1843, c'est-à-dire bien après que la version de 1838 ait ramené *le Grand Propriétaire* de la Touraine aux confins du Morvan. Quant à la célèbre gouvernante Mme de Brugnol, elle était bien nivernaise, mais elle n'intervient dans la vie de Balzac qu'en 1840, c'est-à-dire, elle aussi, après que le choix bourguignon ait été fait. Voici deux informateurs à écarter. J.-H. Donnard a fait état de nombreux témoignages qui tendent à prouver que la Bourgogne, sous la Restauration et sous Louis-Philippe, ressemblait bien à celle qu'a peinte Balzac (agressions contre les biens et les personnes, anticléricalisme, mauvais esprit, etc.), mais tous ces documents sont soit d'archives (et Balzac ne pouvait les connaître), soit postérieurs, lorsqu'ils sont publiés, à la publication du roman. Force est de se contenter de constater que la Bourgogne peinte par Balzac ressemble à la Bourgogne réelle, dont on voit mal, toutefois, comment il aurait pu la connaître. Mais, à vrai dire, divers éléments « sauvages » qui figurent déjà dans *le Médecin de campagne* et dans

le Curé de village (Farabesche, Butifer, le coup de fusil
facile au coin des bois), auxquels il faut ajouter les « rivalités » locales, sujet plus balzacien que bourguignon, tout
ceci n'était-il pas monnaie courante dans la France rurale
d'alors ? La Bourgogne et le Morvan ont certes conservé
une solide tradition de gauche ; de plus, les historiens
d'aujourd'hui (P. de Saint-Jacob, *les Paysans de la
Bourgogne du nord*) nous apprennent que la Bourgogne
est une région où de nombreuses terres nobles avaient été
achetées, dès le XVIIIᵉ siècle, par des bourgeois. Mais la
question du choix de Balzac demeure entière. On peut,
si l'on songe non aux Aigues, mais à Soulanges, proposer
une solution : Balzac n'aimait pas spécialement Lamar-
tine, mais il reconnaissait son importance, et il en fut
toujours estimé. N'a-t-il pas tenu à ce contrepoint, d'ailleurs fort réussi, entre les cercles littéraires de Soulanges
et l'« autre poète » de la Bourgogne ? En l'absence d'indi-
cations plus précises, toutefois, pourquoi s'obstiner ? Balzac
aurait bien pu situer son roman dans toute autre région
de France sans qu'il perde de sa vérité, et d'ailleurs, tout
ce qui a été dit plus haut sur les sources lointaines, sur des
exemples et sur des histoires que Balzac a dû utiliser,
remanier, transposer, et qui n'ont absolument rien à voir
avec la Bourgogne, ne doit-il pas inciter à la plus grande
prudence ? Enfin, l'essentiel est-il là ? Et Balzac lui-
même n'a-t-il pas, dans sa réponse au *Moniteur des
Armées* qui l'avait accusé d'avoir doté la Garde Impériale de cuirassiers imaginaires, donné la clé du problème ?

> *On viendra bientôt nous prier de dire dans quelle géo-
graphie se trouvent La-Ville-aux-Fayes, l'Avonne et Soulanges. Tous ces pays* et ces cuirassiers *vivent sur le globe
immense où sont la tour de Ravenswood, les Eaux de Saint-
Ronan, la terre de Tillietudlem, Gander-Cleug, Lilliput,
l'abbaye de Thélème, les conseillers privés d'Hoffmann,
l'île de Robinson Crusoé, les terres de la famille Shandy,
dans un monde exempt de contributions, et où la poste se
paie par ceux qui y voyagent à raison de 20 centimes le
volume.*

Ce n'est pas là simple défense des « droits de l'imagination », folle du logis qui se moquerait bien de l'exactitude ; Balzac le dit encore : on est exact lorsqu'il le
faut et, dans une *Scène de la vie militaire*, il n'aurait pas
pris cette liberté. Mais on est dans une *Scène de la vie*

de campagne et, dès lors, l'exactitude cherchée — obtenue, on va le voir — ne concerne que les problèmes de la vie de campagne. Balzac n'est pas un romancier régionaliste, un romancier du terroir ; nulle part ne reposaient, pour lui, des morts avoués, aimés ; même sa chère Touraine ne fut jamais pour lui ce que seront l'Orléanais pour Péguy, la Lorraine pour Barrès, la Provence pour Giono, les Landes pour Mauriac. La vraie source géographique des *Paysans*, il faut l'aller chercher dans cette « France nouvelle » qu'est en train, partout, de modeler et de mettre en place « la louche domination de la bourgeoisie ». Par là, d'avance, *les Paysans* déclassent tout un pseudo-réalisme régionaliste qui, prenant les choses et les êtres à ras de terre, de souvenir ou de sensation, peut en restituer le parfum et en dire la valeur de paradis perdu — c'est le propre, de manière bien significative, de tout ce qui tient au lyrisme comme de tout ce qui tient au régionalisme, mais ceci est le propre uniquement du réalisme — ne les saisit jamais replacés dans un *ensemble* et dans un *mouvement*.

Les sources, ou du moins les références littéraires, sont d'un plus grand intérêt. Elles permettent, surtout par une comparaison des *styles*, de mesurer l'évolution de la conscience et de l'expression des problèmes.

En 1823, Balzac avait pu lire un *Proverbe* de Théodore Leclerc, *les Paysans*, avec lequel son roman présente des ressemblances frappantes : conflit entre un grand propriétaire, flanqué de son intendant, et des villageois, rudes, immoraux, ayant un début de conscience de classe ; surtout, peut-être, s'exprimant en conséquence, et recourant à ce langage parlé qui sera celui du père Fourchon. Le meneur, Mondain, parle déjà comme le personnage de Balzac : « La terre leur appartient [aux paysans] puisque c'est eux qui la soignent [...] Les bourgeois ne s'en servent que pour en tirer de l'argent, et pour faire les gros vis-à-vis des pauvres qui les valent bien [...] N'faut pas non plus s'laisser couper l'herbe sous l'pied [...] Monsieur Valcour, j'm'en soucie bien. Il a beau être noble, ça n'me fait de rian. » On aura noté que Mondain met déjà dans le même sac nobles et bourgeois. Mais, pour ce qui est de la forme, tient-on là la source de Balzac ? Il semble qu'il faille tenir compte, aussi, d'un intermédiaire : Henri Monnier.

Monnier, en effet, que Balzac connaissait bien, et personnellement, n'a guère fait parler que des citadins *et des*

militaires. Or, on sait aujourd'hui que ses *Scènes populaires,*
de 1830 et 1831, sont en grande partie à l'origine de
l'admirable récit de Goguelat dans *le Médecin de cam-*
pagne : le Napoléon du Peuple. Or, Goguelat *est un paysan.*
Balzac donne ainsi la parole, en un style vigoureux, narquois, généreux, exprimant aussi bien la nostalgie que le
refus de s'en laisser conter, à une catégorie sociale qui ne
figurait pas en tant que telle chez Henri Monnier, peintre
des concierges et des gamins, mais *c'est la condition*
militaire qui fournit le maillon intermédiaire. La Grande
Armée avait surtout recruté dans les masses rurales, et
l'on sait l'importance, sous la Restauration, du retour au
village des « anciens ». D'où, l'importance de ce thème :
frustrés, les paysans voient dans le mythe napoléonien
l'une des voies de leur protestation ; contre l'ordre qui les
brime et que, sous l'influence des souvenirs les plus
enracinés de l'Ancien Régime et par réaction contre le
pouvoir décorativement réactionnaire des Bourbons
revenus, ils portent au débit de l'aristocratie traditionnelle,
qui est aussi, en fait, celle des bourgeois, ils recourent aux
grandes images confuses des souvenirs de l'Empire. Ces
« bureaux » qui oublient Gondrin et le laissent finir sans
pension, alors qu'ils n'oublient pas les maréchaux passés
au service des lys, sont-ils « aristocrates » ? Le mythe
napoléonien fut longtemps, pour le peuple, le moyen de
s'opposer à l'Ordre sans encore s'opposer clairement à la
Bourgeoisie ; c'est en ce sens qu'il faudrait psychanalyser
la sociologie de Béranger. Mais, chez Balzac, notons bien
l'évolution : écrite en 1832-1833, l'histoire du *Médecin de*
campagne est censée se passer, pour la rencontre de
Genestas avec Benassis, en 1829, et, pour tout ce qui
précède, en pleine Restauration ; celle des *Paysans,* pour
l'arrivée de Blondet aux Aigues, est censée se passer en
1826 et, pour tout ce qui précède, donc, elle aussi en
pleine Restauration (avec même une légère antériorité,
puisque ce n'est qu'après 1817 que Benassis s'installe en
Savoie, et puisque c'est dès 1816 que Montcornet achète
les Aigues), pendant la même période de l'histoire française que celle du *Médecin de campagne.* Or, si, dans *le*
Médecin, Napoléon est resté vivant dans le peuple, dans
les Paysans, il a totalement cessé d'être « le seul roi dont
le peuple ait gardé la mémoire », comme l'avait dit Béranger en un vers fameux. Dans *les Paysans* l'Empire n'est
plus présent par sa légende, mais par sa réalité, par ce qu'il
a mis en place et légué : Montcornet, sabreur enrichi par

les pillages et la concussion, Montcornet, qui a livré son
«corps d'armée aux Bourbons en 1815»; Montcornet, «vieux
loup de guérite», totalement dépoétisé, ayant sans doute,
lui aussi, son compte en banque chez Laffite et Pérégaux,
comme ces maréchaux qu'évoquera Aragon dans *la
Semaine sainte*; l'ancien héros, donc, devenu bourgeois,
passé de l'autre côté. D'autre part, les anciens soldats,
certes toujours de style et d'allure militaires, mais dépoé-
tisés, eux aussi, n'allant plus racontant l'Empereur, et
n'ayant plus d'autre destin, même littéraire, que d'être
embauchés, habillés et armés, pour la défense de la propriété. La signification semble claire : douze ans après
la rédaction du *Médecin de campagne*, Balzac déclasse
radicalement, au niveau de la conscience populaire, un
mythe napoléonien dont l'expérience économique et
sociale dissipe pour lui les fumées. Bien que situant pour
l'essentiel ses *Paysans*, dans le temps, avant *le Médecin de
campagne*, Balzac y fait vivre et parler leurs représentants
compte tenu de ce que lui, Balzac, pense et voit au moment,
plus avancé dans le siècle, où il écrit son roman. La
ferveur napoléonienne, qui conduira au 2-Décembre,
était pourtant loin d'être morte dans les masses, en 1844,
mais Balzac, qui prend de la société moderne une vue
plus exacte et complète *lorsqu'il est romancier* (car l'homme
appellera de ses vœux Louis Napoléon et le coup d'Etat),
accentue, en en tirant toutes les conséquences littéraires,
la démythification populaire de l'Empire. Aussi, le père
Fourchon parle-t-il comme Goguelat, *moins Napoléon*;
aussi revient-on à Théodore Leclerc (non comme simple
« modèle », mais comme style), et à un parler populaire qui
n'a plus besoin de passer par les nostalgies et les revendi-
cations militaires. Le peuple, à la fin de la Restauration
et au début de la Monarchie de Juillet, était vu comme
paysan (ou comme ouvrier) *et* comme soldat. Voici, maintenant, qu'il n'est plus que peuple, abandonnant vêtements, idées, sentiments qui n'étaient de sa classe que de
la manière la plus artificielle et, finalement, la plus mysti-
fiante. Reprenez votre Empereur, et voyez ce qu'il fait de
Michaud — quelque sympathie humaine, individuelle,
qu'on ait pour lui par ailleurs : un garde-chiourme de
bonne foi. Le langage du père Fourchon y perd, lui aussi,
en poésie. Il faut dire que la critique moderne l'a moins
bien assimilé que le récit de Goguelat, certes littéraire-
ment magnifique, définissant un style épique neuf, mais
correspondant à une préhistoire de la conscience popu-

laire dont on s'est longtemps assez bien accommodé.
Fourchon, lui, est moins bien élevé ; il invoque d'autres
dieux. Goguelat, non sans provoquer quelque hypocrite
sympathie, s'intègre. Fourchon oblige à penser en termes
absolument neufs. C'est sans doute ce que manifeste, par-
dessus le langage du mythe, le retour à celui dont Théodore Leclerc avait donné un premier et bien curieux
exemple. Cette laïcisation des propos paysans marque
qu'est bien révolue l'époque où, contre le faubourg Saint-
Germain, la chaumière était encore l'alliée de la Banque.

V

Comme roman de la terre, *les Paysans* se distinguent radicalement des trois autres *Scènes de la vie de campagne*, dans lesquelles la vie privée et les mystères personnels des non-paysans jouent un rôle au moins aussi grand que la réalité rurale proprement dite. Benassis, Véronique Graslin et, à un moindre degré, Mme de Mortsauf cherchent dans la terre à mettre en valeur ou à organiser un remède à leurs propres tourments, et leur œuvre est une « poésie en action ». La terre, dans ces romans, est seconde, les confessions des protagonistes, ou le flash-back qui révèle le contenu de leur passé, constituant l'élément romanesque essentiel. Dans *les Paysans*, la terre est première ; elle n'est plus point d'application pour des énergies et des problèmes ; elle existe, indépendamment des intellectuels ou des bourgeois qui lui sont étrangers et qui ne lui peuvent rien, sinon, par une sorte de vol, se l'approprier. L'homme des villes, dans *les Paysans*, le Parisien (car on verra que des liens d'une tout autre nature s'établissent avec le citadin proche) est, sans nuances, l'étranger, l'homme qui, pour placer ses capitaux, a acheté la terre et en a privé le paysan. Bien entendu, il n'y a pas encore, dans l'Yonne balzacienne, de syndicats paysans ; mais il y existe déjà, fût-elle fourvoyée, insuffisamment consciente ou informée, marquée de pratique et d'idéologie petite-bourgeoise, la volonté de vivre ou de survivre qui y conduira. La terre aux paysans ! Le mot d'ordre s'impose face à un grand propriétaire absentéiste pour qui la terre n'est qu'un instrument de son orgueil. Et c'est le second point sur lequel Balzac innove par rapport aux autres *Scènes :* dans celles-ci, le propriétaire, ou celui qui met la terre en valeur et les paysans au travail, est justifié en sa possession et en sa charge par ses

intentions (ou ses capacités) réformatrices ou réorganisa-
trices. Montcornet, lui, est uniquement propriétaire *de
fait*, et le domaine des Aigues, contrairement à Montégnac,
n'est jamais une entreprise. Les Aigues, c'est la terre qui ne
cherche qu'à durer. Il est probable que Balzac pense à la
terre d'Ukraine. Mais il est probable aussi qu'encadrant
la rédaction du *Curé de village* (1839-1841), celle des
Paysans (1838-1844) vise, de part et d'autre du roman
d'un droit nouveau, à écrire celui, complémentaire, du
réel infligé. Véronique Graslin, qui a mobilisé toute une
équipe pour développer Montégnac, est aimée. Montcornet
est haï. Y a-t-il là une leçon platement morale ? Mais alors,
pourquoi Balzac ne prête-t-il pas à son général quelques-
unes des idées de Benassis ? Et, de même, pourquoi
n'avait-il pas fait rencontrer l'ancien brave d'Essling avec
d'autres braves rentrés au village ? Il y a, dans les deux
cas, volonté de ne rattacher Montcornet à rien, *ni à des
souvenirs, ni à un avenir*, de le cantonner dans le *fait* brut.
En fait, dans ces deux romans, Balzac exprime les deux
faces complémentaires d'une même réalité : le roman
utopiste et « social » exprime une réalité susceptible
d'échapper aux fatalités du libéralisme économique,
pourvu qu'elle se mette à obéir à d'autres impératifs que
ceux du seul profit. Mais le roman utopiste a pour cadre
un village imaginaire, signe, pour Balzac, d'un avenir
possible, signe de ce que la prospérité libérale pourrait
céder la place à une prospérité qualitativement d'un
autre ordre. Les Aigues, par contre, sont partout en
France où la grande propriété (que rien, ni économique-
ment, ni moralement, ne justifie, puisqu'elle ne cherche
pas à s'améliorer, à se dépasser elle-même) ne trouve en
face d'elle qu'une pratique et une conception petite-bourgeoise de la propriété, non un au-delà de la propriété. On
retombe ainsi dans l'enfer libéral qui, livré à lui-même,
produit, comme il peut, son propre « progrès », nulle
force qu'on a déchaînée n'acceptant de rentrer paisible-
ment au bercail après avoir servi. L'univers économique
des *Paysans* est un univers qui pousse et qui craque, sans
idées, sans morale ; la terre n'est plus l'occasion de penser le
monde et les rapports interhumains en termes plus
rationnels ; il n'y a plus que la poussée des êtres qui ne
sont plus que des choses, des éléments, un processus à
l'œuvre, invincible et puissant comme une mutation bio-
logique. Montcornet, la comtesse, Blondet peuvent partir,
tout continuera sans eux. Les romans utopistes montrent

l'esprit, à partir d'une vision vraie de ce qu'est le libéralisme économique et le système capitaliste, réordonnant le réel. *Les Paysans* montrent la nature de ce qui est en cours, qu'on peut déplorer, mais qui ne laisse pas d'être. Un symbole au sommet : alors que le *Médecin de campagne* et *le Curé de village* ont pour pasteurs des menaisiens, qui veulent ramener l'Eglise au peuple, les Aigues ont pour pasteur le très réactionnaire abbé Brossette, par ailleurs, dans *Béatrix*, curé du faubourg Saint-Germain et confesseur de la duchesse de Grandlieu. Il n'y a pas place, dans la France sauvage *de fait*, pour les chrétiens progressistes, et tout réel romanesque sécrète ses propres curés. Un réformateur ou un général « populaire » à la tête des Aigues, un homme de l'*Avenir* à ses côtés, c'était rendre impossible la tâche que se fixait Balzac : parler de la terre non telle que les hommes pourraient la refaire et la redistribuer, mais de la terre-destin, de la terre soumise aux rapports sociaux développés par la révolution bourgeoise.

L'expression romanesque de ces rapports sociaux est le troisième point de rupture. La bucolique avait pu, grâce à l'intuition scientifique de Balzac, passer au récit critique et visionnaire, preuve de ce que le capitalisme libéral, ne libérant pas toutes les forces productives, n'accomplissait pas tout l'Homme. De l'homme charitable ou secouru on passait à l'homme d'un monde à naître. Mais cette avancée n'aurait été qu'idéalisme si Balzac, en même temps, n'avait su voir et faire voir ce qu'étaient, dans la vie de campagne réelle, les nouveaux rapports sociaux. On l'a dit depuis longtemps, et c'est bien évident : *les Paysans* manifestent l'entrée en scène d'un prolétariat jusqu'alors de peu de poids dans une lutte socio-politique qui n'avait opposé à l'aristocratie que la bourgeoisie. Ne faut-il pas s'étonner, toutefois, de ce que Balzac, pourtant bien averti par ailleurs, voit un péril populaire dans les campagnes, alors que, dans la France de 1840, il était exclusivement urbain ? Mais, quantitativement et qualitativement, le peuple, en France, depuis longtemps et pour longtemps (pensons au bûcheron de Péguy !) c'est le peuple des campagnes. Jacqueries, Grande Peur : le Grand Soir, dans la mythologie diffuse et confuse des révolutions, ne les a pas encore remplacés. Si Balzac, pour parler des ouvriers, choisit les paysans, c'est que la dynamique et la problématique ouvrières sont encore très mal connues : on sent bien que le

péril ouvrier ne saurait être analysé en s'en tenant aux
vieux concepts qui convenaient aux artisans, aux ouvriers
à domicile; mais que mettre à la place ? Quelles masses ?
En fait, dans *les Paysans*, et débordant largement le
simple problème agraire, Balzac témoigne de la prise de
conscience d'un fait capital : il existe, par-delà la bourgeoisie victorieuse, des forces nouvelles, obscures. L'Histoire recommence, mais cette fois, c'est la bourgeoisie qui
va se trouver sur la défensive. Par là, le roman est bien
daté : très proche de 1848, et s'éloignant nettement de
1830.

Mais il faut bien prendre garde à ceci : recourant aux
paysans pour évoquer le problème d'une menace populaire, Balzac ne peut pas ne pas structurer son roman selon
la nature particulière des rapports sociaux dans la vie de
campagne. Détour pour parler des ouvriers, les paysans
se rattrapent et requèrent du romancier qu'il parle d'eux
en tant que paysans, dans leur situation de paysans. Et
c'est là le coup de génie du roman, le trait de lumière,
car Balzac va montrer les paysans, dans leur lutte contre
le néo-féodal, *obligés* de passer par les bourgeois, par les
usuriers, qui les exploitent et qui les asservissent, mais
qu'ils ne peuvent, de par une imprescriptible dynamique,
s'empêcher de faire tout ce qu'il faut pour qu'ils les
asservissent de plus en plus. Pour le clan Tonsard, pour
tous ceux qui aspirent à s'emparer de la terre, *leur* liberté
passe par le clan Gaubertin-Rigou, qui, par sa position
centrale, impose sa loi aussi bien aux féodaux qu'aux
petits exploitants pauvres. Les usuriers, les bourgeois
détenteurs de capitaux gagnent sur les deux tableaux :
ils détruisent Montcornet et aliènent une piétaille paysanne qui ne peut pas ne pas passer par eux pour tenter
de se réaliser. Balzac, comme l'a fait remarquer Georges
Lukacs, *aurait bien voulu*, au nom des ses présuppositions
politiques, que les paysans, ouvrant les yeux sur la nature
exacte des menées de Rigou et de Gaubertin, se joignissent
aux féodaux, symbole d'une certaine « culture », contre le
clan des capitalistes petits-bourgeois. Mais, de par son
sens profond du réel, comme quelqu'un en train de
conduire et d'exploiter une expérience à partir d'un
montage correct, *il n'a pu éviter* de montrer que les
paysans devaient s'allier aux capitalistes contre les grands
propriétaires. Il ne s'agit pas là d'une volonté, mais d'un
résultat :

La lutte des paysans contre les vestiges d'exploitation féodale pour une terre qui leur appartienne fait d'eux nécessairement les instruments du capitalisme usurier dont ils dépendent. La tragédie de la mort de l'aristocratie se transforme en la tragédie des paysans ; la libération des paysans de l'exploitation féodale est tragiquement annulée par l'avènement de l'exploitation capitaliste. Le roman montre toute la dialectique de la situation : les paysans dépendent nécessairement des usuriers de village ou de petite ville et, bien que les paysans haïssent ces usuriers, la nécessité économique, cependant, les conduit à servir leurs fins propres (Georges Lukacs).*

Au cours du XIXᵉ siècle, l'usurier de la ville prend la place du seigneur féodal, les hypothèques la place des droits féodaux, et le capital bourgeois la place de la propriété terrienne aristocratique (Karl Marx).*

Tout le matérialisme de l'analyse balzacienne réside dans le refus, dans l'impossibilité constitutive, de traiter le sujet en obéissant à des considérations morales abstraites. Comme déjà dans *le Dernier Chouan* en 1829, ce n'est pas la faute de l'auteur « si les choses parlent seules et si haut ».

Telle est la signification, nouvelle et forte, en 1844, des *Paysans*. Elle permet de comprendre l'espèce de *sympathie* de Balzac, dans le roman, pour Montcornet. En fait, Balzac ne *défend* pas Montcornet. Il montre que Montcornet n'est menacé que par l'impure et suspecte révolution des hommes d'argent. *Les Paysans* sont un livre critique non *pour* l'aristocratie, mais comme toujours chez Balzac *contre* la bourgeoisie. Balzac avait bien déjà montré que des révolutionnaires bourgeois, comme du Bousquier, dans *la Vieille Fille*, ne jettent bas le vieux monde (et le drapeau blanc) qu'en aliénant tout ce qui est peuple, jeunesse, générosité ; il n'avait pas attendu pour montrer que les libéraux n'étaient les combattants que de *leur* liberté, mais il n'avait pas encore montré comment le peuple, et singulièrement celui des campagnes, ne pouvait aller dans le sens de sa liberté instinctive qu'en l'aliénant, à terme, au profit des bourgeois. Finalement, toutefois, n'est-ce pas là une vérification, *par le roman*, de cette vérité aujourd'hui assurée, mais longtemps dissimulée par les historiens libéraux : à savoir que, non seulement la terre, depuis longtemps, avait

commencé d'être acquise par la bourgeoisie, mais encore
que les grandes mutations de 1789 n'avaient profité qu'aux
bourgeois, soit qu'ils aient acheté eux-mêmes les terres
nobles ou ecclésiastiques, soit qu'ils aient prêté de
l'argent aux paysans pauvres désireux de les acquérir ?
Le vainqueur dans l'affaire des biens nationaux, dans
l'affaire du dépeçage des grandes propriétés par toutes
les Mains Noires, n'a jamais été Jacques Bonhomme, quoi
qu'en aient prétendu Michelet et, après lui, les historiens
« républicains », mais le père Grandet et le bonhomme
Gaubertin, mais Malin de Gondreville et tous les
dynastes bourgeois qui devaient quadriller la France d'un
nouveau système de places fortes. Le tableau peut varier
dans le détail : dans l'ensemble, Balzac va à l'essentiel,
qui est l'appropriation de la France par une classe qui ne
saurait plus se prétendre messagère et instrument d'une
universelle liberté. L'usurier qui se profilait en 1838 dans
le Grand Propriétaire accède au statut romanesque qui est
le sien, que Balzac voit, désormais, être le sien dans la
réalité. Il n'y a plus, pour vraiment passer à la France
moderne, à la nôtre, qu'à rationaliser le système du crédit.
Qui sont, aujourd'hui, les descendants de Gaubertin, de
Rigou, de Grandet, de Malin de Gondreville ?
    Comment ne pas voir, dès lors, que *les Paysans* sont
l'un des romans de Balzac qui se prêtent le mieux à démontrer que leur véritable efficacité, que leur véritable sens
ne doit pas être cherché dans les déclarations expli-
cites qu'ils contiennent, mais dans ce qu'ils manifestent
et font voir, et qui va plus loin que les paroles d'un
moment ? Les bergeries « socialistes » de George Sand
ou, précisément, *les Paysans, chant rustique,* du poète-
ouvrier Pierre Dupont — que devait pourtant louer
Baudelaire — sont œuvres infiniment moins enrichissantes
et instructives, aujourd'hui, que le roman de cet homme
qui, en des termes insupportables, devait pourtant applau-
dir à la répression de juin 1848. Jean-Louis Bory écrit
que Balzac est objectivement révolutionnaire comme
M. Jourdain fait objectivement de la prose. *Les Paysans*
sont un roman objectivement révolutionnaire dans la
mesure, non où ils font appel à la sensibilité, lancent des
hymnes ou dessinent quelque *Plein Ciel,* mais dans la
mesure où, aidant à comprendre un processus, ils aident
à une prise de conscience et déclassent les vieilles explications, toujours alliées et instruments d'intérêts précis.
Les Paysans sont un roman objectivement révolutionnaire

dans la mesure où ils forcent à admettre que non seulement la révolution bourgeoise n'a pas donné la terre au
peuple, mais encore qu'elle lui a tissé de nouvelles conditions de servage. Que sert de partager si l'on n'a pas les
moyens de faire valoir ? Il est des réformes agraires qui
font le jeu des usuriers : dans cette perspective, on comprend mieux les charges de Balzac contre la division des
propriétés. Il est exact que production suppose concentration. Mais le tout est de savoir au profit de qui s'opère
la concentration. Balzac a dit ainsi des choses auxquelles
lui-même ne s'attendait certes point. Au plus simple
niveau du texte, la meilleure preuve en est fournie, sans
doute, par le discours du père Fourchon, exemple, dans
l'idée de Balzac, des monstruosités dites depuis peu par le
peuple : on peut très bien le prendre pour argent comptant.
Il est *devenu* vrai, directement vrai, et l'on a besoin de
faire, aujourd'hui, un effort pour comprendre quelle était
l'intention claire de Balzac. Elle a cessé de compter depuis
longtemps, mais le discours est toujours là. On en chercherait en vain l'équivalent chez les écrivains du « roman-
tisme social ». Le père Fourchon, citant d'ailleurs l'exemple
du vieux républicain Niseron (honnête, *donc* pauvre,
donc n'étant pas entré dans le cycle libéral de l'argent),
c'est Jacques Bonhomme se dressant, ô scandale, non
plus contre les nobles et les prêtres, seigneurs d'hier,
seigneurs qui ne comptent plus, mais contre les nouveaux,
même s'ils sont anticléricaux, même s'ils sont pour le
parlementarisme, même s'ils sont d'une « gauche » qui,
Balzac en donne en France la première preuve, n'est pas
nécessairement — loin de là — le parti du peuple. Mais
comment pourrait s'exprimer, comment pourrait agir, le
nouveau Jacques Bonhomme ? *Au sein de quel parti ?*
Bien longtemps avant que le père Fourchon puisse donner
une direction féconde et responsable à ce qu'il voit, à ce
qu'il ressent, Balzac lui a donné la parole, et il est de
première importance que, pour dire ce qu'il entend par
liberté, le père Fourchon, chez Balzac, n'a déjà plus besoin
de passer par les libéraux.

Mais, roman de la vérité objective en mutation, l'un
des romans les plus *scientifiques* de Balzac, *les Paysans*
sont aussi — et c'est ce qui contribue à faire leur prix,
c'est ce qui leur communique comme un indispensable
tremblement — un roman du *moi* de Balzac, peut-être
l'un des plus révélateurs, et l'un des plus vrais.

On note déjà avec intérêt que si, dans la version de
1838, le général de Montcornet est un être assez pâle,
qui n'oppose pas grande résistance et se laisse berner,
en 1844, il est devenu un homme sanguin, violent, une
espèce d'Hercule qu'obsèdent et agacent une armée de
pygmées. Héros d'Essling, menant son affaire aux Aigues
avec maladresse, certes, et sans aucune idée, mais non
sans un esprit de force et de décision qui en impose, faisant front et mobilisant son monde, battant le rappel des
fidélités, Montcornet est d'une tout autre stature et car-
rure que le général d'Aiglemont, dans *la Femme de
trente ans*, avec qui il a des ressemblances si l'on songe
aux seuls problèmes du couple : dans les deux cas, *lui* aussi
est dominateur, spectaculaire, *elle*, petite, discrète, souf-
frante et trompeuse. Mais Montcornet, sur le terrain, Balzac l'a voulu, l'a vu, en 1844, fort, puissant, en même
temps que significativement inefficace et inutile. Balzac
avait songé à acheter le château de Montcontour, mais ce
rapprochement biographique ne prend tout son sens
qu'intégré à un rapprochement plus en profondeur. En
fait, Montcornet est bien l'un de ces héros à la fois puissants et garrottés, hommes à coups de sang et à congestions
cérébrales, hommes qui s'abattent comme des chevaux
fourbus, qui doivent beaucoup au physique de leur créateur, beaucoup surtout à son expérience de la vie. A des
titres divers, Benassis et Goriot sont déjà, eux aussi, de
cette race, et comment ne pas songer encore à Vautrin ?
Balzac aux prises avec les choses et avec les êtres, Balzac
en proie à l'hostilité de tous les petits, Balzac lardé de
coups minuscules, mais qui font mal, c'est bien l'un des
thèmes inspirateurs de son œuvre romanesque, et Montcornet attaqué, Montcornet se battant, Montcornet dépos-
sédé, Montcornet mort, est bien l'une de ces figures de
désastres qui jalonnent la vie et l'œuvre de Balzac. Vu sous
un certain angle, et les Gaubertin, les Tonsard, correcte-
ment *situés*, Montcornet, c'est bien la Force et la Nature,
une certaine image du droit, livrés aux tarets de l'analyse
et des intérêts. Balzac avait suffisamment de sens du réel
pour en faire *aussi* un type et un personnage extérieur
à lui-même, mais, il faut le dire : en ces temps de roman-
tisme, Montcornet est une figure singulièrement mâle.
C'est ici, d'ailleurs, que la mythologie personnelle rejoint
la « philosophie » et la mythologie sociale. Toute masculi-
nité, en effet, toute volonté de puissance, tout prométhéisme, *tout humanisme* (car c'est bien de cela qu'il s'agit :

Montcornet, comme Balzac, comme tout bourgeois libéré, affranchi, aurait dit Vigny, entend être Dieu, Dieu créateur, Dieu le Père, image libre, et qui ne renvoie qu'à soi) sont illusoires dans l'ensemble des relations libérales bourgeoises. C'est ce que manifeste, vue de l'extérieur, l'histoire de Montcornet, né de l'argent (les pillages autorisés par l'Empereur) et vaincu par l'argent, comme Birotteau. Il n'en demeure pas moins que, s'il incarne l'illusion du prométhéisme bourgeois et balzacien, il incarne aussi une certaine légitimité subjective qui était à l'origine de ce même prométhéisme. Montcornet, avec sa volonté d'être, avec cette extraordinaire image des charrettes remplies de cuirasses aux sources de son passé, participe de tous ces rêves de puissance que le siècle voue à l'absurde. La chute de Montcornet, c'est comme l'arrestation de Vautrin : on n'arrive pas plus à être pour Gaubertin et ses troupes que pour le père l'empoigneur, ses indicatrices et ses sbires. Balzac s'est rencontré avec Montcornet, personnage qui ne lui devait d'abord rien, puis il s'est exprimé en lui, comme en tout être fort qu'essaient de raboter, avec l'aide de l'argent, des bureaux et de toutes les complicités médiocratiques, « les épiciers qui nous gouvernent ».

Mais, s'il y a Montcornet, il y a aussi l'anti-Montcornet, cette fois considéré comme *l'autre* : Blondet. Blondet jeune, Blondet journaliste, Blondet ne devant rien qu'à son intelligence. Qu'est-ce que Blondet ? « Bâtard d'un juge et d'un préfet » *(le Cabinet des Antiques)*, Blondet est, dans certains romans, l'homme à abattre, la créature et l'instrument du système. Mais il est ici, dans l'univers des installés, l'enfant du siècle, un aspect de la revanche de l'esprit. Et comment ne pas voir, en ce parvenu qui se paie comme maîtresse une demoiselle de Troisville devenue châtelaine des Aigues, une autre image de Balzac lui-même et de ses désirs ? Lousteau de même, dans *la Muse du département*, enlève Dinah à l'affreux petit la Baudraye et, si Balzac a fini, dans ce roman, par faire de Lousteau le plus lamentable des êtres, il lui avait d'abord donné, à lui aussi, les traits d'un jeune homme spirituel et charmant. Blondet, dans *les Paysans*, est le double de Montcornet, comme Lucien et comme Rastignac sont le double de Vautrin. Blondet, c'est le Balzac intelligent, poétique, plein d'aisance et de grâce, amant des grandes dames qui sont folles de lui, image de revanche et de rêve, depuis toujours, chez cet homme au cou épais. Blondet, c'est

l'une des multiples incarnations de l'Ariel balzacien. Mais
cet Ariel n'est jamais bleuâtre ni désincarné : il possède
et il dompte; il met le mors à la bête et il la gouverne.
Dans *les Paysans* Balzac nous donne l'image, peut-être
unique en son œuvre, de cet Ariel *heureux*, au sens précis,
d'ailleurs, où Lucien l'était tous les jours avec Coralie.

Et c'est la troisième présence balzacienne dans le
roman : une sensualité puissante, pénétrante, omniprésente, à la fois comme assurée, sereine, indemne de tout
sens du péché, mais comme âpre aussi, parfois, blessée;
une sensualité tantôt triomphante et bénie, tantôt
comme zébrée d'éclairs tragiques. La sensualité du *Lys
dans la vallée* était une sensualité maladroite et honteuse :
celle de l'adolescence et de la jeunesse, celle de la féminité
étouffée; l'épisode même d'Arabelle en souffre, trop *voulu*,
trop coloré de défi. A l'autre extrémité, la sensualité de
la Cousine Bette est la sensualité sénile, saisissante, parfois, mais ayant perdu toute poésie. Adeline Hulot, d'ailleurs, comme Henriette de Mortsauf, se demande comment peuvent bien faire « ces femmes-là » : preuve que
le lien n'est pas établi, ou s'est rompu, entre la jouissance
et la vie, la femme comme il faut, pour recourir à une
distinction de Balzac lui-même, demeurant radicalement
séparée de la femme comme il en faut. Dans *les Paysans*
(un peu comme dans *la Rabouilleuse*, parfois, dont la
rédaction est de peu antérieure à la version de 1844), la
sensualité est au cœur de tout et fait l'unité des êtres.
Les Paysans commencent comme un roman des vacances
et du bonheur. Loin de Paris, loin de Nathan, qui continue à s'échiner, Blondet goûte le plaisir de se laisser vivre
et de se laisser aimer. D'où cette admirable description
du parc et du château en cet été, en ce midi. Cette description rappelle, bien entendu, celle du *Lys*, de la vallée
aimante et mère au bouquet de Félix et à la flouve amoureuse des soirs de Clochegourde, à cette odeur de vendange qui pénètre jusqu'au lit de mort de Mme de
Mortsauf et lui parle des étreintes qu'elle n'a pas connues.
L'image de la même femme est encore là, d'ailleurs, en
robe blanche sur la terrasse; mais ce n'est plus la mère
héroïque et qui se consacre aux soins d'un vieillard; dans
les Paysans, la dame n'a pas d'enfants (elle en avait
encore dans le premier scénario!) et elle est la maîtresse,
affectueuse et soumise, du jeune héros. D'où la chambre
de l'ami; d'où les matins dans le parc, ces envolées de
robe de chambre sur les gazons humides, tandis que là-

bas, aux limites de quelque garenne, fulmine le cuirassier
cocu. Bonheur, oui, bonheur! Charmes! Balzac a-t-il
connu beaucoup de ces moments ? Dans ce domaine
magnifique et royal, riche — alors que Clochegourde est
humble et blessé, à l'image de celle qui l'habite — règne
encore le souvenir de la courtisane qui le reçut jadis d'un
de ses amants. Tout a réussi, tout s'est doré, jusqu'aux
femmes de chambre qui ont su se montrer bonnes filles
tout en faisant leur pelote. Les lentilles d'eau, les pierres
chaudes des pavillons, l'odeur des feuilles et le soleil :
beauté, bonheur, moment rare. Mais innocence, et pour
toujours ? Non. Il y a déjà les filles Tonsard, rudes, et
douces à la main, prêtes à tout, robustes garces, chassant
à l'homme et pas chiennes en caresses : on est encore
là en présence d'une sorte de beauté profondément
païenne, mais plus âpre. Mais il y a aussi ces bois profonds
où les Tonsard essaient de violer la Pechina, ces bois eux-
mêmes violés où l'on égorge le grand lévrier, ces bois
que traversera le cheval de Michaud sans son cavalier,
tué d'une balle en pleine tête. Ces bois, ce sont les mêmes
que ceux d'*Une ténébreuse affaire* (1843, juste avant *les
Paysans*, et le rapprochement Michaud-Michu s'impose).
Ce sont les bois de la passion. Et voilà bien une autre
différence, capitale, avec les deux romans utopistes : quelle
distance, en effet, entre cette nature des *Paysans*, et celle
du *Médecin de campagne* et du *Curé de village*, rude et
exaltant cadeau fait à l'homme, qui doit bien s'en arranger! Nature mise en valeur, nature forcée, nature obligée
à produire et à rendre, nature parcourue de canaux, nature
couturée des cicatrices du travail, non nature qui règne,
et qui est, mais nature déjà possédée, maîtrisée. Les
arbres demeurent beaux et mystérieux autour de Montégnac, mais si l'âme de Véronique les comprend, si tout
ne saurait s'enfermer dans une pratique, si demeure l'ir-
réductible du souvenir et de l'amour, une idée est quand
même là, à l'œuvre, et les hommes sont moins misérables,
puisqu'ils produisent plus et mieux. Rien de tel dans *les
Paysans*. La nature y est une nature de consommation,
non de création. *Les Paysans* sont le roman de la jouissance, heureuse, d'abord, mais bientôt inquiétante. La
dialectique balzacienne de l'intense et de la durée atteint
ici son plus rare degré de présence et de vérité. Amour
du vin, amour des femmes, amour des bois et de leurs
odeurs, amour de la terre (non pour en tirer plus de
richesse, mais pour en jouir, par l'idée); le vin cuit de

Soulanges, le vin bouché de Tonsard, le repas de Gaubertin avec Rigou; l'ancien bénédictin avec son Annette,
et la petite comtesse, rose et épanouie au réveil, gracieuse
apparition dans le premier rayon de soleil; Tivoli avec
ses verres de couleur, la grande fête de Soulanges, et la
fille qu'on médite de lancer au Tapissier : tout se tient,
des amants comblés à ces ruts qui font songer, avec
quelque chose de nettement et spontanément plus
sombre, à Jérôme Bosch ou à *Colas Breugnon*. Mais cette
humanité, dont Balzac, avec la lettre de Blondet, montre
un beau moment, une image de ce à quoi elle a droit,
cette humanité capable d'organiser l'adultère ou la papelardise avec une science et un amour qui confondent,
cette humanité est aussi une humanité follement *emportée*.
On sent qu'elle court à sa ruine, et la base économique
de cette danse macabre est clairement donnée : le paysan
sera, parfois, obligé de rendre la terre qu'il n'aura pu
complètement payer, après s'être tué à y faire toutes les
améliorations possibles; la terre sera divisée à l'infini par
le désir, le désir qui détruit son objet, comme dans *la
Peau de chagrin*. Une humanité qui ne sait, qui ne peut
que désirer et consommer, une humanité qui ne s'invente
pas de nouvelles sources de richesse et de puissance, se
dévore elle-même. C'est bien la contradiction symbolique
fondamentale du roman : rien n'est plus juste, rien n'est
plus beau que le désir (à la différence de ceux de Zola,
dans *la Terre*, les paysans de Balzac ne sont jamais bas
ni vulgaires); mais aussi, dans les conditions actuelles de
son exercice, démultiplié qu'il est par une société qui
lâche les énergies, mais ne les utilise pas, *le désir est mor-
tel, le désir est un piège*. Que reste-t-il, finalement, du
couple qu'évoquait le début du roman ? Un mariage de
raison et d'argent, une combinaison bourgeoise et,
comme dans l'histoire de Maxime de Trailles (ou, dans
la réalité, de Petrus Borel et de Lautour-Mézeray, lions
et lycanthropes entrés dans la carrière préfectorale), l'un
des « bons enfants » de *la Comédie humaine* qui se range.
Quelle fin, et comme le temps a déjà marché depuis le
défi de Rastignac, depuis toute cette lancée de la jeunesse
et du siècle! Il y a des choses, dans *les Paysans*, auxquelles
Balzac ne croit plus, ne peut plus croire. Ce sont toujours
les deux bouts de la chaîne, chez lui : désir, passion, plaisir, beauté sont, au départ, et en soi, légitimes; mais ils
se découvrent peu à peu condamnés non à enrichir l'être,
mais à le ruiner et à le détruire, parce qu'on ne peut vou-

loir, parce qu'on ne peut désirer que dans le cadre précis et fatal d'un type historique de devenir. Ce n'est pas là vision moraliste ou métaphysicienne : Balzac n'a jamais dit qu'il ne *fallait pas* vouloir, et lui-même a suffisamment désiré dans sa vie; mais il a vu et il fait voir que toute réussite, que toute satisfaction étaient illusoires dans un univers dont la loi suprême était celle non de la création, mais du profit, de la consommation et de la destruction. Il est important qu'aux dernières pages des *Paysans* (écrites à la hâte, et livrant une signification brute) par contraste avec le triste épilogue Blondet, Balzac n'ait pas montré, après la victoire du clan Rigou-Gaubertin et de leurs clients, une campagne, un pays, explosant d'une vie nouvelle, lancés vers tout un avenir. Rien de comparable, ici, avec l'enthousiasme qui préside, dans *le Médecin de campagne*, à la construction de la route et du pont. Bien que les Aigues aient été partagés et mis en culture, bien que la population ait triplé entre Couches et Blangy, *les Paysans* ne se terminent pas en naïf *Germinal*. La victoire des partageux et de leurs bailleurs de fonds n'est pas seulement la fin des aristocraties et des monarchies; elle est, hélas, tout un avenir qui attend les hommes, de triste égoïsme, d'ambition, d'impuissance et de division. Blondet s'en va vers ses pantoufles, et toute cette population s'en va, de plus en plus, vers ce que Balzac appelait en 1830 « les calculs étroits de la personnalité ». Tout désir est beau, toute jouissance est belle, saisis hors du temps, dans ces entractes de la vie, comme lors de l'arrivée de Blondet aux Aigues. Tout désir est ruine de l'âme, toute jouissance est grimace, sitôt qu'il leur faut bien, à nouveau, se réaliser, s'accomplir et durer dans le cadre de ce que devinait Stendhal, et qu'il appelait « une fausse civilisation » et qui est la société capitaliste.

VI

Comme tous les grands romans de Balzac, celui des *Paysans* est réaliste en ce qu'il est *vrai*, et en ce qu'il est *mythologique*. Vrai : parce que Balzac part de choses vues, connues, jusque dans le détail, souvent; parce qu'il s'arrête, aussi, lorsque Balzac « ne sait plus »; *les Paysans* ne furent jamais terminés, parce que Balzac n'avait pas du monde rural cette connaissance qu'il avait du commerce ou du journalisme, et qui lui a permis de mener à bien tant d'autres romans. Vrai : parce qu'il voit et fait voir, non l'apparence, non le folklore, mais les problèmes, mais les tensions de ce qui est en cours ou se dessine; en ce qu'il indique un mouvement et une direction, et en ce que le réel n'est pas simple assemblage statique, saisissable et exprimable dans le simultané, mais, lui aussi, mouvement, *aventure*, nés de contradictions objectives et vécues. Mythologique : parce que s'y exprime toute une philosophie, tout un système (ouvert) d'images et de symboles, toute une « réaction » élaborée, certes, à partir d'un tempérament et d'un certain nombre de fatalités personnelles, mais aussi et surtout à partir de la rencontre avec certaines conditions bien précises qu'impose le monde moderne au désir d'expansion et d'affirmation. Le roman réaliste, chez Balzac, est réaliste en ce qu'il transcrit et interprète (déjà) un réel globalement accepté, accueilli, quelles que puissent être les conséquences; et il est roman, c'est-à-dire plus qu'enquête ou document, plus même qu'analyse armée de l'Idée, en ce qu'il exprime de l'en-cours, de l'imprévisible, en ce qu'il ne se limite pas au mesurable, au facile à classer, mais saisit ce qui déclasse, déjà, le classé, n'est pas encore conceptualisable, et que le romancier perçoit au travers des destins et des aventures d'individus typisés ou de

groupes individualisés, au travers de quelque chose qui
est enclenché, au travers de quelque chose qui est action,
mais action partiellement aveugle, bien loin d'être consciente de ses motivations, de ses objectifs et de ses implications. L'analyse économique de la triade féodaux-usu-
riers-paysans, comme celle du dilemme intense-durée,
n'est devenue possible qu'aujourd'hui ; mais Balzac n'a
pas attendu que cette analyse soit possible pour exprimer, par l'intermédiaire d'une dramaturgie, le nœud de
contradictions qui en faisait, entre 1830 et 1844, non un
objet, mais un élément de passion quotidienne. C'est
pourquoi tout ce qui tient au plus secrètement personnel,
tout ce qui tient au sens des êtres et de la vie, dans ce
roman de la vie rurale, loin d'être simple et négligeable
annexe, simple supplément, est au contraire essentiel.
On chercherait en vain Zola et ses mythes personnels
dans *la Terre*. Balzac est au cœur des *Paysans*. Pierre Macherey a certes raison de récuser la vieille notion idéaliste
de *création* littéraire, qui suppose un démiurge libre et
dégagé, pour lui substituer celle de *production* littéraire.
Mais il n'est de production-apport, il n'est de production-
liberté, que celle qui engage, de manière totale et sans
réserve, un esprit de qualité. La mythologie balzacienne,
les vieilles images familières, qu'on voit naître dès les
romans d'Horace de Saint-Aubin, n'est pas « littérature »,
ou gratuite fantasmagorie ; elle fait partie intégrante du
sens balzacien du réel. Elle « s'ajoute », par la suite, pour
les structurer, à des observations qui, en retour, la ren-
forcent et l'alimentent. C'est pourquoi, s'il est capital de
signaler la portée, *toute* la portée scientifique et critique
des *Paysans*, l'un des plus sociologiquement exacts, *donc*
l'un des plus prophétiques des romans de *la Comédie
humaine*, il l'est aussi de dire que c'est dans ce roman
des autres que Balzac a, peut-être, le plus profondément,
parlé de lui-même.

Pierre BARBÉRIS

BIBLIOGRAPHIE

1. TEXTE

Le texte du roman a été établi à partir des documents de la collection Lovenjoul, par J.-H. Donnard dans son édition des Classiques Garnier, 1964. Outre le roman proprement dit, on trouve dans cette édition le texte du *Grand Propriétaire* de 1834, celui de la première ébauche de 1838, ainsi que quelques épaves.

2. ÉTUDES

Barbéris (Pierre), *Notes sur une édition récente des « Paysans »*, Revue d'histoire littéraire de la France, juillet-septembre 1965.

Citron (Pierre), *Autour de quelques personnages*, L'Année Balzacienne, 1965.
Compte rendu de l'édition Donnard, L'Année Balzacienne, 1965.

Donnard (Jean-Hervé), *Préface* à son édition, Classiques Garnier, 1964.

Lovenjoul (vicomte Charles Spoelberch de), *la Genèse d'un roman de Balzac : « les Paysans »*, Ollendorf, 1901.

Luckacs (Georges), *Balzac*, Maspero, 1967.

Macherey (Pierre), *les Paysans de Balzac : un texte disparate*, in *Pour une théorie de la production littéraire*, Maspero, 1966.

Wurmser (André), *la Comédie inhumaine*, Gallimard, 1964.

LES PAYSANS

A Monsieur P.-S.-B. Gavault.

J.-J.Rousseau mit en tête de la Nouvelle Héloïse : « J'ai vu les mœurs de mon temps, et j'ai publié ces lettres. » *Ne puis-je pas vous dire, à l'imitation de ce grand écrivain : j'étudie la marche de mon époque, et je publie cet ouvrage.*

Le but de cette ETUDE, d'une effrayante vérité tant que la Société voudra faire de la philanthropie un principe au lieu de la prendre pour un accident, est de mettre en relief les principales figures d'un peuple oublié par tant de plumes à la poursuite de sujets nouveaux. Cet oubli n'est peut-être que de la prudence par un temps où le Peuple hérite de tous les courtisans de la Royauté. On a fait de la poésie avec les criminels, on s'est apitoyé sur les bourreaux, on a presque déifié le Prolétaire !... Des sectes se sont émues et crient par toutes leurs plumes : Levez-vous, travailleurs ! comme on a dit au Tiers-Etat : Lève-toi ! On voit bien qu'aucun de ces Erostrates n'a eu le courage d'aller au fond des campagnes étudier la conspiration permanente de ceux que nous appelons encore les faibles contre ceux qui se croient les forts, du paysan contre le riche ?... Il s'agit ici d'éclairer, non pas le législateur d'aujourd'hui, mais celui de demain. Au milieu du vertige démocratique auquel s'adonnent tant d'écrivains aveugles, n'est-il pas urgent de peindre enfin ce paysan qui rend le Code inapplicable en faisant arriver la propriété à quelque chose qui est et qui n'est pas ? Vous allez voir cet infatigable sapeur, ce rongeur qui morcelle et divise le sol, le partage, et coupe un arpent de terre en cent morceaux, convié toujours à ce festin par une petite bourgeoisie qui fait de lui tout à la fois son auxiliaire et sa proie. Cet élément insocial créé par la Révolution absorbera quelque jour la Bourgeoisie, comme la Bourgeoisie a dévoré la Noblesse. S'élevant au-dessus de la loi par sa propre petitesse, ce Robespierre à une tête et à vingt millions de bras travaille sans jamais s'arrêter,

*tapi dans toutes les communes, intronisé au conseil municipal,
armé en garde national dans tous les cantons de France par
l'an 1830, qui ne s'est pas souvenu que Napoléon a préféré
les chances de son malheur à l'armement des masses.*

*Si j'ai, pendant huit ans, cent fois quitté, cent fois repris
ce livre, le plus considérable de ceux que j'ai résolu d'écrire,
c'est que tous mes amis, comme vous-même, ont compris que
le courage pouvait chanceler devant tant de difficultés, tant
de détails mêlés à ce drame doublement terrible et cruelle-
ment ensanglanté ; mais, au nombre des raisons qui me
rendent aujourd'hui presque téméraire, comptez le désir
d'achever une œuvre destinée à vous donner un témoignage
de ma vive et durable reconnaissance pour un dévouement qui
fut une si grande consolation dans l'infortune.*

DE BALZAC.

PREMIÈRE PARTIE
QUI TERRE A, GUERRE A

CHAPITRE PREMIER

LE CHATEAU

A MONSIEUR NATHAN

« Aux Aigues, 6 août 1823.

« Toi qui procures de délicieux rêves au public avec
« tes fantaisies, mon cher Nathan, je vais te faire rêver
« avec du vrai. Tu me diras si jamais le siècle actuel pourra
« léguer de pareils songes aux Nathan et aux Blondet de
« l'an 1923 ! Tu mesureras la distance à laquelle nous
« sommes du temps où les Florine du dix-huitième siècle
« trouvaient à leur réveil un château comme les Aigues
« dans un contrat.

« Mon très cher, si tu reçois ma lettre dans la matinée,
« vois-tu de ton lit, à cinquante lieues de Paris environ,
« au commencement de la Bourgogne, sur une grande
« route royale, deux petits pavillons en brique rouge,
« réunis ou séparés par une barrière peinte en vert ?... Ce
« fut là que la diligence déposa ton ami.

« De chaque côté des pavillons, serpente une haie vive
« d'où s'échappent des ronces semblables à des cheveux
« follets. Çà et là, une pousse d'arbre s'élève insolemment.
« Sur le talus du fossé, de belles fleurs baignent leurs
« pieds dans une eau dormante et verte. A droite et à
« gauche, cette haie rejoint deux lisières de bois, et la
« double prairie à laquelle elle sert d'enceinte a sans doute
« été conquise par quelque défrichement.

« A ces pavillons déserts et poudreux commence une
« magnifique avenue d'ormes centenaires dont les têtes
« en parasol se penchent les unes sur les autres et forment
« un long, un majestueux berceau. L'herbe croît dans
« l'avenue, à peine y remarque-t-on les sillons tracés par

« les doubles roues des voitures. L'âge des ormes, la lar-
« geur de deux contre-allées, la tournure vénérable des
« pavillons, la couleur brune des chaînes de pierre, tout
« indique les abords d'un château quasi royal.

« Avant d'arriver à cette barrière, du haut d'une de ces
« éminences que, nous autres Français, nous nommons
« assez vaniteusement une montagne, et au bas de laquelle
« se trouve le village de Couches, le dernier relais, j'avais
« aperçu la longue vallée des Aigues, au bout de laquelle
« la grande route tourne pour aller droit à la petite sous-
« préfecture de La-Ville-aux-Fayes, où trône le neveu de
« notre ami des Lupeaulx. D'immenses forêts, posées à
« l'horizon sur une vaste colline côtoyée par une rivière,
« dominent cette riche vallée, encadrée au loin par les
« monts d'une petite Suisse, appelée le Morvan. Ces
« épaisses forêts appartiennent aux Aigues, au marquis de
« Ronquerolles et au comte de Soulanges dont les châ-
« teaux et les parcs, dont les villages vus de loin et de
« haut donnent de la vraisemblance aux fantastiques
« paysages de Breughel-de-Velours.

« Si ces détails ne te remettent pas en mémoire tous les
« châteaux en Espagne que tu as désiré posséder en
« France, tu ne serais pas digne de cette narration d'un
« Parisien stupéfait. J'ai enfin joui d'une campagne où
« l'Art se trouve mêlé à la Nature, sans que l'un soit gâté
« par l'autre, où l'Art semble naturel, où la Nature est
« artiste. J'ai rencontré l'oasis que nous avons si souvent
« rêvée d'après quelques romans : une nature luxuriante
« et parée, des accidents sans confusion, quelque chose
« de sauvage et d'ébouriffé, de secret, de pas commun.
« Enjambe la barrière, et marchons.

« Quand mon œil curieux a voulu embrasser l'avenue
« où le soleil ne pénètre qu'à son lever ou à son coucher,
« en la zébrant de ses rayons obliques, ma vue a été barrée
« par le contour que produit une élévation du terrain;
« mais, après ce détour, la longue avenue est coupée par
« un petit bois, et nous sommes dans un carrefour, au
« centre duquel se dresse un obélisque en pierre, absolu-
« ment comme un éternel point d'admiration. Entre les
« assises de ce monument, terminé par une boule à piquants
« (quelle idée!), pendent quelques fleurs purpurines, ou
« jaunes, selon la saison. Certes, les Aigues ont été bâtis
« par une femme ou pour une femme, un homme n'a pas
« d'idées si coquettes, l'architecte a eu quelque mot d'ordre.

« Après avoir franchi ce bois, posé comme en sentinelle,

« je suis arrivé dans un délicieux pli de terrain, au fond
« duquel bouillonne un ruisseau que j'ai passé sur une
« arche en pierres moussues d'une superbe couleur, la
« plus jolie des mosaïques entreprises par le Temps.
« L'avenue remonte le cours d'eau par une pente douce.
« Au loin, se voit le premier tableau : un moulin et son
« barrage, sa chaussée et ses arbres, ses canards, son linge
« étendu, sa maison couverte en chaume, ses filets et sa
« boutique à poisson, sans compter un garçon meunier
« qui déjà m'examinait. En quelque endroit que vous
« soyez à la campagne, et quand vous vous y croyez seul,
« vous êtes le point de mire de deux yeux couverts d'un
« bonnet de coton. Un ouvrier quitte sa houe, un vigneron
« relève son dos voûté, une petite gardeuse de chèvres, de
« vaches ou de moutons grimpe dans un saule pour vous
« espionner.
    « Bientôt l'avenue se transforme en une allée d'acacias
« qui mène à une grille du temps où la serrurerie faisait
« de ces filigranes aériens qui ne ressemblent pas mal aux
« traits enroulés dans l'exemple d'un maître d'écriture.
« De chaque côté de la grille, s'étend un saut-de-loup
« dont la double crête est garnie des lances et des dards les
« plus menaçants, de véritables hérissons en fer. Cette
« grille est d'ailleurs encadrée par deux pavillons de
« concierge semblables à ceux du Palais de Versailles, et
« couronnés par des vases de proportions colossales. L'or
« des arabesques a rougi, la rouille y a mêlé ses teintes ;
« mais cette porte, dite de l'Avenue, et qui révèle la main
« du Grand Dauphin à qui les Aigues la doivent, ne m'en
« a paru que plus belle. Au bout de chaque saut-de-loup
« commencent des murailles non crépies où les pierres,
« enchâssées dans un mortier de terre rougeâtre, montrent
« leurs teintes multipliées : le jaune ardent du silex, le
« blanc de la craie, le brun-rouge de la meulière et les
« formes les plus capricieuses. Au premier abord, le parc
« est sombre, ses murs sont cachés par des plantes grim-
« pantes, par des arbres qui, depuis cinquante ans, n'ont
« pas entendu la hache. On dirait d'une forêt redevenue
« vierge par un phénomène exclusivement réservé aux
« forêts. Les troncs sont enveloppés de lianes qui vont
« de l'un à l'autre. Des guis d'un vert luisant pendent à
« toutes les bifurcations des branches où il a pu séjourner
« de l'humidité. J'ai retrouvé les lierres gigantesques, les
« arabesques sauvages qui ne fleurissent qu'à cinquante
« lieues de Paris, là où le terrain ne coûte pas assez cher

« pour qu'on l'épargne. L'art, ainsi compris, veut beau-
« coup de terrain. Là, donc, rien de peigné, le râteau ne
« se sent pas, l'ornière est pleine d'eau, la grenouille y
« fait tranquillement ses têtards, les fines fleurs de forêt y
« poussent, et la bruyère y est aussi belle qu'en janvier
« sur ta cheminée, dans le riche cachepot apporté par Flo-
« rine. Ce mystère enivre, il inspire de vagues désirs. Les
« odeurs forestières, senteurs adorées par les âmes
« friandes de poésie à qui plaisent les mousses les plus
« innocentes, les cryptogames les plus vénéneux, les terres
« mouillées, les saules, les baumes, le serpolet, les eaux
« vertes d'une mare, l'étoile arrondie des nénuphars
« jaunes ; toutes ces vigoureuses fécondations se livrent à
« vos narines en vous livrant toutes une pensée, leur âme
« peut-être. Je pensais alors à une robe rose, ondoyant à
« travers cette allée tournante.
   « L'allée finit brusquement par un dernier bouquet où
« tremblent les bouleaux, les peupliers et tous les arbres
« frémissants, famille intelligente, à tiges gracieuses, d'un
« port élégant, les arbres de l'amour libre ! De là, j'ai vu,
« mon cher, un étang couvert de nymphæa, de plantes
« aux larges feuilles étalées ou aux petites feuilles menues,
« et sur lequel pourrit un bateau peint en blanc et noir,
« coquet comme la chaloupe d'un canotier de la Seine,
« léger comme une coquille de noix. Au-delà, s'élève un
« château signé 1560, en briques d'un beau rouge, avec
« des chaînes en pierre et des encadrements aux encoi-
« gnures et aux croisées qui sont encore à petits carreaux
« (ô Versailles !). La pierre est taillée en pointes de dia-
« mant, mais en creux comme au palais ducal de Venise
« dans la façade du pont des Soupirs. Ce château n'a de
« régulier que le corps du milieu d'où descend un perron
« orgueilleux à double escalier tournant, à balustres arron-
« dis, fins à leur naissance et à mollets épatés. Ce corps
« de logis principal est accompagné de tourelles à cloche-
« tons où le plomb dessine ses fleurs, de pavillons
« modernes à galeries et à vases plus ou moins grecs. Là,
« mon cher, point de symétrie. Ces nids assemblés au
« hasard sont comme empaillés par quelques arbres verts
« dont le feuillage secoue sur les toits ses mille dards
« bruns, entretient les mousses et vivifie de bonnes
« lézardes où le regard s'amuse. Il y a le pin d'Italie à
« écorce rouge avec son majestueux parasol ; il y a un
« cèdre âgé de deux cents ans, des saules pleureurs,
« un sapin du Nord, un hêtre qui le dépasse ; puis, en

« avant de la tourelle principale, les arbustes les plus
« singuliers, un if taillé qui rappelle quelque ancien jardin
« français détruit, des magnolias et des hortensias;
« enfin, c'est les Invalides des héros de l'horticulture, tour
« à tour à la mode et oubliés, comme tous les héros.

  « Une cheminée à sculptures originales et qui fumait
« à gros bouillons dans un angle m'a certifié que ce déli-
« cieux spectacle n'était pas une décoration d'opéra. La
« cuisine y révélait des êtres vivants. Me vois-tu, moi
« Blondet, qui crois être en des régions polaires quand
« je suis à Saint-Cloud, au milieu de cet ardent paysage
« bourguignon ? Le soleil verse sa plus piquante chaleur,
« le martin-pêcheur est au bord de l'étang, les cigales
« chantent, le grillon crie, les capsules de quelques graines
« craquent, les pavots laissent aller leur morphine en
« larmes liquoreuses, tout se découpe nettement sur le
« bleu foncé de l'éther. Au-dessus des terres rougeâtres
« de la terrasse s'échappent les joyeuses flamberies de ce
« punch naturel qui grise les insectes et les fleurs, qui
« nous brûle les yeux et qui brunit nos visages. Le raisin
« se perle, son pampre montre un voile de fils blancs
« dont la délicatesse fait honte aux fabriques de dentelles.
« Enfin le long de la maison brillent des pieds-d'alouette
« bleus, des capucines aurore, des pois de senteur.
« Quelques tubéreuses éloignées, des orangers parfument
« l'air. Après la poétique exhalation des bois, qui m'y
« avait préparé, venaient les irritantes pastilles de ce
« sérail botanique. Au sommet du perron, comme la
« reine des fleurs, vois enfin une femme en blanc et en
« cheveux, sous une ombrelle doublée de soie blanche,
« mais plus blanche que la soie, plus blanche que les lys
« qui sont à ses pieds, plus blanche que les jasmins étoilés
« qui se fourrent effrontément dans les balustrades, une
« Française née en Russie qui m'a dit : « Je ne vous
« espérais plus! » Elle m'avait vu dès le tournant. Avec
« quelle perfection toutes les femmes, même les plus
« naïves, entendent la mise en scène ? Le bruit des gens
« occupés à servir m'annonçait qu'on avait retardé le
« déjeuner jusqu'à l'arrivée de la diligence. Elle n'avait
« pas osé venir au-devant de moi.

  « N'est-ce pas là notre rêve, n'est-ce pas là celui de tous
« les amants du beau sous toutes ses formes, du beau séra-
« phique que Luini a mis dans le *Mariage de la Vierge*, sa
« belle fresque de Saronno, du beau que Rubens a trouvé
« pour sa mêlée de la *Bataille du Thermodon*, du beau

« que cinq siècles élaborent aux cathédrales de Séville et
« de Milan, du beau des Sarrasins à Grenade, du beau de
« Louis XIV à Versailles, du beau des Alpes et du beau
« de la Limagne ?

« De cette propriété qui n'a rien de trop princier ni
« rien de trop financier, mais où le prince et le fer-
« mier général ont demeuré, ce qui sert à l'expliquer,
« dépendent deux mille hectares de bois, un parc de
« neuf cents arpents, le moulin, trois métairies, une
« immense ferme à Couches et des vignes, ce qui devrait
« engendrer un revenu de soixante-douze mille francs.
« Voilà les Aigues, mon cher, où l'on m'attendait depuis
« deux ans, et où je suis en ce moment dans *la chambre*
« *perse*, destinée aux amis du cœur.

« En haut du parc, vers Couches, sortent une dou-
« zaine de sources claires, limpides, venues du Morvan,
« qui se versent toutes dans l'étang, après avoir orné de
« leurs rubans liquides et les vallées du parc et ses magni-
« fiques jardins. Le nom des Aigues vient de ces char-
« mants cours d'eau. On a supprimé le mot vives, car dans
« les vieux titres, la terre s'appelle Aigues-Vives, contre-
« partie d'Aigues-Mortes. L'étang se décharge dans le
« cours d'eau de l'avenue, par un large canal droit bordé
« de saules pleureurs dans toute sa longueur. Ce canal,
« ainsi décoré, produit un effet délicieux. En y voguant
« assis sur un banc de la chaloupe, on se croit sous la nef
« d'une immense cathédrale, dont le chœur est figuré par
« les corps de logis qui se trouvent au bout. Si le soleil
« couchant jette sur le château ses tons orangés entre-
« coupés d'ombres, et allume le verre des croisées, il vous
« semble alors voir des vitraux flamboyants. Au bout du
« canal, on aperçoit un village, Blangy, soixante maisons
« environ, une église de France, c'est-à-dire une maison
« mal entretenue, ornée d'un clocher de bois soutenant
« un toit de tuiles cassées. On y distingue une maison
« bourgeoise et un presbytère. La commune est d'ailleurs
« assez vaste, elle se compose de deux cents autres feux
« épars auxquels cette bourgade sert de chef-lieu. Cette
« commune est, çà et là, coupée en petits jardins, les che-
« mins sont marqués par des arbres à fruits. Les jardins,
« en vrais jardins de paysan, ont de tout : des fleurs, des
« oignons, des choux et des treilles, des groseilliers et beau-
« coup de fumier. Le village paraît naïf, il est rustique,
« il a cette simplicité parée que cherchent tant les peintres,
« Enfin, dans le lointain, on aperçoit la petite ville de

« Soulanges posée au bord d'un vaste étang comme une
« fabrique du lac de Thoune.

« Quand vous vous promenez dans ce parc, qui a
« quatre portes, chacune d'un superbe style, l'Arcadie
« mythologique devient pour vous plate comme la
« Beauce. L'Arcadie est en Bourgogne et non en Grèce,
« l'Arcadie est aux Aigues et non ailleurs. Une rivière,
« faite à coups de ruisseaux, traverse le parc dans sa partie
« basse par un mouvement serpentin, et y imprime une
« tranquillité fraîche, un air de solitude qui rappelle d'au-
« tant mieux les Chartreuses que, dans une île factice, il
« se trouve une Chartreuse sérieusement ruinée et d'une
« élégance intérieure digne du voluptueux financier qui
« l'ordonna. Les Aigues ont appartenu, mon cher, à ce
« Bouret, qui dépensa deux millions pour recevoir une
« fois Louis XV. Combien de passions fougueuses, d'es-
« prits distingués, d'heureuses circonstances n'a-t-il pas
« fallu pour créer ce beau lieu ? Une maîtresse de
« Henri IV a rebâti le château là où il est, et y a joint la
« forêt. La favorite du Grand-Dauphin, Mlle Choin, à qui
« les Aigues furent donnés, les a augmentés de quelques
« fermes. Bouret a mis dans le château toutes les
« recherches des petites maisons de Paris pour une des
« célébrités de l'Opéra. Les Aigues doivent à Bouret la
« restauration du rez-de-chaussée dans le style Louis XV.
« Je suis resté stupéfait en admirant la salle à manger.
« Les yeux sont d'abord attirés par un plafond peint à
« fresque dans le goût italien, et où volent les plus folles
« arabesques. Des femmes en stuc finissant en feuillages
« soutiennent, de distance en distance, des paniers de
« fruits sur lesquels portent les rinceaux du plafond. Dans
« les panneaux qui séparent chaque femme, d'admirables
« peintures, dues à quelque artiste inconnu, représentent
« les gloires de la table : les saumons, les têtes de sanglier,
« les coquillages, enfin tout le monde mangeable qui, par
« de fantastiques ressemblances, rappelle l'homme, les
« femmes, les enfants et qui lutte avec les plus bizarres
« imaginations de la Chine, le pays où, selon moi, l'on
« comprend le mieux le décor. Sous son pied, la maî-
« tresse de la maison trouve un ressort de sonnette pour
« appeler les gens, afin qu'ils n'entrent qu'au moment
« voulu, sans jamais rompre un entretien ou déranger
« une attitude. Les dessus de portes représentent des
« scènes voluptueuses. Toutes les embrasures sont en
« mosaïques de marbres. La salle est chauffée en dessous.

« Par chaque fenêtre, on aperçoit des vues délicieuses.

« Cette salle communique à une salle de bains d'un côté,
« de l'autre à un boudoir qui donne dans le salon. La salle
« de bains est revêtue en briques de Sèvres, peintes en
« camaïeu, le sol est en mosaïque, la baignoire est en mar-
« bre. Une alcôve, cachée par un tableau peint sur cuivre,
« et qui s'enlève au moyen d'un contrepoids, contient un lit
« de repos en bois doré du style le plus Pompadour. Le
« plafond est en lapis-lazuli, étoilé d'or. Les camaïeux
« sont faits d'après les dessins de Boucher. Ainsi, le bain,
« la table, et l'amour sont réunis.

« Après le salon qui, mon cher, offre toutes les magni-
« ficences du style Louis XIV, vient une magnifique salle
« de billard, à laquelle je ne connais pas de rivale à Paris.
« L'entrée de ce rez-de-chaussée est une antichambre
« demi-circulaire, au fond de laquelle on a disposé le plus
« coquet des escaliers, éclairé par en haut, et qui mène
« à des logements bâtis tous à différentes époques. Et
« l'on a coupé le cou, mon cher, à des fermiers généraux
« en 1793! Mon Dieu! Comment ne comprend-on pas
« que les merveilles de l'Art sont impossibles dans un
« pays sans grandes fortunes, sans grandes existences
« assurées ? Si la Gauche veut absolument tuer les rois,
« qu'elle nous laisse quelques petits princes, grands
« comme rien du tout!

« Aujourd'hui, ces richesses accumulées appartiennent
« à une petite femme artiste, qui non contente de les avoir
« magnifiquement restaurées, les entretient avec amour.
« De prétendus philosophes, qui s'occupent d'eux en
« ayant l'air de s'occuper de l'Humanité, nomment ces
« belles choses des extravagances. Ils se pâment devant les
« fabriques de calicot et les plates inventions de l'industrie
« moderne, comme si nous étions plus grands et plus
« heureux aujourd'hui que du temps de Henri IV, de
« Louis XIV et de Louis XV qui tous ont imprimé le
« cachet de leur règne aux Aigues. Quel palais, quel châ-
« teau royal, quelles habitations, quels beaux ouvrages
« d'art, quelles étoffes brochées d'or laisserons-nous ? Les
« jupes de nos grand-mères sont aujourd'hui recherchées
« pour couvrir nos fauteuils. Usufruitiers égoïstes et
« ladres, nous rasons tout, et nous plantons des choux là
« où s'élevaient des merveilles. Hier, la charrue a passé
« sur Persan qui mit à sec la bourse du chancelier Mau-
« peou, le marteau a démoli Montmorency qui coûta
« des sommes folles à l'un des Italiens groupés autour

« de Napoléon; enfin, le Val, création de Regnault-Saint-
« Jean-d'Angély, Cassan, bâti pour une maîtresse du
« prince de Conti, en tout quatre habitations royales,
« viennent de disparaître dans la seule vallée de l'Oise.
« Nous préparons autour de Paris la campagne de Rome
« pour le lendemain d'un saccage dont la tempête souf-
« flera du Nord sur nos châteaux de plâtre et nos orne-
« ments en carton-pierre.

« Vois, mon très cher, où nous conduit l'habitude de
« *tartiner* dans un journal, voilà que je fais une espèce
« d'article. L'esprit aurait-il donc, comme les chemins,
« ses ornières ? Je m'arrête, car je vole mon gouverne-
« ment, je me vole moi-même, et vous pourriez bâiller.
« La suite à demain. J'entends le second coup de cloche
« qui m'annonce un de ces plantureux déjeuners dont
« l'habitude est depuis longtemps perdue, à l'ordinaire
« s'entend, par les salles à manger de Paris.

« Voici l'histoire de mon Arcadie. En 1815, est morte
« aux Aigues l'une des *impures* les plus célèbres du der-
« nier siècle, une cantatrice oubliée par la guillotine et par
« l'aristocratie, par la littérature et par la finance, après
« avoir tenu à la finance, à la littérature, à l'aristocratie, et
« avoir frôlé la guillotine; oubliée comme beaucoup de
« charmantes vieilles femmes qui s'en vont expier à la
« campagne leur jeunesse adorée, et qui remplacent leur
« amour perdu par un autre, l'homme par la nature. Ces
« femmes vivent avec les fleurs, avec la senteur des bois,
« avec le ciel, avec les effets du soleil, avec tout ce qui
« chante, frétille, brille et pousse, les oiseaux, les lézards,
« les fleurs et les herbes; elles n'en savent rien, elles ne
« se l'expliquent pas, mais elles aiment encore; elles
« aiment si bien, qu'elles oublient les ducs, les maréchaux,
« les rivalités, les fermiers généraux, leurs Folies et leur
« luxe effréné, leurs strass et leurs diamants, leurs mules
« à talons et leur rouge pour les suavités de la campagne.

« J'ai recueilli, mon cher, de précieux renseignements
« sur la vieillesse de mademoiselle Laguerre, car la vieil-
« lesse des filles qui ressemblent à Florine, à Mariette, à
« Suzanne du Val-Noble, à Tullia, m'inquiétait de temps
« en temps, absolument comme je ne sais quel enfant
« s'inquiétait de ce que devenaient les vieilles lunes.

« En 1790, épouvantée par la marche des affaires
« publiques, mademoiselle Laguerre vint s'établir aux
« Aigues, acquises pour elle par Bouret et où il avait passé
« plusieurs saisons avec elle; le sort de la Dubarry la fit

« tellement trembler, qu'elle enterra ses diamants. Elle
« n'avait alors que cinquante-trois ans ; et, selon sa femme
« de chambre, devenue la femme d'un gendarme, une
« madame Soudry à qui l'on dit madame la mairesse gros
« comme le bras, *Madame était plus belle que jamais*. Mon
« cher, la nature a sans doute ses raisons pour traiter ces
« sortes de créatures en enfants gâtés ; les excès, au lieu
« de les tuer, les engraissent, les conservent, les rajeu-
« nissent ; elles ont, sous une apparence lymphatique, des
« nerfs qui soutiennent leur merveilleuse charpente ; elles
« sont toujours belles par la raison qui enlaidirait une
« femme vertueuse. Décidément, le hasard n'est pas
« moral.

« Mademoiselle Laguerre a vécu là d'une manière irré-
« prochable, et ne peut-on pas dire comme une sainte,
« après sa fameuse aventure. Un soir, par un désespoir
« d'amour, elle se sauve de l'Opéra dans son costume de
« théâtre, va dans les champs, et passe la nuit à pleurer
« au bord d'un chemin. (A-t-on calomnié l'amour au
« temps de Louis XV ?) Elle était si déshabituée de voir
« l'aurore, qu'elle la salue en chantant un de ses plus
« beaux airs. Par sa pose, autant que par ses oripeaux,
« elle attire des paysans qui, tout étonnés de ses gestes,
« de sa voix, de sa beauté, la prennent pour un ange et se
« mettent à genoux autour d'elle. Sans Voltaire, on aurait
« eu, sous Bagnolet, un miracle de plus. Je ne sais si le
« Bon Dieu tiendra compte à cette fille de sa vertu tardive,
« car l'amour est bien nauséabond à une femme aussi
« lassée d'amour que devait l'être une impure de l'ancien
« Opéra. Mademoiselle Laguerre était née en 1740, son
« beau temps fut en 1760, quand on nommait monsieur
« de... (le nom m'échappe), *le premier commis de la guerre*,
« à cause de sa liaison avec elle. Elle quitta ce nom tout à
« fait inconnu dans le pays et s'y nomma madame des
« Aigues, pour mieux se blottir dans sa terre qu'elle se
« plut à entretenir dans un goût profondément artiste.
« Quand Bonaparte devint premier consul, elle acheva
« d'arrondir sa propriété par des biens d'Eglise, en y
« consacrant le produit de ses diamants. Comme une
« fille d'Opéra ne s'entend guère à gérer ses biens, elle
« avait abandonné la gestion de sa terre à un intendant,
« en ne s'occupant que du parc, de ses fleurs et de ses
« fruits.

« Mademoiselle, morte et enterrée à Blangy, le notaire
« de Soulanges, cette petite ville située entre La-Ville-aux-

« Fayes et Blangy, le chef-lieu du canton, fit un copieux
« inventaire, et finit par découvrir les héritiers de la chan-
« teuse qui ne se connaissait pas d'héritiers. Onze familles
« de pauvres cultivateurs aux environs d'Amiens, couchés
« dans des torchons, se réveillèrent un beau matin dans
« des draps d'or. Il fallut liciter. Les Aigues furent alors
« achetés par Montcornet, qui, dans ses commandements
« en Espagne et en Poméranie, se trouvait avoir économisé
« la somme nécessaire à cette acquisition, quelque chose
« comme onze cent mille francs, y compris le mobilier. Ce
« beau lieu devait toujours appartenir au ministère de la
« Guerre. Le général a sans doute ressenti les influences de
« ce voluptueux rez-de-chaussée, et je soutenais hier à la
« comtesse que son mariage avait été déterminé par les
« Aigues.
    « Mon cher, pour apprécier la comtesse, il faut savoir
« que le général est un homme violent, haut en couleur,
« de cinq pieds neuf pouces, rond comme une tour, un
« gros cou, des épaules de serrurier, qui devaient mouler
« fièrement sa cuirasse. Montcornet a commandé les cui-
« rassiers au combat d'Essling, que les Autrichiens
« appellent *Gross Aspern*, et n'y a pas péri quand cette
« belle cavalerie a été refoulée vers le Danube. Il a pu tra-
« verser le fleuve à cheval sur une énorme pièce de bois.
« Les cuirassiers en trouvant le pont rompu, prirent à la
« voix de Montcornet, la résolution sublime de faire volte-
« face et de résister à toute l'armée autrichienne qui, le
« lendemain, emmena trente et quelques voitures pleines
« de cuirasses. Les Allemands ont créé pour ces cuiras-
« siers un seul mot qui signifie *hommes de fer*. Montcornet
« a les dehors d'un héros de l'antiquité. Ses bras sont gros
« et nerveux, sa poitrine est large et sonore, sa tête se
« recommande par un caractère léonin, sa voix est de
« celles qui peuvent commander la charge au fort des
« batailles ; mais il n'a que le courage de l'homme san-
« guin, il manque d'esprit et de portée. Comme beaucoup
« de généraux à qui le bon sens militaire, la défiance natu-
« relle à l'homme sans cesse en péril, les habitudes du com-
« mandement donnent les apparences de la supériorité,
« Montcornet impose au premier abord ; on le croit un
« Titan, mais il recèle un nain comme le géant de carton
« qui salue Elisabeth à l'entrée du château de Kenilworth.
« Colère et bon, plein d'orgueil impérial, il a la causticité
« du soldat, la repartie prompte et la main plus prompte
« encore. S'il a été superbe sur un champ de bataille, il

« est insupportable dans un ménage, il ne connaît que
« l'amour de garnison, l'amour des militaires à qui les
« Anciens, ces ingénieux faiseurs de mythes, avaient donné
« pour patron le fils de Mars et de Vénus, *Eros*. Ces déli-
« cieux chroniqueurs de religions s'étaient approvision-
« nés d'une dizaine d'amours différents. En étudiant les
« pères et les attributs de ces amours, vous découvrez la
« nomenclature sociale la plus complète, et nous croyons
« inventer quelque chose! Quand le globe se retournera
« comme un malade qui rêve, et que les mers deviendront
« des continents, les Français de ce temps-là trouveront
« au fond de notre océan actuel une machine à vapeur,
« un canon, un journal et une charte, enveloppés dans
« un bloc de corail.

« Or, mon cher, la comtesse de Montcornet est une
« petite femme frêle, délicate et timide. Que dis-tu de ce
« mariage ? Pour qui connaît le monde, ces hasards sont
« si communs, que les mariages bien assortis sont l'excep-
« tion. Je suis venu voir comment cette petite femme
« fluette arrange ses ficelles pour mener ce gros, grand,
« carré général, comme il menait, lui, ses cuirassiers.

« Si Montcornet parle haut devant sa Virginie, madame
« lève un doigt sur ses lèvres, et il se tait. Le soldat va
« fumer sa pipe et ses cigares dans un kiosque, à cinquante
« pas du château, et il en revient parfumé. Fier de sa sujé-
« tion, il se tourne vers elle comme un ours enivré de
« raisins, pour dire, quand on lui propose quelque chose :
« « Si madame le veut. » Quand il arrive chez sa femme
« de ce pas lourd qui fait craquer les dalles comme des
« planches, si elle lui crie de sa voix effarouchée : « N'entrez
« pas! » il accomplit militairement demi-tour par flanc
« droit en jetant ces humbles paroles : « Vous me ferez
« dire quand je pourrai vous parler... » de la voix qu'il eut
« sur les bords du Danube quand il cria à ses cuirassiers :
« « Mes enfants, il faut mourir, et très bien, quand on ne
« peut pas faire autrement ! » J'ai entendu ce mot touchant
« dit par lui en parlant de sa femme : « Non seulement je
« l'aime, mais je la vénère et l'estime. » Quand il lui prend
« une de ces colères qui brisent toutes les bondes et
« s'échappent en cascades indomptables, la petite femme
« va chez elle et le laisse crier. Seulement, quatre ou cinq
« jours après : « Ne vous mettez pas en colère, lui dit-elle,
« vous pouvez vous briser un vaisseau dans la poitrine,
« sans compter le mal que vous me faites. » Et alors le
« lion d'Essling se sauve pour aller essuyer une larme.

« Quand il se présente au salon, et que nous y sommes
« occupés à causer : « Laissez-nous, il me lit quelque
« chose », dit-elle, et il nous laisse.

« Il n'y a que les hommes forts, grands et colères, de
« ces foudres de guerre, de ces diplomates à tête olym-
« pienne, de ces hommes de génie, pour avoir ces partis
« pris de confiance, cette générosité pour la faiblesse, cette
« constante protection, cet amour sans jalousie, cette bon-
« homie avec la femme. Ma foi ! je mets la science de
« la comtesse autant au-dessus des vertus sèches et har-
« gneuses que le satin d'une causeuse est préférable au
« velours d'Utrecht d'un sot canapé bourgeois.

« Mon cher, je suis dans cette admirable campagne
« depuis six jours, et je ne me lasse pas d'admirer les mer-
« veilles de ce parc, dominé par de sombres forêts, et où
« se trouvent de jolis sentiers le long des eaux. La Nature
« et son silence, les tranquilles jouissances, la vie facile à
« laquelle elle invite, tout m'a séduit. Oh ! voilà la vraie
« littérature, il n'y a jamais de faute de style dans une
« prairie. Le bonheur serait de tout oublier ici, même les
« *Débats*. Tu dois deviner qu'il a plu pendant deux mati-
« nées. Pendant que la comtesse dormait, pendant que
« Montcornet courait dans ses propriétés, j'ai tenu par
« force la promesse si imprudemment donnée, de vous
« écrire.

« Jusqu'alors, quoique né dans Alençon, d'un vieux
« juge et d'un préfet, à ce qu'on dit, quoique connaissant
« les herbages, je regardais comme une fable l'existence
« de ces terres au moyen desquelles on touche par mois
« quatre à cinq mille francs. L'argent, pour moi, se tra-
« duisait par deux horribles mots : le travail et le libraire,
« le journal et la politique... Quand aurons-nous une terre
« où l'argent poussera dans quelque joli paysage ? C'est
« ce que je nous souhaite au nom du Théâtre, de la Presse
« et du Livre. Ainsi soit-il.

« Florine va-t-elle être jalouse de feu mademoiselle
« Laguerre ? Nos Bouret modernes n'ont plus de Noblesse
« française qui leur apprenne à vivre, ils se mettent trois
« pour payer une loge à l'Opéra, se cotisent pour un
« plaisir, et ne coupent plus d'in-quarto, magnifiquement
« reliés pour les rendre pareils aux in-octavo de leur
« bibliothèque ; à peine achète-t-on les livres brochés !
« Où allons-nous ? Adieu, mes enfants ! Aimez toujours

« Votre doux BLONDET. »

Si, par un hasard miraculeux, cette lettre, échappée à
la plus paresseuse plume de notre époque, n'avait pas été
conservée, il eût été presque impossible de peindre les
Aigues. Sans cette description, l'histoire doublement horrible qui s'y est passée serait peut-être moins intéressante.

Beaucoup de gens s'attendent sans doute à voir la
cuirasse de l'ancien colonel de la Garde impériale éclairée
par un jet de lumière, à voir sa colère allumée tombant
comme une trombe sur cette petite femme, de manière à
rencontrer vers la fin de cette histoire ce qui se trouve à
la fin de tant de livres modernes, un drame de chambre à
coucher. Le drame moderne pourrait-il éclore dans ce
joli salon à dessus de porte en camaïeu bleuâtre où babillaient les amoureuses scènes de la Mythologie, où de
beaux oiseaux fantastiques étaient peints au plafond et
sur les volets, où sur la cheminée riaient à gorge déployée
les monstres de porcelaine chinoise, où, sur les plus riches
vases, des dragons bleu et or tournaient leur queue en
volute autour du bord que la fantaisie japonaise avait
émaillé de ses dentelles de couleurs, où les duchesses, les
chaises longues, les sofas, les consoles, les étagères ins-
piraient cette paresse contemplative qui détend toute
énergie ? Non, le drame ici n'est pas restreint à la vie
privée, il s'agite ou plus haut ou plus bas. Ne vous attendez pas à de la passion, le vrai ne sera que trop dramatique.
D'ailleurs, l'historien ne doit jamais oublier que sa mission est de faire à chacun sa part : le malheureux et le
riche sont égaux devant sa plume; pour lui, le paysan
a la grandeur de ses misères, comme le riche a la petitesse
de ses ridicules; enfin, le riche a des passions, le paysan
n'a que des besoins, le paysan est donc doublement
pauvre; et si, politiquement, ses agressions doivent être
impitoyablement réprimées, humainement et religieuse-
ment, il est sacré.

CHAPITRE II

UNE BUCOLIQUE OUBLIÉE PAR VIRGILE

Quand un Parisien tombe à la campagne, il s'y trouve sevré de toutes ses habitudes, et sent bientôt le poids des heures, malgré les soins les plus ingénieux de ses amis. Aussi, dans l'impossibilité de perpétuer les causeries du tête-à-tête, si promptement épuisées, les châtelains et les châtelaines vous disent-ils naïvement : « Vous vous ennuierez bien ici. » En effet, pour goûter les délices de la campagne, il faut y avoir des intérêts, en connaître les travaux, et le concert alternatif de la peine et du plaisir, symbole éternel de la vie humaine.

Une fois que le sommeil a repris son équilibre, quand on a réparé les fatigues du voyage et qu'on s'est mis à l'unisson des habitudes champêtres, le moment de la vie de château le plus difficile à passer pour un Parisien qui n'est ni chasseur ni agriculteur, et qui porte des bottes fines, est la première matinée. Entre l'instant du réveil et celui du déjeuner, les femmes dorment ou font leurs toilettes et sont inabordables, le maître du logis est parti de bonne heure à ses affaires, un Parisien se voit donc seul de huit heures à onze heures, l'instant choisi dans presque tous les châteaux pour déjeuner. Or, après avoir demandé des amusements aux minutes de la toilette, et perdu bientôt cette ressource, s'il n'a pas apporté quelque travail impossible à réaliser, et qu'il remporte vierge en en connaissant seulement les difficultés, un écrivain est obligé de tourner dans les allées du parc, de bayer aux corneilles, de compter les gros arbres. Or, plus la vie est facile, plus ces occupations sont fastidieuses, à moins d'appartenir à la secte des quakers-tourneurs, à l'honorable corps des charpentiers ou des empailleurs d'oiseaux. Si l'on devait, comme les propriétaires, rester à la campagne, on meuble-rait son ennui de quelque passion pour les lépidoptères,

les coquilles, les insectes, ou la Flore du département ;
mais un homme raisonnable ne se donne pas un vice pour
tuer une quinzaine de jours. La plus magnifique terre, les
plus beaux châteaux deviennent donc assez promptement
insipides pour ceux qui n'en possèdent que la vue. Les
beautés de la nature semblent bien mesquines, comparées
à leur représentation au théâtre. Paris scintille alors par
toutes ses facettes. Sans l'intérêt particulier qui vous
attache, comme Blondet, *aux lieux honorés par les pas,
éclairés par les yeux* d'une certaine personne, on envierait
aux oiseaux leurs ailes pour retourner aux perpétuels, aux
émouvants spectacles de Paris et à ses déchirantes
luttes.

La longue lettre écrite par le journaliste doit faire sup-
poser aux esprits pénétrants qu'il avait atteint moralement
et physiquement à cette phase particulière aux passions
satisfaites, aux bonheurs assouvis, et que tous les volatiles
engraissés par force représentent parfaitement quand, la
tête enfoncée dans leur gésier qui bombe, ils restent sur
leurs pattes, sans pouvoir ni vouloir regarder le plus
appétissant manger. Aussi, quand sa formidable lettre fut
achevée, Blondet éprouva-t-il le besoin de sortir des
jardins d'Armide et d'animer la mortelle lacune des trois
premières heures de la journée ; car, entre le déjeuner et le
dîner, le temps appartenait à la châtelaine, qui savait le
rendre court. Garder, comme le fit Mme de Montcornet, un homme d'esprit pendant un mois à la campagne
sans avoir vu sur son visage le rire faux de la satiété, sans
avoir surpris le bâillement caché d'un ennui qui se devine
toujours, est un des plus beaux triomphes d'une femme.
Une affection qui résiste à ces sortes d'essais doit être
éternelle. On ne comprend point que les femmes ne se
servent pas de cette épreuve pour juger leurs amants, il est
impossible à un sot, à un égoïste, à un petit esprit, d'y
résister. Philippe II lui-même, l'Alexandre de la dissimu-
lation, aurait dit son secret durant un mois de tête à tête
à la campagne. Aussi les rois vivent-ils dans une agitation
perpétuelle, et ne donnent-ils à personne le droit de les
voir pendant plus d'un quart d'heure.

Nonobstant les délicates attentions d'une des plus charmantes femmes de Paris, Emile Blondet retrouva donc le
plaisir oublié depuis longtemps de l'école buissonnière,
quand, sa lettre finie, il se fit éveiller par François, le
premier valet de chambre attaché spécialement à sa personne, avec l'intention d'explorer la vallée de l'Avonne.

L'Avonne est la petite rivière qui, grossie au-dessus de
Couches par de nombreux ruisseaux, dont quelques-uns
sourdent aux Aigues, va se jeter à La-Ville-aux-Fayes dans
un des plus considérables affluents de la Seine. La disposition géographique de l'Avonne, flottable pendant environ
quatre lieues, avait, depuis l'invention de Jean Rouvet,
donné toute leur valeur aux forêts des Aigues, de Soulanges et de Ronquerolles situées sur la crête des collines
au bas desquelles coule cette charmante rivière. Le parc
des Aigues occupait la partie la plus large de la vallée,
entre la rivière que la forêt, dite des Aigues, borde des
deux côtés, et la grande route royale que ses vieux ormes
tortillards indiquent à l'horizon sur une côte parallèle à
celle des monts dits de l'Avonne, ce premier gradin du
magnifique amphithéâtre appelé le Morvan. Quelque vulgaire que soit cette comparaison, le parc ressemblait, ainsi
posé au fond de la vallée, à un immense poisson dont la
tête touchait au village de Couches et la queue au bourg
de Blangy; car, plus long que large, il s'étalait au milieu
par une largeur d'environ deux cents arpents, tandis qu'il
en comptait à peine trente vers Couches et quarante vers
Blangy. La situation de cette terre, entre trois villages,
à une lieue de la petite ville de Soulanges d'où l'on plongeait sur cet Eden, a peut-être fomenté la guerre et
conseillé les excès qui forment le principal intérêt de cette
scène. Si, vu de la grande route, vu de la partie haute de
La-Ville-aux-Fayes, le paradis des Aigues fait commettre
le péché d'envie aux voyageurs, comment les riches bourgeois de Soulanges et de La-Ville-aux-Fayes auraient-ils
été plus sages, eux qui l'admiraient à toute heure ?

Ce dernier détail topographique était nécessaire pour
faire comprendre la situation, l'utilité des quatre portes
par lesquelles on entrait dans le parc des Aigues, entièrement clos de murs excepté les endroits où la nature avait
disposé des points de vue et où l'on avait creusé des sauts-
de-loup. Ces quatre portes, dites la porte de Couches, la
porte d'Avonne, la porte de Blangy, la porte de l'Avenue,
révélaient si bien le génie des diverses époques où elles
furent construites, que, dans l'intérêt des archéologues,
elles seront décrites, mais aussi succinctement que Blondet a déjà dépeint celle de l'Avenue.

Après huit jours de promenades avec la comtesse,
l'illustre rédacteur du journal des *Débats* connaissait à
fond le pavillon chinois, les ponts, les îles, la chartreuse, le
chalet, les ruines du temple, la glacière babylonienne, les

kiosques, enfin tous les détours inventés par les architectes
de jardins et auxquels neuf cents arpents peuvent se
prêter ; il voulait donc s'ébattre aux sources de l'Avonne,
que le général et la comtesse lui vantaient tous les jours, en
formant chaque soir le projet oublié chaque matin d'aller
les visiter. En effet, au-dessus du parc des Aigues, l'Avonne
a l'apparence d'un torrent alpestre. Tantôt elle se
creuse un lit entre les roches, tantôt elle s'enterre comme
dans une cuve profonde ; là, des ruisseaux y tombent
brusquement en cascades ; ici, elle s'étale à la façon de la
Loire, en effleurant des sables et rendant le flottage
impraticable par le changement perpétuel de son chenal.
Blondet prit le chemin le plus court à travers les laby-
rinthes du parc pour gagner la porte de Couches. Cette
porte exige quelques mots, pleins d'ailleurs de détails
historiques sur la propriété.

Le fondateur des Aigues fut un cadet de la maison de
Soulanges enrichi par un mariage, qui voulut narguer
son aîné. Ce sentiment nous a valu les féeries de l'*Isola-
Bella* sur le lac Majeur. Au Moyen Age, le château des
Aigues était situé sur l'Avonne. De ce castel, la porte
seule subsistait, composée d'un porche semblable à celui
des villes fortifiées, et flanqué de deux tourelles à poi-
vrières. Au-dessus de la voûte du porche s'élevaient de
puissantes assises ornées de végétations et percées de trois
larges croisées à croisillons. Un escalier en colimaçon
ménagé dans une des tourelles menait à deux chambres,
et la cuisine occupait la seconde tourelle. Le toit du porche,
à forme aiguë, comme toute vieille charpente, se distin-
guait par deux girouettes perchées aux deux bouts d'une
cime ornée de ces serrureries bizarres que les savants
nomment un acrotère. Beaucoup de localités n'ont pas
d'Hôtel de Ville si magnifique. Au-dehors, le claveau
du cintre offrait encore l'écusson des Soulanges, conservé
par la dureté de la pierre de choix où le ciseau du tailleur
d'image l'avait gravé : *d'azur à trois bourdons en pal d'argent, à la fasce brochante de gueules, chargées de cinq croi-
settes d'or au pied aiguisé*, et il portait la déchiqueture
héraldique imposée aux cadets. Blondet déchiffra la
devise, JE SOULE AGIR, un de ces calembours que les
Croisés se plaisaient à faire avec leurs noms, et qui rappelle une belle maxime de politique, malheureusement
oubliée par Montcornet, comme on le verra. La porte,
qu'une jolie fille avait ouverte à Blondet, était en vieux
bois alourdi par des quinconces de ferrailles. Le garde,

réveillé par le grincement des gonds, mit le nez à sa
fenêtre et se laissa voir en chemise.

— Comment! nos gardes dorment encore à cette
heure-ci, se dit le Parisien en se croyant très fort sur la
coutume forestière.

En un quart d'heure de marche, il atteignit aux sources
de la rivière, à la hauteur de Couches; et ses yeux furent
alors ravis par un de ces paysages dont la description
devrait être faite comme l'histoire de France, en mille
volumes ou un seul. Contentons-nous de deux phrases.

Une roche ventrue et veloutée d'arbres nains, rongée
au pied par l'Avonne, disposition à laquelle elle doit un
peu de ressemblance avec une énorme tortue mise en travers de l'eau, figure une arche, par laquelle le regard
embrasse une petite nappe claire comme un miroir, où
l'Avonne semble endormie et que terminent au loin des cascades à grosses roches où de petits saules, pareils à des ressorts, vont et viennent constamment sous l'effort des eaux.

Au-delà de ces cascades les flancs de la colline, coupés
raide comme une roche du Rhin vêtue de mousses et de
bruyères, mais troués comme elle par des arêtes schis-
teuses, versent çà et là de blancs ruisseaux bouillonnants,
auxquels une petite prairie, toujours arrosée et toujours
verte, sert de coupe; puis, comme contraste à cette
nature sauvage et solitaire, les derniers jardins de Couches se
voient de l'autre côté de ce chaos pittoresque, au bout
des prés, avec la masse du village et son clocher.

Voilà les deux phrases, mais le soleil levant, mais la
pureté de l'air, mais l'âcre rosée, mais le concert des eaux
et des bois ?... devinez-les!

— Ma foi, c'est presque aussi beau qu'à l'Opéra! se
dit Blondet en remontant l'Avonne innavigable dont les
caprices faisaient ressortir le canal droit, profond et silencieux de la basse Avonne encaissée par les grands arbres
de la forêt des Aigues.

Blondet ne poussa pas très loin sa promenade matinale,
il fut bientôt arrêté par un des paysans qui sont, dans ce
drame, des comparses si nécessaires à l'action, qu'on hési-
tera peut-être entre eux et les premiers rôles.

En arrivant à un groupe de roches où la source principale est serrée comme entre deux portes, le spirituel écrivain aperçut un homme qui se tenait dans une immobilité
capable de piquer la curiosité d'un journaliste, si déjà la
tournure et l'habillement de cette statue animée ne
l'avaient profondément intrigué.

Il reconnut dans cet humble personnage un de ces vieillards affectionnés par le crayon de Charlet, qui tenait aux troupiers de cet Homère des soldats par la solidité d'une charpente habile à porter le malheur, et à ses immortels balayeurs par une figure rougie, violacée, rugueuse, inhabile à la résignation. Un chapeau de feutre grossier, dont les bords tenaient à la calotte par des reprises, garantissait des intempéries cette tête presque chauve. Il s'en échappait deux flocons de cheveux, qu'un peintre aurait payé quatre francs à l'heure pour pouvoir copier cette neige éblouissante et disposée comme celle de tous les Pères-Eternels classiques. A la manière dont les joues rentraient en continuant la bouche, on devinait que le vieillard édenté s'adressait plus souvent au Tonneau qu'à la Huche. Sa barbe blanche, clairsemée, donnait quelque chose de menaçant à son profil par la raideur des poils coupés court. Ses yeux, trop petits pour son énorme visage, inclinés comme ceux du cochon, exprimaient à la fois la ruse et la paresse; mais en ce moment ils jetaient comme une lueur, tant le regard jaillissait droit sur la rivière. Pour tout vêtement, ce pauvre homme portait une vieille blouse, autrefois bleue, et un pantalon de cette toile grossière qui sert à Paris à faire des emballages. Tout citadin aurait frémi de lui voir aux pieds des sabots cassés, sans même un peu de paille pour en adoucir les crevasses. Assurément, la blouse et le pantalon n'avaient de valeur que pour la cuve d'une papeterie.

En examinant ce Diogène campagnard, Blondet admit la possibilité du type de ces paysans qui se voient dans les vieilles tapisseries, les vieux tableaux, les vieilles sculptures, et qui lui paraissait jusqu'alors fantastique. Il ne condamna plus absolument l'Ecole du Laid en comprenant que, chez l'homme, le Beau n'est qu'une flatteuse exception, une chimère à laquelle il s'efforce de croire.

— Quelles peuvent être les idées, les mœurs d'un pareil être, à quoi pense-t-il ? se disait Blondet pris de curiosité. Est-ce là mon semblable ? Nous n'avons de commun que la forme, et encore!...

Il étudiait cette rigidité particulière au tissu des gens qui vivent en plein air, habitués aux intempéries de l'atmosphère, à supporter les excès du froid et du chaud, à tout souffrir enfin, qui font de leur peau des cuirs presque tannés, et de leurs nerfs un appareil contre la douleur physique, aussi puissant que celui des Arabes ou des Russes.

— Voilà les Peaux-Rouges de Cooper, se dit-il, il n'y a pas besoin d'aller en Amérique pour observer des Sauvages.

Quoique le Parisien ne fût qu'à deux pas, le vieillard ne tourna pas la tête, et regarda toujours la rive opposée avec cette fixité que les fakirs de l'Inde donnent à leurs yeux vitrifiés et à leurs membres ankylosés. Vaincu par cette espèce de magnétisme, plus communicatif qu'on ne le croit, Blondet finit par regarder l'eau.

— Eh bien, mon bonhomme, qu'y a-t-il donc là ? demanda Blondet après un gros quart d'heure pendant lequel il n'aperçut rien qui motivât cette profonde attention.

— Chut !... dit tout bas le vieillard en faisant signe à Blondet de ne pas agiter l'air par sa voix. Vous allez l'effrayer...

— Qui ?...

— Une *loute*, mon cher monsieur, Si *alle* nous entend, *alle* est *capabe e'd'* filer sous l'eau !... Et, *gnia* pas à dire, elle a sauté là, tenez ?... Voyez-vous, où l'eau *bouille*... Oh ! elle guette un poisson ; mais quand elle a voulu entrer, mon petit l'empoignera. C'est que, voyez-vous, la loute est ce qu'il y a de plus rare. C'est un gibier scientifique, *ben* délicat, tout de même ; on me le paierait dix francs aux Aigues, vu que la comtesse fait maigre, et c'est maigre demain. Dans les temps, défunt madame m'en a payé jusqu'à vingt francs, et *a* me rendait la peau !... Mouche, cria-t-il à voix basse, regarde bien...

De l'autre côté de ce bras de l'Avonne, Blondet vit deux yeux brillants comme des yeux de chat sous une touffe d'aulnes ; puis il aperçut le front brun, les cheveux ébouriffés d'un enfant d'environ douze ans, couché sur le ventre, qui fit un signe pour indiquer la loutre et avertir le vieillard qu'il ne la perdait pas de vue. Blondet, subjugué par le dévorant espoir du vieillard et de l'enfant, se laissa mordre par le démon de la chasse. Ce démon à deux griffes, l'Espérance et la curiosité, vous mène où il veut.

— La peau se vend aux chapeliers, reprit le vieillard. C'est si beau, si doux ! Ça se met aux casquettes !...

— Vous croyez, vieillard ? dit Blondet en souriant.

— Certainement, monsieur, vous devez en savoir plus long que moi, quoique j'aie soixante-dix ans, répondit humblement et respectueusement le vieillard en prenant une pose de donneur d'eau bénite, et vous pourriez peut-être *ben* me dire pourquoi ça plaît tant aux conducteurs et aux marchands de vin.

Blondet, ce maître en ironie, déjà mis en défiance par le mot *scientifique* en souvenir du maréchal de Richelieu, soupçonna quelque raillerie chez ce vieux paysan; mais il fut détrompé par la naïveté de la pose et par la bêtise de l'expression.

— Dans ma jeunesse, on en voyait beaucoup *eud'* loutes, le pays leur est si favorable, reprit le bonhomme; mais on les a tant chassées, que c'est tout au plus si nous en apercevons la queue d'*eune* par sept ans... Aussi *eul Souparfait* de La-Ville-aux-Fayes... — Monsieur le connaît-il ? Quoique Parisien, c'est un brave jeune homme comme vous, il aime les curiosités. — Pour lors, sachant mon talent pour prendre les loutes, car je les connais comme vous pouvez connaître votre alphabet, il m'a donc dit comme ça : « Père Fourchon, quand vous trouverez une loute, apportez-la-moi, qui me dit, je vous la paierai bien, et si elle était tachetée de blanc su l' dos, qui me dit, je vous en donnerais trente francs. » Vlà ce qu'il m'dit sur le port de La-Ville-aux-Fayes, aussi vrai que je *crais* en Dieu le Père, le Fils et le Saint-Esprit. Et il y a *core* un savant, à Soulanges, M. Gourdon *nout* médecin qui fait un cabinet d'histoire naturelle qu'il n'y a pas son pareil à Dijon, le premier savant de ces pays-ci, qui me la paierait bien cher!... Il sait empailler *lez houmes* et les bêtes! Et donques, mon garçon me soutient que c'te loute a des poils blancs... Si c'est ça, que je lui ai dit, *el* bon Dieu nous veut du bien, à ce matin! Voyez-vous l'eau qui *bouille ?*... oh! elle est là... Quoique ça vive dans une manière de terrier, ça reste des jours entiers sous l'eau. Ah! elle vous a entendu, mon cher monsieur, *alle* se défie, car gn'y a pas d'animau plus fin que celui-là, c'est pire qu'une femme.

— C'est peut-être pour cela qu'on les appelle au féminin des loutres ? dit Blondet.

— Dam, monsieur, vous qu'êtes de Paris, vous savez cela mieux que nous; mais vous auriez ben mieux fait pour nous *e'd' dormi* la grasse matinée, car, voyez-vous, c'te manière de flot ? elle s'en va par en dessous... Va, Mouche! elle a entendu monsieur, la loute, et elle est capable de nous faire droguer jusqu'à ménuit, allons-nous-en... v'là nos trente francs qui nagent!...

Mouche se leva, mais à regret; il regardait l'endroit

où bouillonnait l'eau, le montrant du doigt et ne perdant pas tout espoir. Cet enfant, à cheveux crépus, à la figure brunie comme celle des anges dans les tableaux du XVe siècle, paraissait être en culotte, car son pantalon finissait au genou par des déchiquetures ornées d'épines et de feuilles mortes. Ce vêtement nécessaire tenait par deux cordes d'étoupe en guise de bretelles. Une chemise de toile de la même qualité que celle du pantalon du vieillard, mais épaissie par des raccommodages barbus, laissait voir une poitrine hâlée. Ainsi, le costume de Mouche l'emportait encore en simplicité sur celui du père Fourchon.

— Ils sont bien bons enfants ici, se dit en lui-même Blondet. Les gens de la banlieue de Paris vous apostropheraient drôlement un bourgeois qui ferait envoler leur gibier !

Et comme il n'avait jamais vu de loutres, pas même au Muséum, il fut enchanté de cet épisode de sa promenade.

— Allons, reprit-il touché de voir le vieillard s'en allant sans rien demander, vous vous dites un chasseur de loutres fini... Si vous êtes sûr que la loutre soit là...

De l'autre côté, Mouche leva le doigt et fit voir des bulles d'air montées du fond de l'Avonne qui vinrent expirer en cloches au milieu du bassin.

— Elle est revenue là, dit le père Fourchon, elle a respiré, la gueuse, car c'est elle qu'a fait ces *boutifes-là*. Comment s'arrangent-elles pour respirer au fond de l'eau ? Mais c'est si malin, que ça se moque de la science !

— Eh bien, répondit Blondet, à qui ce dernier mot parut être une plaisanterie plutôt due à l'esprit paysan qu'à l'individu, attendez et prenez la loutre.

— Et notre journée à Mouche et à moi ?

— Que vaut-elle votre journée ?

— A nous deux, mon apprenti et moi ?... cinq francs !... dit le vieillard en regardant Blondet dans les yeux avec une hésitation qui révélait un surfait énorme.

Le journaliste tira dix francs de sa poche en disant :

— En voilà dix et je vous en donnerai tout autant pour la loutre...

— Elle ne vous coûtera pas cher, si elle a du blanc sur le dos, car *eul Souparfait m' disait éque nout Muséon* n'en a qu'une de ce genre-là. — Mais c'est qu'il est instruit *tout de même nout Souparfait !* Et pas bête. Si je chasse à la *loute*, M. des Lupeaulx chasse à la fille de *môsieur* Gaubartin, qu'a *eune fiare dot blanche su* le dos. — Tenez, mon cher monsieur, sans vous commander, allez vous *bouter au mitant* de l'Avonne à *c'te pierre*, là-bas... Quand nous aurons forcé la loute, elle descendra le fil de l'eau, car voilà leur ruse à ces bêtes, elles remontent plus haut que leur trou pour pêcher, et une fois chargées de poisson, elles savent qu'elles iront mieux à la dérive. Quand je vous dis que c'est fin... Si j'avais appris la finesse à leur école, je vivrais à cette heure de mes rentes... J'ai su trop tard qu'il fallait *eurmonter* le courant *ed* grand matin pour trouver le butin avant *lèz* autres ! Enfin, on m'a jeté un sort à ma naissance. A nous trois, nous serons peut-être plus fins que c'te loute...

— Et comment, mon vieux nécromancien ?

— Ah dam! nous sommes si bêtes, nous aut' *pésans !* que nous finissons par entendre les bêtes. V'là comme nous ferons. Quand la loute voudra s'en revenir chez elle, nous l'effraierons ici, vous l'effraierez là-bas; effrayée par nous, effrayée par vous, elle se jettera sur le bord; si elle prend la voie de *tarre*, elle est perdue. Ça ne peut pas marcher, c'est fait pour la nage avec leurs pattes d'oie. Oh! ça va-t-il vous amuser, car c'est un vrai carambolage. On pêche et on chasse à la fois !... Le général, chez qui vous êtes aux Aigues, y est revenu trois jours de suite, tant il s'y entêtait!

Blondet, muni d'une branche coupée par le vieillard qui lui dit de s'en servir pour fouetter la rivière à son commandement, alla se poster au milieu de l'Avonne en sautant de pierre en pierre.

— Là, bien! mon cher monsieur.

Blondet resta là, sans s'apercevoir de la fuite du temps; car, de moments en moments, un geste du vieillard lui faisait espérer un heureux dénouement; mais d'ailleurs rien ne dépêche mieux le temps que l'attente de l'action vive qui va succéder au profond silence de l'affût.

— Père Fourchon, dit tout bas l'enfant en se voyant seul avec le vieillard, *gnia* tout de même une loute...

— Tu la vois ?...

— La v'là!

Le vieillard fut stupéfait en apercevant entre deux eaux le pelage brun-rouge d'une loutre.

— *A va su mé !* dit le petit.

— Fiche l'y un petit coup sec sur la tête et jette-toi dans l'eau pour la tenir au fin fond sans la lâcher...

Mouche fondit dans l'Avonne comme une grenouille effrayée.

— Allez! allez! mon cher monsieur, dit le père Fourchon à Blondet en se jetant aussi dans l'Avonne, et laissant ses sabots sur le bord, effrayez-la donc! La voyez-vous... *a* nage sur vous...

Le vieillard courut sur Blondet en fendant les eaux et lui criant avec le sérieux que les gens de la campagne gardent dans leurs plus grandes vivacités :

— La voyez-vous là, *el* long des roches!

Blondet, placé par le vieillard de manière à recevoir les rayons du soleil dans les yeux, frappait sur l'eau de confiance.

— Allez! allez du côté des roches! cria le père Fourchon, le trou de la loute est là-bas, à *vout* gauche.

Emporté par son dépit qu'une longue attente avait stimulé, Blondet prit un bain de pieds en glissant de dessus les pierres.

— Hardi, mon cher monsieur, hardi... Vous y êtes. Ah! vingt bon Dieu! la voilà qui passe entre vos jambes! Ah! alle passe... Alle passe, dit le vieillard au désespoir.

Et comme pris à l'ardeur de cette chasse, le vieux paysan s'avança dans les profondeurs de la rivière jusque devant Blondet.

— Nous l'avons manquée par *vout* faute!... dit le père Fourchon à qui Blondet donna la main et qui sortit de l'eau comme un triton, mais comme un triton vaincu. La garce, elle est là, sous les rochers!... Elle a lâché son poisson, dit le bonhomme en regardant au loin et montrant quelque chose qui flottait... Nous aurons toujours la tanche, car c'est une vraie tanche!...

En ce moment, un valet en livrée et à cheval qui menait un autre cheval par la bride, se montra galopant sur le chemin de Couches.

— Tenez, v'là les gens du château qui font mine de vous chercher, dit le bonhomme. Si vous voulez repasser la rivière, je vas vous donner la main... Ah! ça m'est bien égal de me mouiller, ça m'évite du blanchissage!...

— Et les rhumes? dit Blondet.

— Ah! ouin! ne voyez-vous pas que le soleil nous a culottés, Mouche et moi, comme des pipes *ed'* major!

— Appuyez-vous sur moi, mon cher monsieur... Vous êtes de Paris, vous ne savez pas vous tenir sur nos roches, vous qui savez tant de choses... Si vous restez longtemps ici, vous apprendrez ben des choses dans *el* livre *ed'* la nature, vous qui, dit-on, escrivez dans les *papiers-nouvelles* ?

Blondet était arrivé sur l'autre bord de l'Avonne, quand Charles, le valet de pied, l'aperçut.

— Ah! monsieur, s'écria-t-il, vous ne vous figurez pas l'inquiétude dans laquelle est madame, depuis qu'on lui a dit que vous étiez sorti par la porte de Couches, elle vous croit noyé. Voilà trois fois qu'on sonne le second coup du déjeuner en grandes volées, après avoir appelé partout dans le parc, où M. le curé vous cherche encore...

— Quelle heure est-il donc, Charles ?

— Onze heures trois quarts!...

— Aide-moi à monter à cheval...

— Est-ce que par hasard monsieur aurait donné dans la loutre au père Fourchon ?... dit le valet en remarquant l'eau qui s'égouttait des bottes et des pantalons de Blondet. Cette seule question éclaira le journaliste.

— Ne dis pas un mot de cela, Charles, et j'aurai soin de toi, s'écria-t-il.

— Oh! pardi! monsieur le comte lui-même a été pris à la loutre du père Fourchon, répondit le valet. Dès qu'il arrive un étranger aux Aigues, le père Fourchon se met aux aguets, et si le bourgeois va voir les sources de l'Avonne, il lui vend sa loutre... Il joue ça si bien que monsieur le comte y est revenu trois fois et lui a payé six journées pendant lesquelles ils ont regardé l'eau couler.

— Et moi, qui croyais avoir vu dans Pothier, dans Baptiste Cadet, dans Michot et dans Monrose, les plus grands comédiens de ce temps-ci!... se dit Blondet, que sont-ils auprès de ce mendiant ?

— Oh! il connaît très bien cet exercice-là, le père Fourchon, dit Charles. Il a en outre une autre corde à son arc, car il se dit cordier de son état. Il a sa fabrique le long du mur de la porte de Blangy. Si vous vous avisiez de toucher à sa corde, il vous entortille si bien qu'il vous prend l'envie de tourner la roue, et de faire un peu de corde, il vous demande alors la gratification due au maître par l'apprenti. Madame y a été prise, et lui a donné vingt francs. C'est le roi des finauds, dit Charles en se servant d'un mot honnête.

Ce bavardage de laquais permit à Blondet de se livrer à quelques réflexions sur la profonde astuce des paysans en se rappelant tout ce qu'il en avait entendu dire par son père, le juge d'Alençon. Puis toutes les plaisanteries cachées sous la malicieuse rondeur du père Fourchon lui revenant à la mémoire éclairées par les confidences de

Charles il s'avoua *gaussé* par le vieux mendiant bourguignon.

— Vous ne sauriez croire, monsieur, disait Charles en arrivant au perron des Aigues, combien il faut se défier de tout dans la campagne, et surtout ici que le général n'est pas très aimé...

— Pourquoi ?...

— Ah! dam! je ne sais pas, répondit Charles en prenant l'air bête sous lequel les domestiques savent abriter leur refus à des supérieurs, et qui donna beaucoup à penser à Blondet.

— Vous voilà donc, coureur ? dit le général que le pas des chevaux amena sur le perron. Le voilà! Soyez calme! cria-t-il à sa femme dont le petit pas se faisait entendre, il ne nous manque plus maintenant que l'abbé Brossette, va le chercher, Charles! dit-il au domestique.

CHAPITRE III

LE CABARET

La porte dite de Blangy, due à Bouret, se composait de deux larges pilastres à bossages vermiculés, surmontés chacun d'un chien dressé sur ses pattes de derrière et tenant un écusson entre ses pattes de devant. Le voisinage du pavillon où logeait le régisseur avait dispensé le financier de bâtir une loge de concierge. Entre ces deux pilastres, une grille somptueuse dans le genre de celle forgée par Buffon pour le Jardin des Plantes, s'ouvrait sur un bout de pavé conduisant à la route cantonale, jadis entretenue soigneusement par les Aigues, par la maison de Soulanges, et qui relie Couches, Cerneux, Blangy, Soulanges à La-Ville-aux-Fayes, comme par une guirlande, tant cette route est fleurie d'héritages entourés de haies et parsemée de maisonnettes à rosiers.

Là, le long d'une coquette muraille qui s'étendait jusqu'à un saut-de-loup par lequel le château plongeait sur la vallée jusqu'au-delà de Soulanges, se trouvaient le poteau pourri, la vieille roue et les piquets à râteaux qui constituent la fabrique d'un cordier de village.

Vers midi et demi, au moment où Blondet s'asseyait à un bout de la table, en face de l'abbé Brossette, en recevant les caressants reproches de la comtesse, le père Fourchon et Mouche arrivaient à leur établissement. De là le père Fourchon, sous prétexte de fabriquer des cordes, surveillait les Aigues et pouvait y voir les maîtres entrant ou sortant. Aussi la persienne ouverte, les promenades à deux, le plus petit incident de la vie au château, rien n'échappait-il à l'espionnage du vieillard qui ne s'était établi cordier que depuis trois ans, circonstance minime que ni les gardes des Aigues, ni les domestiques, ni les maîtres eux-mêmes n'avaient encore remarquée.

— Fais le tour par la porte de l'Avenue pendant que je

vas serrer nos agrès, dit le père Fourchon, et quand tu
leur auras dégoisé la chose, on viendra sans doute me
chercher au Grand-I-Vert où je vais me rafraîchir, car ça
donne soif d'être sur l'eau comme ça! Si tu t'y prends
comme je viens de te le dire, tu leur accrocheras un bon
déjeuner, tâche de parler à la comtesse, et *tape* sur moi, de
manière à ce qu'ils aient l'idée de me chanter un air de
leur morale, quoi!... Y aura quelques verres de bon vin
à siffler.

Après ces dernières instructions que l'air narquois de
Mouche rendait presque superflues, le vieux cordier
tenant sa loutre sous le bras, disparut dans le chemin cantonal.

A mi-chemin de cette jolie porte et du village se trouvait, au moment où Emile Blondet vint aux Aigues, une
de ces maisons qui ne se voient qu'en France, partout où
la pierre est rare. Les morceaux de briques ramassés de
tous côtés, les gros cailloux sertis comme des diamants
dans une terre argileuse qui formaient des murs solides,
quoique rongés, le tout soutenu par de grosses branches
et couvert en joncs et en paille, les grossiers volets, la
porte, tout de cette chaumière provenait de trouvailles
heureuses ou de dons arrachés par l'importunité.

Le paysan a pour sa demeure l'instinct qu'a l'animal
pour son nid ou pour son terrier, et cet instinct éclatait
dans toutes les dispositions de cette chaumière. D'abord,
la fenêtre et la porte regardaient au nord. La maison,
assise sur une petite éminence, dans l'endroit le plus
caillouteux d'un terrain à vignes, devait être salubre. On
y montait par trois marches industrieusement faites avec
des piquets, avec des planches et remplies de pierrailles.
Les eaux s'écoulaient donc rapidement. Puis, comme, en
Bourgogne, la pluie vient rarement du nord, aucune
humidité ne pouvait pourrir les fondations, quelque
légères qu'elles fussent. Au bas, le long du sentier, régnait
un rustique palis, perdu dans une haie d'aubépine et de
ronce. Une treille, sous laquelle de méchantes tables
accompagnées de bancs grossiers invitaient les passants
à s'asseoir, couvrait de son berceau l'espace qui séparait
cette chaumière du chemin. A l'intérieur, le haut du talus
offrait pour décor des roses, des giroflées, des violettes,
toutes les fleurs qui ne coûtent rien. Un chèvrefeuille et
un jasmin attachaient leurs brindilles sur le toit déjà
chargé de mousses, malgré son peu d'ancienneté.

A droite de sa maison, le possesseur avait adossé une

étable pour deux vaches. Devant cette construction en
mauvaises planches, un terrain battu servait de cour ; et,
dans un coin, se voyait un énorme tas de fumier. De
l'autre côté de la maison et de la treille, s'élevait un hangar
en chaume soutenu par deux troncs d'arbres, sous lequel
se mettaient les ustensiles des vignerons, leurs futailles
vides, des fagots de bois empilés autour de la bosse que
formait le four dont la bouche s'ouvre presque toujours,
dans les maisons de paysans, sous le manteau de la cheminée.

A la maison attenait environ un arpent enclos d'une
haie vive et plein de vignes, soignées comme le sont celles
des paysans, toutes si bien fumées, provignées et bêchées,
que leurs pampres verdoient les premiers à trois lieues à
la ronde. Quelques arbres, des amandiers, des pruniers
et des abricotiers, montraient leurs têtes grêles çà et là,
dans cet enclos. Entre les ceps, le plus souvent on cultivait
des pommes de terre ou des haricots. En hache vers le
village, et derrière la cour, dépendait encore de cette habitation un petit terrain humide et bas, favorable à la culture
des choux, des oignons, de l'ail, les légumes favoris de la
classe ouvrière, et fermé d'une porte à claire-voie par où
passaient les vaches en pétrissant le sol et y laissant leurs
bouses étalées.

Cette maison, composée de deux pièces au rez-de-chaussée, avait sa sortie sur le vignoble. Du côté des vignes,
une rampe en bois, appuyée au mur de la maison, et
couverte d'une toiture en chaume, montait jusqu'au
grenier, éclairé par un œil-de-bœuf. Sous cet escalier
rustique, un caveau, tout en briques de Bourgogne, contenait quelques pièces de vin.

Quoique la batterie de cuisine du paysan consiste
ordinairement en deux ustensiles avec lesquels on fait tout,
une poêle et un chaudron de fer ; par exception, il se
trouvait dans cette chaumière deux casseroles énormes
accrochées sous le manteau de la cheminée, au-dessus d'un
petit fourneau portatif. Malgré ce symptôme d'aisance,
le mobilier était en harmonie avec les dehors de la maison.
Ainsi, pour contenir l'eau, une jarre ; pour argenterie,
des cuillers de bois ou d'étain, des plats en terre brune
au-dehors et blanche en dedans, mais écaillés et raccommodés avec des attaches ; enfin, autour d'une table solide,
des chaises en bois blanc, et pour plancher de la terre
battue. Tous les cinq ans, les murs recevaient une couche
d'eau de chaux, ainsi que les maigres solives du plafond

auxquelles pendent du lard, des bottes d'oignons, des
paquets de chandelles et les sacs où le paysan met ses
graines; auprès de la huche une antique armoire en vieux
noyer garde le peu de linge, les vêtements de rechange et
les habits de fête de la famille.

Sur le manteau de la cheminée, brillait un vrai fusil de
braconnier, vous n'en donneriez pas cinq francs, le bois
est quasi brûlé, le canon, sans aucune apparence, ne
semble pas nettoyé. Vous pensez que la défense d'une
cabane à loquet, dont la porte extérieure pratiquée dans le
palis n'est jamais fermée, n'exige pas mieux, et vous vous
demandez presque à quoi peut servir une pareille arme.
D'abord, si le bois est d'une simplicité commune, le
canon, choisi avec soin, provient d'un fusil de prix, donné
sans doute à quelque garde-chasse. Aussi, le propriétaire
de ce fusil ne manque-t-il jamais son coup, il existe entre
son arme et lui l'intime connaissance que l'ouvrier a de
son outil. S'il faut abaisser le canon d'un millimètre au-
dessous ou au-dessus du but, parce qu'il relève ou tombe
de cette faible estime, le braconnier le sait, il obéit à cette
loi sans se tromper. Puis, un officier d'artillerie trouverait
les parties essentielles de l'arme en bon état : rien de
moins, rien de plus. Dans tout ce qu'il s'approprie, dans
tout ce qui doit lui servir, le paysan déploie la force convenable, il y met le nécessaire, et rien au-delà. La perfection
extérieure, il ne la comprend jamais. Juge infaillible des
nécessités en toutes choses, il connaît tous les degrés de
force, et sait, en travaillant pour le bourgeois, donner le
moins possible pour le plus possible. Enfin, ce fusil
méprisable entre pour beaucoup dans l'existence de la
famille, et vous saurez tout à l'heure comment.

Avez-vous bien saisi les mille détails de cette hutte
assise à cinq cents pas de la jolie porte des Aigues ? La
voyez-vous accroupie là, comme un mendiant devant un
palais ? Eh bien, son toit chargé de mousses veloutées, ses
poules caquetant, le cochon qui vague, toutes ses poésies
champêtres avaient un horrible sens. A la porte du palis,
une grande perche élevait à une certaine hauteur un bouquet flétri, composé de trois branches de pin et d'un feuillage de chêne réunis par un chiffon. Au-dessus de la
porte, un peintre forain avait, pour un déjeuner, peint
dans un tableau de deux pieds carrés, sur un champ blanc,
un I majuscule en vert, et pour ceux qui savent lire, ce
calembour en douze lettres : *Au grand I-Vert* (hiver).
A gauche de la porte, éclataient les vives couleurs de cette

vulgaire affiche : *Bonne bierre de mars,* où de chaque côté
d'un cruchon qui lance un jet de mousse se carrent une
femme en robe excessivement décolletée et un hussard,
tous deux grossièrement coloriés. Aussi, malgré les fleurs
et l'air de la campagne s'exhalait-il de cette chaumière la
forte et nauséabonde odeur de vin et de mangeaille qui
vous saisit à Paris, en passant devant les gargotes de fau-
bourgs.

Vous connaissez les lieux. Voici les êtres et leur histoire
qui contient plus d'une leçon pour les philanthropes.

Le propriétaire du Grand-I-Vert, nommé François Tonsard, se recommande à l'attention des philosophes par la manière dont il avait résolu le problème
de la vie fainéante et de la vie occupée, de manière à
rendre la fainéantise profitable et l'occupation nulle.

Ouvrier en toutes choses, il savait travailler à la terre,
mais pour lui seul. Pour les autres, il creusait des fossés,
fagotait, écorçait des arbres ou les abattait. Dans ces travaux, le bourgeois est à la discrétion de l'ouvrier. Tonsard avait dû son coin de terre à la générosité de
Melle Laguerre. Dès sa première jeunesse Tonsard faisait
des journées pour le jardinier du château, car il n'avait
pas son pareil pour tailler les arbres d'allée, les charmilles,
les haies, les marronniers de l'Inde. Son nom indique
assez un talent héréditaire. Au fond des campagnes, il
existe des privilèges obtenus et maintenus avec autant
d'art qu'en déploient les commerçants pour s'attribuer
les leurs. Un jour, en se promenant, madame entendit
Tonsard, garçon bien découplé, disant : « Il me suffirait
pourtant d'un arpent de terre pour vivre, et pour vivre
heureusement! » Cette bonne fille, habituée à faire des
heureux, lui donna cet arpent de vignes en avant de la
porte de Blangy, contre cent journées (délicatesse peu
comprise!) en lui permettant de rester aux Aigues, où il
vécut avec les gens auxquels il parut être le meilleur
garçon de la Bourgogne.

Ce pauvre Tonsard (ce fut le mot de tout le monde)
travailla pendant environ trente journées sur les cent qu'il
devait; le reste du temps il baguenauda, riant avec les
femmes de madame, et surtout avec Melle Cochet,
la femme de chambre, quoiqu'elle fût laide comme toutes
les femmes de chambre des belles actrices. Rire avec
Melle Cochet signifiait tant de choses que Soudry,
l'heureux gendarme dont il est question dans la lettre de
Blondet, regardait encore Tonsard de travers, après vingt-

cinq ans. L'armoire en noyer, le lit à colonnes et à bonnes-
grâces, ornements de la chambre à coucher, furent sans
doute le fruit de quelque *risette.*

Une fois en possession de son champ, au premier qui
lui dit que madame le lui avait donné, Tonsard répondit :
« Je l'ai parbleu bien acheté et bien payé. Est-ce que les
bourgeois nous donnent jamais quelque chose ? est-ce
donc rien que cent journées ? Ça me coûte trois cents
francs, et c'est tout cailloux ! » Le propos ne dépassa point
la région populaire.

Tonsard se bâtit alors cette maison lui-même, en prenant les matériaux de-ci et de-là, se faisant donner un
coup de main par l'un et l'autre, grappillant au château
les choses de rebut ou les demandant et les obtenant toujours. Une mauvaise porte de montreuil démolie pour être
reportée plus loin, devint celle de l'étable. La fenêtre
venait d'une vieille serre abattue. Les débris du château
servirent donc à élever cette fatale chaumière.

Sauvé de la réquisition par Gaubertin, le régisseur des
Aigues dont le père était accusateur public au Département, et qui, d'ailleurs, ne pouvait rien refuser à
Melle Cochet, Tonsard se maria dès que sa maison fut
terminée et sa vigne en rapport. Garçon de vingt-trois ans,
familier aux Aigues, ce drôle, à qui madame venait de
donner un arpent de terre et qui paraissait travailleur, eut
l'art de faire sonner haut toutes ses valeurs négatives, et
il obtint la fille d'un fermier de la terre de Ronquerolles,
située au-delà de la forêt des Aigues.

Ce fermier tenait une ferme *à moitié* qui dépérissait
entre ses mains, faute d'une fermière. Veuf et inconso-
lable, il tâchait, à la manière anglaise, de noyer ses soucis
dans le vin ; mais quand il ne pensa plus à sa pauvre chère
défunte, il se trouva marié, selon une plaisanterie de village, avec la Boisson. En peu de temps, de fermier le
beau-père redevint ouvrier, mais ouvrier buveur et paresseux, méchant et hargneux, capable de tout comme les
gens du peuple qui, d'une sorte d'aisance, retombent
dans la misère. Cet homme, que ses connaissances pratiques, la lecture et la science de l'écriture mettaient au-
dessus des autres ouvriers, mais que ses vices tenaient au
niveau des mendiants, venait de se mesurer, comme on
l'a vu, sur les bords de l'Avonne, avec un des hommes les
plus spirituels de Paris, dans une bucolique oubliée par
Virgile.

Le père Fourchon, d'abord maître d'école à Blangy,

perdit sa place à cause de son inconduite et de ses idées sur l'instruction publique. Il aidait beaucoup plus les enfants à faire des petits bateaux et des cocottes avec leurs abécédaires qu'il ne leur apprenait à lire; il les grondait si curieusement, quand ils avaient *chipé* des fruits, que ses semonces pouvaient passer pour des leçons sur la manière d'escalader les murs. On cite encore à Soulanges sa réponse à un petit garçon venu trop tard et qui s'excusait ainsi : « Dam! m'sieur, j'ai mené boire notre *chevau!* — On dit cheval, *animau!* »

D'instituteur, il fut nommé piéton. Dans ce poste, qui sert de retraite à tant de vieux soldats, le père Fourchon fut réprimandé tous les jours. Tantôt il oubliait les lettres dans les cabarets, tantôt il les gardait sur lui. Quand il était gris, il remettait le paquet d'une commune dans une autre, et quand il était à jeun, il lisait les lettres. Il fut donc promptement destitué. Ne pouvant rien être dans l'État, le père Fourchon avait fini par devenir fabricant. Dans la campagne, les indigents exercent une industrie quelconque, ils ont tous un prétexte d'existence honnête. A l'âge de soixante-huit ans, le vieillard entreprit la corderie en petit, un des commerces qui demandent le moins de mise de fonds. L'atelier est, comme on l'a vu, le premier mur venu, les machines valent à peine dix francs, l'apprenti couche comme son maître dans une grange, et vit de ce qu'il ramasse. La rapacité de la loi sur les portes et fenêtres expire *sub dio*. On emprunte la matière première pour la rendre fabriquée. Mais le principal revenu du père Fourchon et de son apprenti Mouche, fils naturel d'une de ses filles naturelles, lui venait de sa chasse aux loutres, puis des déjeuners ou dîners que lui donnaient les gens qui, ne sachant ni lire ni écrire, usaient des talents du père Fourchon dans le cas d'une lettre à répondre ou d'un compte à présenter. Enfin, il savait jouer de la clarinette, et tenait compagnie à l'un de ses amis appelé Vermichel, le ménétrier de Soulanges, dans les noces de village, ou les jours de grand bal au Tivoli de Soulanges.

Vermichel s'appelait Michel Vert, mais le calembour fait avec le nom vrai devint d'un usage si général que, dans ses actes, Brunet, huissier audiencier de la justice de paix de Soulanges, mettait Michel, Jean, Jérôme Vert, *dit Vermichel*, praticien. Vermichel, violon très distingué de l'ancien régiment de Bourgogne, par reconnaissance des services que lui rendait le papa Fourchon, lui avait procuré cette place de praticien dévolue à ceux qui, dans les campagnes, savent signer leur nom. Le père Fourchon servait donc de témoin ou de praticien pour les actes judiciaires, quand le sieur Brunet venait instrumenter dans les communes de Cerneux, Couches et Blangy. Vermichel et Fourchon, liés par une amitié qui comptait vingt ans de bouteille, constituaient presque une raison sociale.

Mouche et Fourchon, unis par le Vice comme Mentor et Télémaque le furent jadis par la Vertu, voyageaient, comme eux, à la recherche de leur pain, *Panis angelorum*, seuls mots latins qui restassent dans la mémoire du vieux Figaro villageois. Ils allaient haricotant les restes du Grand-I-Vert, ceux des châteaux; car, à eux deux, dans les années les plus occupées, les plus prospères, ils n'avaient jamais pu fabriquer en moyenne trois cent soixante brasses de corde. D'abord, aucun marchand, dans un rayon de vingt lieues, n'aurait confié d'étoupe ni à Fourchon, ni à Mouche. Le vieillard, devançant les miracles de la Chimie moderne, savait trop bien changer l'étoupe en benoît jus de treille. Puis, ses triples fonctions d'écrivain public des communes, de praticien de la justice de paix, de joueur de clarinette, nuisaient, disait-il, aux développements de son commerce.

Ainsi Tonsard fut déçu tout d'abord dans l'espérance, assez joliment caressée, de conquérir une espèce de bien-être par l'augmentation de ses propriétés. Le gendre paresseux rencontra, par un accident assez ordinaire, un beau-père fainéant. Les affaires devaient aller d'autant plus mal que la Tonsard, douée d'une espèce de beauté champêtre, grande et bien faite, n'aimait point à travailler en plein air. Tonsard s'en prit à sa femme de la faillite paternelle, et la maltraita par suite de cette vengeance familière au peuple dont les yeux, uniquement occupés de l'effet, remontent rarement jusqu'à la cause. En trouvant sa chaîne pesante, cette femme voulut l'alléger. Elle se servit des vices de Tonsard pour se rendre maîtresse de lui. Gourmande, aimant ses aises, elle encouragea la paresse et la gourmandise de cet homme. D'abord, elle sut se procurer la faveur des gens du château, sans que Tonsard lui reprochât les moyens en voyant les résultats. Il s'inquiéta fort peu de ce que faisait sa femme, pourvu qu'elle fît tout ce qu'il voulait. C'est la secrète transaction de la moitié des ménages. La Tonsard créa donc la buvette du Grand-I-Vert, dont les premiers consommateurs furent les gens des Aigues, les gardes et les chasseurs.

Gaubertin, l'intendant de Melle Laguerre, un des premiers chalands de la belle Tonsard, lui donna quelques pièces d'excellent vin pour allécher la pratique. L'effet de ces présents, périodiques tant que le régisseur resta garçon, et la renommée de beauté peu sauvage qui signala la Tonsard aux Don Juan de la vallée, achalandèrent le Grand-I-Vert. En sa qualité de gourmande, la Tonsard devint excellente cuisinière, et quoique ses talents ne s'exerçassent que sur les plats en usage dans la campagne, le civet, la sauce du gibier, la matelote, l'omelette, elle passa dans le pays pour savoir admirablement cuisiner un de ces repas qui se mangent sur le bout de la table et dont les épices, prodiguées outre mesure, excitent à boire. En deux ans, elle se rendit ainsi maîtresse de Tonsard et le poussa sur une pente mauvaise à laquelle il ne demandait pas mieux que de s'abandonner.

Ce drôle braconna constamment sans avoir rien à craindre. Les liaisons de sa femme avec Gaubertin l'intendant, avec les gardes particuliers et les autorités champêtres, le relâchement du temps lui assurèrent l'impunité. Dès que ses enfants furent assez grands, il en fit des instruments de son bien-être, sans se montrer plus scrupuleux pour leurs mœurs que pour celles de sa femme. Il eut deux filles et deux garçons. Tonsard, qui vivait, ainsi que sa femme, au jour le jour, aurait vu finir sa joyeuse vie, s'il n'eût pas maintenu constamment chez lui la loi quasi martiale de travailler à la conservation de son bien-être, auquel sa famille participait d'ailleurs. Quand sa famille fut élevée aux dépens de ceux à qui sa femme savait arracher des présents, voici quels furent la charte et le budget du Grand-I-Vert.

La vieille mère de Tonsard et ses deux filles, Catherine et Marie, allaient continuellement au bois, et revenaient deux fois par jour chargées à plier sous le poids d'un fagot qui tombait à leurs chevilles et dépassait leurs têtes de deux pieds. Quoique fait en dessus avec du bois mort, l'intérieur se composait de bois vert coupé souvent parmi les jeunes arbres. A la lettre, Tonsard prenait son bois pour l'hiver dans la forêt des Aigues. Le père et ses deux fils braconnaient continuellement. De septembre en mars, les lièvres, les lapins, les perdrix, les grives, les chevreuils, tout le gibier qui ne se consommait pas au logis, se vendait à Blangy, dans la petite ville de Soulanges, chef-lieu du canton, où les deux filles de Tonsard fournissaient du lait, et d'où elles rapportaient chaque jour les nouvelles, en y colportant celles des Aigues, de Cerneux et de Couches. Quand on ne pouvait plus chasser, les trois Tonsard tendaient des collets. Si les collets rendaient trop, la Tonsard faisait des pâtés, expédiés à La-Ville-aux-Fayes. Au temps de la maison, sept Tonsard, la vieille mère, les deux garçons, tant qu'ils n'eurent pas dix-sept ans, les deux filles, le vieux Fourchon et Mouche, glanaient, ramassaient près de seize boisseaux par jour, glanant seigle, orge, blé, tout grain bon à moudre.

Les deux vaches, menées d'abord par la plus jeune des deux filles, le long des routes, s'échappaient la plupart du temps dans les prés des Aigues ; mais comme au moindre délit trop flagrant pour que le garde se dispensât de le constater, les enfants étaient battus ou privés de quelque friandise, ils avaient acquis une habileté singulière pour entendre les pas ennemis, et presque jamais le garde champêtre ou le garde des Aigues ne les surprenaient en faute. D'ailleurs les liaisons de ces dignes fonctionnaires avec Tonsard et sa femme leur mettaient une taie sur les yeux. Les bêtes, conduites par de longues cordes, obéissaient d'autant mieux à un seul coup de rappel, à un cri particulier qui les ramenaient sur le terrain commun qu'elles savaient, le péril passé, pouvoir achever leur lippée chez le voisin. La vieille Tonsard, de plus en plus débile, avait succédé à Mouche depuis que Fourchon gardait son petit-fils naturel avec lui, sous prétexte de soigner son éducation. Marie et Catherine faisaient de l'herbe dans le bois. Elles y avaient reconnu les places où vient ce foin forestier si joli, si fin, qu'elles coupaient, fanaient, bottelaient et engrangeaient ; elles y trouvaient les deux tiers de la nourriture des vaches en hiver qu'on menait d'ailleurs paître pendant les belles journées aux endroits bien connus où l'herbe verdoie. Il y a, dans certains endroits de la vallée des Aigues, comme dans tous les pays dominés par des chaînes de montagnes, des terrains qui donnent, comme en Piémont et en Lombardie, de l'herbe en hiver. Ces prairies, nommées en Italie *marciti*, ont une grande valeur, mais en France, il ne leur faut ni trop grandes glaces, ni trop de neige. Ce phénomène est dû sans doute à une exposition particulière, à des infiltrations d'eaux qui conservent une température chaude.

Les deux veaux produisaient environ quatre-vingts francs. Le lait, déduction faite du temps où les vaches nourrissaient ou vêlaient, rapportait environ cent soixante francs, et pourvoyait en outre aux besoins du logis en fait de laitage. Tonsard gagnait une cinquantaine d'écus en journées faites de côté et d'autre. La cuisine et le vin vendu donnaient tous les frais déduits une centaine d'écus, car ces régalades essentiellement passagères venaient en certains temps et pendant certaines saisons; d'ailleurs les gens à régalades prévenaient la Tonsard et son mari, qui prenaient alors à la ville le peu de viande et de provisions nécessaires. Le vin du clos de Tonsard était vendu, année commune, vingt francs le tonneau, sans fût, à un cabaretier de Soulanges avec lequel Tonsard entretenait des relations. Par certaines années plantureuses, Tonsard récoltait douze pièces dans son arpent; mais la moyenne était de huit pièces, et Tonsard en gardait moitié pour son débit. Dans les pays vignobles, le glanage des vignes constitue le *hallebotage*. Par le hallebotage, la famille Tonsard recueillait trois pièces de vin environ. Mais à l'abri sous les usages, elle mettait peu de conscience dans ses procédés, elle entrait dans les vignes avant que les vendangeurs n'en fussent sortis; de même qu'elle se ruait sur les champs de blé quand les gerbes amoncelées attendaient les charrettes. Ainsi les sept ou huit pièces de vin, tant halleboté que récolté, se vendaient à un bon prix. Mais sur cette somme, le Grand-I-Vert réalisait des pertes provenant de la consommation de Tonsard et de sa femme, habitués tous deux à manger les meilleurs morceaux, à boire du vin meilleur que celui qu'ils vendaient et fourni par leur correspondant de Soulanges, en paiement du leur. L'argent gagné par cette famille allait donc à environ neuf cents francs, car ils engraissaient deux cochons par an, un pour eux, un autre pour le vendre.

Les ouvriers, les mauvais garnements du pays prirent à la longue en affection le cabaret du Grand-I-Vert, autant à cause des talents de la Tonsard que de la camaraderie existant entre cette famille et le menu peuple de la vallée. Les deux filles, toutes deux remarquablement belles, continuaient les mœurs de leur mère. Enfin l'ancienneté du Grand-I-Vert, qui datait de 1795, en faisait une chose consacrée dans la campagne. Depuis Couches jusqu'à La-Ville-aux-Fayes, les ouvriers y venaient conclure leurs marchés, y apprendre les nouvelles pompées par les filles à Tonsard, par Mouche, par Fourchon, dites par Vermichel, par Brunet, l'huissier le plus en renom à Soulanges, quand il y venait chercher son praticien. Là s'établissaient

le prix des foins, des vins, celui des journées et celui des
ouvrages à tâches. Tonsard, juge souverain en ces
matières, donnait ses consultations, tout en trinquant avec
les buveurs. Soulanges, selon le mot du pays, passait
pour être uniquement une ville de société, d'amusement,
et Blangy était le bourg commercial, écrasé néanmoins par
le grand centre de La-Ville-aux-Fayes, devenue en vingt-
cinq ans la capitale de cette magnifique vallée. Le marché
des bestiaux, des grains, se tenait à Blangy, sur la place,
et ses prix servaient de mercuriale à l'arrondissement.

En restant au logis, la Tonsard était restée fraîche,
blanche, potelée, par exception aux femmes des champs
qui passent aussi rapidement que les fleurs, et qui sont
déjà vieilles à trente ans. Aussi la Tonsard aimait-elle à
être bien mise. Elle n'était que propre, mais au village,
cette propreté vaut le luxe. Les filles, mieux vêtues que
ne le comportait leur pauvreté, suivaient l'exemple de leur
mère. Sous leurs robes presque élégantes, relativement,
elles portaient du linge plus fin que celui des paysannes les
plus riches. Aux jours de fêtes, elles se montraient en
jolies toilettes gagnées Dieu sait comme! la livrée des
Aigues leur vendait, à des prix facilement payés, des robes
de femmes de chambre achetées à Paris et qu'elles refai-
saient pour elles. Ces deux filles, les bohémiennes de la
vallée, ne recevaient pas un liard de leurs parents, qui leur
donnaient uniquement la nourriture et les couchaient sur
d'affreux grabats avec leur grand-mère dans le grenier où
leurs frères couchaient blottis à même le foin comme des
animaux. Ni le père, ni la mère ne songeaient à cette
promiscuité.

L'âge de fer et l'âge d'or se ressemblent plus qu'on ne le
pense. Dans l'un, on ne prend garde à rien; dans l'autre,
on prend garde à tout; pour la société, le résultat est peut-
être le même. La présence de la vieille Tonsard, qui ressemblait bien plus à une nécessité qu'à une garantie, était
une immoralité de plus.

Aussi l'abbé Brossette, après avoir étudié les mœurs de
ses paroissiens, disait-il à son évêque ce mot profond :
« Monseigneur, à voir comment ils s'appuient de leur
misère, on devine que ces paysans tremblent de perdre le
prétexte de leurs débordements. »

Quoique tout le monde sût combien cette famille avait
peu de principes et peu de scrupules, personne ne trouvait
à redire aux mœurs du Grand-I-Vert. Au commencement
de cette Scène, il est nécessaire d'expliquer, une fois pour

toutes, aux gens habitués à la moralité des familles bourgeoises, que les paysans n'ont, en fait de mœurs domestiques, aucune délicatesse ; ils n'invoquent la morale à
propos d'une de leurs filles séduites, que si le séducteur est
riche et craintif. Les enfants, jusqu'à ce que l'Etat les leur
arrache, sont des capitaux, ou des instruments de bien-
être. L'intérêt est devenu, surtout depuis 1789, le seul
mobile de leurs idées ; il ne s'agit jamais pour eux de
savoir si une action est légale ou immorale, mais si elle est
profitable. La moralité, qu'il ne faut pas confondre avec
la religion, commence à l'aisance ; comme on voit, dans la
sphère supérieure, la délicatesse fleurir dans l'âme quand
la Fortune a doré le mobilier. L'homme absolument
probe et moral est, dans la classe des paysans, une exception. Les curieux demanderont pourquoi ? De toutes les
raisons qu'on peut donner de cet état de choses, voici la
principale : Par la nature de leurs fonctions sociales, les
paysans vivent d'une vie purement matérielle qui se
rapproche de l'état sauvage auquel les invite leur union
constante avec la Nature. Le travail, quand il écrase le
corps, ôte à la pensée son action purifiante, surtout chez
des gens ignorants. Enfin pour les paysans, la misère est
leur *raison d'état*, comme le disait l'abbé Brossette.

Mêlé à tous les intérêts, Tonsard écoutait les plaintes de
chacun et dirigeait les fraudes utiles aux nécessiteux. La
femme, bonne personne en apparence, favorisait par des
coups de langue les malfaiteurs du pays, ne refusant jamais
ni son approbation, ni même un coup de main à ses pratiques, quoi qu'elles fissent contre LE BOURGEOIS. Dans ce
cabaret, vrai nid de vipères, s'entretenait donc, vivace et
venimeuse, chaude et agissante, la haine du prolétaire et
du paysan contre le maître et le riche.

La vie heureuse des Tonsard fut alors d'un très mauvais
exemple. Chacun se demanda pourquoi ne pas prendre,
comme Tonsard, dans la forêt des Aigues son bois pour le
four, pour la cuisine et pour se chauffer l'hiver ? Pourquoi
ne pas avoir la nourriture d'une vache et trouver comme
eux du gibier à manger ou à vendre ? pourquoi comme
eux ne pas récolter sans semer, à la moisson et aux vendanges ? Aussi, le vol sournois qui ravage les bois, qui
dîme les guérets, les prés et les vignes, devenu général
dans cette vallée, dégénéra-t-il promptement en droit dans
les communes de Blangy, de Couches et de Cerneux, sur
lesquelles s'étendait le domaine des Aigues. Cette plaie,
par des raisons qui seront dites en temps et lieu, frappa

beaucoup plus la terre des Aigues que les biens des Ronquerolles et des Soulanges.

Ne croyez pas d'ailleurs que jamais Tonsard, sa femme,
ses enfants et sa vieille mère se fussent dit de propos déli-
béré : nous vivrons de vols, et nous les commettrons avec
habileté ! Ces habitudes avaient grandi lentement. Au bois
mort, la famille mêla quelque peu de bois vert ; puis,
enhardie par l'habitude et par une impunité calculée,
nécessaire à des plans que ce récit va développer, en
vingt ans, elle en était arrivée à *faire son bois*, à voler
presque toute sa vie ! Le pâturage des vaches, les abus du
glanage et du hallebotage s'établirent ainsi, par degrés.
Une fois que la famille et les fainéants de la vallée eurent
goûté les bénéfices de ces quatre droits conquis par les
pauvres de la campagne et qui vont jusqu'au pillage, on
conçoit que les paysans ne pouvaient y renoncer que
contraints par une force supérieure à leur audace.

Au moment où cette histoire commence, Tonsard, âgé
d'environ cinquante ans, homme fort et grand, plus gras
que maigre, les cheveux crépus et noirs, le teint violemment coloré, jaspé comme une brique de tons violâtres,
l'œil orangé, les oreilles rabattues et largement ourlées,
d'une constitution musculeuse mais enveloppée d'une
chair molle et trompeuse, le front écrasé, la lèvre inférieure pendante, cachait son vrai caractère sous une stupi-
dité entremêlée des éclairs d'une expérience qui ressemblait d'autant plus à de l'esprit qu'il avait acquis dans la
société de son beau-père un parler *gouailleur*, pour
employer une expression du dictionnaire Vermichel et
Fourchon. Son nez, aplati du bout comme si le doigt
céleste avait voulu le marquer, lui donnait une voix qui
partait du palais, comme chez tous ceux que la maladie a
défigurés en tronquant la communication des fosses
nasales où l'air passe alors péniblement. Ses dents supérieures entrecroisées laissaient d'autant mieux voir ce
défaut, terrible au dire de Lavater, que ses dents offraient
la blancheur de celles d'un chien. Sans la fausse bonhomie
du fainéant et le laisser-aller du gobelotteur de campagne,
cet homme eût effrayé les gens les moins perspicaces.

Si le portrait de Tonsard, si la description de son cabaret, celle de son beau-père apparaissent en première ligne,
croyez bien que cette place est due à l'homme, au cabaret
et à la famille. D'abord, cette existence, si minutieusement
expliquée, est le type de celle que menaient cent autres
ménages dans la vallée des Aigues. Puis, Tonsard, sans

être autre chose que l'instrument de haines actives et profondes, eut une influence énorme dans la bataille qui devait
se livrer, car il fut le conseil de tous les plaignants de la
basse classe. Son cabaret servit constamment, comme on
va le voir, de rendez-vous aux assaillants, de même qu'il
devint leur chef, par suite de la terreur qu'il inspirait à
cette vallée, moins par ses actions que par ce qu'on attendait toujours de lui. La menace de ce braconnier étant
aussi redoutée que le fait, il n'avait jamais eu besoin d'en
exécuter aucune.

Toute révolte, ouverte ou cachée, a son drapeau. Le
drapeau des maraudeurs, des fainéants, des bavards, était
donc la terrible perche du Grand-I-Vert. On s'y amusait!
chose aussi recherchée et aussi rare à la campagne qu'à la
ville. Il n'existait d'ailleurs pas d'auberges sur une route
cantonale de quatre lieues que les voitures chargées faisaient facilement en trois heures; aussi tous ceux qui
allaient de Couches à La-Ville-aux-Fayes s'arrêtaient-ils
au Grand-I-Vert, ne fût-ce que pour se rafraîchir. Enfin,
le meunier des Aigues, adjoint du maire, et ses garçons y
venaient. Les domestiques du général eux-mêmes ne
dédaignaient pas ce bouchon, que les filles à Tonsard
rendaient attrayant, en sorte que le Grand-I-Vert communiquait souterrainement avec le château par les gens et
pouvait en savoir tout ce qu'ils en savaient. Il est impossible, ni par le bienfait, ni par l'intérêt, de rompre
l'accord éternel des domestiques avec le peuple. La livrée
sort du peuple, elle lui reste attachée. Cette funeste
camaraderie explique déjà la réticence que contenait le
dernier mot dit au perron par Charles à Blondet.

CHAPITRE IV

AUTRE IDYLLE

— Ah! nom de nom! papa, dit Tonsard en voyant entrer son beau-père et le soupçonnant d'être à jeun, vous avez la gueule hâtive ce matin. Nous n'avons rien à vous donner... Et *ste* corde ? *ste* corde que nous devions faire ? C'est étonnant comme vous en fabriquez la veille, et comme vous vous en trouvez peu de fait le lendemain. Il y a longtemps que vous auriez dû tortiller celle qui mettra fin à votre existence, car vous nous devez beaucoup trop cher...

La plaisanterie du paysan et de l'ouvrier est très attique, elle consiste à dire toute la pensée en la grossissant par une expression grotesque. On n'agit pas autrement dans les salons. La finesse de l'esprit y remplace le pittoresque de la grossièreté, voilà toute la différence.

— Y a pas de beau-père, dit le vieillard, parle-moi en pratique, je veux une bouteille du meilleur.

Ce disant, Fourchon frappa d'une pièce de cent sous, qui dans sa main brillait comme un soleil, la méchante table à laquelle il s'était assis et que son tapis de graisse rendait aussi curieuse à voir que ses brûlures noires, ses marques vineuses et ses entailles. Au son de l'argent, Marie Tonsard, taillée comme une corvette pour la course, jeta sur son grand-père un regard fauve qui jaillit de ses yeux bleus comme une étincelle, la Tonsard sortit de sa chambre, attirée par la musique du métal:

— Tu brutalises toujours mon pauvre père, dit-elle à Tonsard, il gagne pourtant bien de l'argent depuis un an, Dieu veuille que ce soit honnêtement. Voyons ça ?... dit-elle en sautant sur la pièce et l'arrachant des mains de Fourchon.

— Va, Marie, dit gravement Tonsard, au-dessus de la planche y a encore *du vin bouché*.

Dans la campagne, le vin n'est que d'une seule qualité, mais il se vend sous deux espèces : le vin au tonneau, le vin bouché.

— D'où ça vous vient-il ? demanda la fille à son père en coulant la pièce dans sa poche.

— Philippine ! tu finiras mal, dit le vieillard en hochant la tête et sans essayer de reprendre son argent.

Déjà, sans doute, Fourchon avait reconnu l'inutilité d'une lutte entre son terrible gendre, sa fille et lui.

— V'là une bouteille de vin que vous me vendez encore cent sous ! ajouta-t-il d'un ton amer ; mais aussi sera-ce la dernière. Je donnerai ma pratique au Café de la Paix.

— Tais-toi ! papa, reprit la blanche et grasse cabaretière qui ressemblait assez à une matrone romaine, il te faut une chemise, un pantalon propre, un autre chapeau, je veux te voir enfin un gilet...

— Je t'ai déjà dit que ce serait me ruiner, s'écria le vieillard. Quand on me croira riche, personne ne me donnera plus rien.

La bouteille apportée par la blonde Marie arrêta l'éloquence du vieillard, qui ne manquait pas de ce trait particulier à ceux dont la langue se permet de tout dire et dont l'expression ne recule devant aucune pensée, fût-elle atroce.

— Vous ne voulez donc pas nous dire où vous *pigez* tant de monnaie ?... demanda Tonsard, nous irions aussi, nous autres !...

Tout en finissant un collet, le féroce cabaretier espionnait le pantalon de son beau-père et il y vit bientôt la rondelle dessinée en saillie par la seconde pièce de cinq francs.

— A votre santé ! je deviens capitaliste, dit le père Fourchon.

— Si vous vouliez, vous le seriez, dit Tonsard, vous avez des moyens, vous !... Mais le diable vous a percé au bas de la tête un trou par où tout s'en va !

— Hé ! j'ai fait le tour de la loute à ce petit bourgeois des Aigues qui est venu de Paris, voilà tout !

— S'il venait beaucoup de monde voir les sources d'Avonne, dit Marie, vous seriez riche, papa Fourchon.

— Oui, reprit-il, en buvant le dernier verre de sa bouteille ; mais à force de jouer avec les loutes, les loutes se sont mises en colère, et j'en ai pris une qui va me rapporter *pus* de vingt francs.

— Gageons, papa, que *t'as* fait une loutre en filasse ?... dit la Tonsard en regardant son père d'un air finaud.

— Si tu me donnes un pantalon, un gilet, des bretelles
en lisière pour ne pas trop faire honte à Vermichel, sur
notre estrade à Tivoli, car le père Socquard grogne toujours après moi, je te laisse la pièce, ma fille; ton idée
la vaut bien. Je pourrai repincer le bourgeois des Aigues,
qui, du coup, va peut-être s'adonner aux loutes!

— Va nous quérir une autre bouteille, dit Tonsard à
sa fille. S'il avait une loute, ton père nous la montrerait,
répondit-il en s'adressant à sa femme et tâchant de réveiller la susceptibilité de Fourchon.

— J'ai trop peur de la voir dans votre poêle à frire!
dit le vieillard qui cligna de l'un de ses petits yeux ver-
dâtres en regardant sa fille. Philippine m'a déjà *esbigné*
ma pièce, et combien donc que vous m'en avez effarouché
ed' mes pièces, sous couleur de me vêtir, de me nourrir?...
Et vous me dites que ma gueule est hâtive, et je vas toujours tout nu.

— Vous avez vendu votre dernier habillement pour
boire du vin cuit au Café de la Paix, papa?... dit la Tonsard, à preuve que Vermichel a voulu vous en empêcher...

— Vermichel?... lui que j'ai régalé? Vermichel est
incapable d'avoir trahi l'amitié, ce sera ce quintal de vieux
lard à deux pattes qu'il n'a pas honte d'appeler sa femme!

— Lui ou elle, répondit Tonsard, ou Bonnébault...

— Si c'était Bonnébault, reprit Fourchon, lui qu'est
un des piliers du café... je... le... suffit.

— Mais licheur, quéque ça fait que vous ayez vendu
vos effets? Vous les avez vendus parce que vous les avez
vendus, vous êtes majeur! reprit Tonsard en frappant sur
le genou du vieillard. Allez, faites concurrence à mes
futailles, rougissez-vous le gosier! Le père à mame Tonsard en a le droit, et vaut mieux ça que de porter votre
argent blanc à Socquard!

— Dire que voilà quinze ans que vous faites danser le
monde à Tivoli, sans avoir pu deviner le secret du Vin
Cuit de Socquard, vous qui êtes si fin! dit la fille à son
père. Vous savez pourtant bien qu'avec ce secret-là, nous
deviendrions aussi riches que Rigou!

Dans le Morvan et dans la partie de la Bourgogne qui
s'étale à ses pieds du côté de Paris, ce Vin Cuit, reproché
par la Tonsard au père Fourchon, est un breuvage assez
cher, qui joue un grand rôle dans la vie des paysans, et
que savent faire plus ou moins admirablement les épiciers
ou les limonadiers, là où il existe des cafés. Cette benoîte
liqueur, composée de vin choisi, de sucre, de cannelle et

autres épices, est préférée à tous les déguisements ou
mélanges de l'eau-de-vie appelés Ratafiat, Cent-Sept-Ans,
Eau-des-Braves, Cassis, Vespétro, Esprit-de-Soleil, etc.
On retrouve le Vin Cuit jusque sur les frontières de la
France et de la Suisse. Dans le Jura, dans les lieux sauvages où pénètrent quelques touristes sérieux, les auber-
gistes donnent, sur la foi des commis voyageurs, le nom
de vin de Syracuse à ce produit industriel, excellent d'ailleurs, et qu'on est enchanté de payer trois ou quatre francs
la bouteille, par la faim canine qui se gagne à l'ascension
des pics. Or, dans les ménages morvandiaux et bourguignons, la plus légère douleur, le plus petit tressaillement
de nerfs est un prétexte à Vin Cuit. Les femmes, pendant,
avant et après l'accouchement, y joignent des rôties au
sucre. Le Vin Cuit a dévoré des fortunes de paysan. Aussi
plus d'une fois ce séduisant liquide a-t-il nécessité des
corrections maritales.

— Et y a pas mèche! répondit Fourchon. Socquard
s'est toujours enfermé pour fabriquer son Vin Cuit! Il
n'en a pas dit le secret à défunt sa femme. Il tire tout de
Paris pour *ste* fabrique-là!

— Ne tourmente donc pas ton père! s'écria Tonsard,
il ne sait pas, eh bien, il ne sait pas! on ne peut pas tout
savoir!

Fourchon fut saisi d'inquiétude en voyant la physionomie de son gendre s'adoucir aussi bien que sa parole.

— Quéque tu veux me voler ? dit naïvement le vieillard.

— Moi, dit Tonsard, je n'ai rien que de légitime dans
ma fortune, et quand je vous prends quelque chose, je
me paie de la dot que vous m'avez promise.

Fourchon, rassuré par cette brutalité, baissa la tête en
homme vaincu et convaincu.

— V'la-t-il un joli collet, reprit Tonsard en se rap-
prochant de son beau-père et lui posant le collet sur les
genoux. *Ils* auront besoin de gibier aux Aigues, et nous
arriverons bien à leur vendre le leur, ou y aurait pas de
bon Dieu pour nous...

— Un solide travail, dit le vieillard en examinant cet
engin malfaisant.

— Laissez-nous ramasser des sous, allez, papa, dit la
Tonsard, nous aurons notre part au gâteau des Aigues!...

— Oh! les bavardes! dit Tonsard. Si je suis pendu,
ce ne sera pas pour un coup de fusil, ce sera pour un
coup de langue de votre fille.

— Vous croyez donc que les Aigues seront vendus en détail pour votre fichu nez ? répondit Fourchon. Comment, depuis trente ans que le père Rigou vous suce la moelle de vos os, vous n'avez pas *core* vu que les bourgeois seront pires que les seigneurs ? Dans cette affaire-là, mes petits, les Soudry, les Gaubertin, les Rigou vous feront danser sur l'air de : *J'ai du bon tabac, tu n'en auras pas.* L'air national des riches, quoi!... Le paysan sera toujours le paysan! ne voyez-vous pas (mais vous ne connaissez rien à la politique!...) que le Gouvernement n'a tant mis de droits sur le vin que pour nous repincer notre *quibus*, et nous maintenir dans la misère! Les bourgeois et le gouvernement, c'est tout un. Quéqu'ils deviendraient si nous étions tous riches ?... Laboureraient-ils leurs champs, feraient-ils la moisson ? Il leur faut des malheureux! J'ai été riche pendant dix ans, et je sais bien ce que je pensais des gueux!...

— Faut tout de même chasser avec eux, répondit Tonsard, puisqu'ils veulent *allotir* les grandes terres... Et après, nous nous retournerons contre les Rigou. A la place de Courtecuisse qu'il dévore, il y a longtemps que je lui aurais soldé mon compte avec d'autres *balles* que celles que le pauvre homme lui donne...

— Vous avez raison, répondit Fourchon. Comme dit le père Niseron, qu'est resté républicain après tout le monde, le Peuple a la vie dure, il ne meurt pas, il a le temps pour lui!...

Fourchon tomba dans une sorte de rêverie et Tonsard en profita pour reprendre son collet; mais en le reprenant il coupa d'un coup de ciseaux le pantalon pendant que le père Fourchon levait son verre pour boire et il mit le pied sur la pièce qui roula sur la partie du sol toujours humide là où les buveurs égouttaient leurs verres. Quoique lestement faite, cette soustraction aurait peut-être été sentie par le vieillard, sans l'arrivée de Vermichel.

— Tonsard, savez-vous où se trouve le papa ? demanda le fonctionnaire au pied du palis.

Le cri de Vermichel, le vol de la pièce et l'épuisement du verre eurent lieu simultanément.

— Présent! mon officier, dit le père Fourchon en tendant la main à Vermichel pour l'aider à monter les marches du cabaret.

De toutes les figures bourguignonnes, Vermichel vous eût semblé la plus bourguignonne. Le praticien n'était pas rouge, mais écarlate. Sa face, comme certaines parties

tropicales du globe, éclatait sur plusieurs points par de
petits volcans desséchés qui dessinaient de ces mousses
plates et vertes appelées assez poétiquement par Fourchon
des fleurs de vin. Cette tête ardente, dont tous les traits
avaient été démesurément grossis par de continuelles
ivresses, paraissait cyclopéenne, allumée du côté droit par
une prunelle vive, éteinte de l'autre par un œil couvert
d'une taie jaunâtre. Des cheveux roux toujours ébouriffés, une barbe semblable à celle de Judas, rendaient Vermichel aussi formidable en apparence qu'il était doux en
réalité. Le nez en trompette ressemblait à un point d'interrogation auquel la bouche, excessivement fendue,
paraissait toujours répondre, même quand elle ne s'ouvrait
pas. Vermichel, homme de petite taille, portait des souliers ferrés, un pantalon de velours vert-bouteille, un
vieux gilet rapetassé d'étoffes diverses qui paraissait avoir
été fait avec une courtepointe, une veste en gros drap
bleu et un chapeau gris à larges bords. Ce luxe imposé par
la ville de Soulanges où Vermichel cumulait les fonctions
de concierge de l'Hôtel de Ville, de tambour, de geôlier,
de ménétrier et de praticien, était entretenu par Mme Vermichel, une terrible antagoniste de la philosophie rabelaisienne. Cette virago à moustaches, large d'un mètre,
d'un poids de cent vingt kilogrammes, et néanmoins agile,
avait établi sa domination sur Vermichel qui, battu par
elle pendant ses ivresses, la laissait encore faire quand il
était à jeun. Aussi le père Fourchon disait-il, en méprisant la tenue de Vermichel : « C'est la livrée d'un
esclave. »

— Quand on parle du soleil on en voit les rayons,
reprit Fourchon en répétant une plaisanterie inspirée par
la rutilante figure de Vermichel qui ressemblait en effet à
ces soleils d'or peints sur les enseignes d'auberge en province. Madame Vermichel a-t-elle aperçu trop de poussière sur ton dos, que tu fuis tes quatre cinquièmes, car
on ne peut pas l'appeler ta moitié, ste femme ?... Qui
t'amène de si bonne heure ici, tambour battu ?

— Toujours la politique ! répondit Vermichel évidemment accoutumé à ces plaisanteries.

— Ah ! le commerce de Blangy va mal, nous allons
protester des billets, dit le père Fourchon en versant un
verre de vin à son ami.

— Mais notre singe est sur mes talons, répondit Vermichel en haussant le coude.

Dans l'argot des ouvriers, le *singe* c'est le maître. Cette

locution faisait partie du Dictionnaire Vermichel et Fourchon.

— Quéque m'sieur Brunet vient donc tracasser par
ici ? demanda la Tonsard.

— Hé ! parbleu, vous autres, dit Vermichel, vous lui
rapportez depuis trois ans pus que vous ne valez... Ah ! il
vous travaille joliment les côtes, le bourgeois des Aigues !
Il va bien, le Tapissier... Comme dit le petit père Brunet :
« S'il y avait trois propriétaires comme lui dans la vallée,
ma fortune serait faite !... »

— Qué qu'ils ont donc inventé de nouveau contre le
pauvre monde ? dit Marie.

— Ma foi ! reprit Vermichel, ça n'est pas bête, allez !
et vous finirez par mettre les pouces... Que voulez-vous ?
les voilà bien en force depuis bientôt deux ans avec trois
gardes, un garde à cheval, tous actifs comme des fourmis,
et un garde champêtre qu'est un dévorant. Enfin la gendarmerie se botte maintenant à tout propos pour eux...
Ils vous écraseront...

— Ah ! ouin ! dit Tonsard, nous sommes trop plats...
Ce qu'il y a de plus résistant, c'est pas l'arbre, c'est
l'herbe...

— Ne t'y fie pas, répondit le père Fourchon à son
gendre, t'as des propriétés...

— Enfin, reprit Vermichel, ils vous aiment ces gens,
car ils ne pensent qu'à vous du matin au soir ! Ils se sont
dit comme ça : « Les bestiaux de ces gueux-là nous
mangent nos prés ; nous allons les leur prendre, leurs bestiaux. Quand ils n'auront plus de bestiaux, ils ne pourront
pas manger eux-mêmes l'herbe de nos prés. » Comme
vous avez tous des condamnations sur le dos, ils ont dit
à notre singe de saisir vos vaches. Nous commencerons
ce matin par Couches, nous allons y saisir la vache à la
Bonnébault, la vache à la mère de Godain, la vache à la
Mitant.

Dès qu'elle eut entendu le nom de Bonnébault, Marie,
l'amoureuse de Bonnébault, le petit-fils de la vieille à la
vache, sauta dans le clos de vigne après avoir guigné son
père et sa mère. Elle passa comme une anguille à travers
un trou de la haie, et s'élança vers Couches avec la rapidité d'un lièvre poursuivi.

— Ils en feront tant, dit tranquillement Tonsard, qu'ils
se feront casser les os et ce sera dommage, leurs mères ne
leur en referont pas d'autres.

— Ça se pourrait bien tout de même ! ajouta le père

Fourchon. Mais vois-tu, Vermichel, je ne peux pas être
à vous avant une heure d'ici, j'ai des affaires importantes
au château...

— Plus importantes que trois vacations à cinq sous ?...
faut pas cracher sur la vendange! a dit le papa Noé.

— Je te dis, Vermichel, que mon commerce m'appelle
au château des Aigues, répéta le vieux Fourchon en prenant un air de risible importance.

— D'ailleurs, ça ne serait pas, dit la Tonsard, que
mon père ferait bien de s'évanouir. Est-ce que par hasard
vous voudriez trouver les vaches ?...

— Monsieur Brunet, qui est un bon homme, ne
demande pas mieux que de n'en trouver que les bouses,
répondit Vermichel. Un homme, obligé comme lui de
trotter par les chemins à la nuit, il est prudent.

— Et il a raison, dit sèchement Tonsard.

— Donc, reprit Vermichel, il a dit comme ça à monsieur Michaud : « J'irai dès que l'audience sera terminée. »
S'il voulait trouver les vaches, il y serait allé demain à
sept heures!... Mais faudra qu'il marche, allez, monsieur
Brunet. On n'attrape pas deux fois le Michaud, c'est un
chien de chasse fini! Ah! qué brigand!

— Ça devrait rester à l'armée, des sacripants comme
ça, dit Tonsard, ça n'est bon qu'à lâcher sur les ennemis...
Je voudrais bien qu'il me demandât mon nom! Il a beau
se dire un vieux de la Jeune Garde, je suis sûr qu'après
avoir mesuré nos ergots, il m'en resterait plus long qu'à
lui dans les pattes!

— Ah! ça, dit la Tonsard à Vermichel, et les affiches
de la fête de Soulanges, quand les verra-t-on ?... Nous
voici le 8 août...

— Je les ai portées à imprimer chez monsieur Bournier, hier, à La-Ville-aux-Fayes, répondit Vermichel. On
a parlé chez mame Soudry d'un feu d'artifice sur le lac.

— Quel monde nous aurons! s'écria Fourchon.

— En v'là des journées pour Socquard s'il ne pleut
pas, dit le cabaretier d'un air envieux.

On entendit le trot d'un cheval venant de Soulanges,
et cinq minutes après l'huissier attachait son cheval à un
poteau mis exprès à la claire-voie par où passaient les
vaches. Puis, il montra sa tête à la porte du Grand-I-Vert.

— Allons, allons, mes enfants, ne perdons pas de
temps, dit-il en affectant d'être pressé.

— Ah! dit Vermichel, vous avez un réfractaire, monsieur Brunet. Le père Fourchon a la goutte.

— Il a plusieurs gouttes, répliqua l'huissier, mais la loi ne lui demande pas d'être à jeun.

— Pardon, monsieur Brunet, dit Fourchon, je suis attendu pour affaire aux Aigues, nous sommes en marché pour eine loute...

Brunet, petit homme sec, au teint bilieux, vêtu tout en drap noir, l'œil fauve, les cheveux crépus, la bouche serrée, le nez pincé, l'air jésuite, la parole enrouée, offrait le phénomène d'une physionomie, d'un maintien et d'un caractère en harmonie avec sa profession. Il connaissait si bien le Droit, ou pour mieux dire la chicane, qu'il était à la fois la terreur et le conseiller du canton; aussi ne manquait-il pas d'une certaine popularité parmi les paysans auxquels il demandait la plupart du temps son paiement en denrées. Toutes ses qualités actives et négatives, ce savoir-faire lui valaient la clientèle du canton, à l'exclusion de son confrère maître Plissoud, dont il sera question plus tard. Ce hasard d'un huissier qui fait tout et d'un huissier qui ne fait rien est fréquent dans les justices de paix, au fond des campagnes.

— Ça chauffe donc?... dit Tonsard au petit père Brunet.

— Que voulez-vous, vous le pillez aussi par trop, cet homme!... Il se défend! répondit l'huissier, ça finira mal toutes vos affaires, le gouvernement s'en mêlera.

— Il faudra donc que nous autres malheureux nous crevions? dit la Tonsard en offrant un petit verre sur une soucoupe à l'huissier.

— Les malheureux peuvent crever, on n'en manquera jamais!... dit sentencieusement Fourchon.

— Vous dévastez aussi par trop les bois, répliqua l'huissier.

— On fait bien du bruit, allez, pour quelques malheureux fagots, dit la Tonsard.

— On n'a pas assez rasé de riches pendant la Révolution, voilà tout, dit Tonsard.

En ce moment, l'on entendit un bruit horrible en ce qu'il était inexplicable. Le galop de deux pieds enragés mêlé à un cliquetis d'armes dominait un bruissement de feuillages et branches entraînées par des pas encore plus précipités. Deux voix aussi différentes que les deux galops lançaient des interjections braillardes. Tous les gens du cabaret devinèrent la poursuite d'un homme et la fuite d'une femme; mais à quel propos?... l'incertitude ne dura pas longtemps.

— C'est la mère, dit Tonsard en se dressant, je reconnais sa *grelote!*

Et soudain, après avoir gravi les méchantes marches du Grand-I-Vert, par un dernier effort dont l'énergie ne se trouve qu'au cœur des contrebandiers, la vieille Tonsard tomba les quatre fers en l'air au milieu du cabaret. L'immense lit de bois de son fagot fit un fracas terrible en se brisant contre le haut de la porte et sur le plancher. Tout le monde s'était écarté. Les tables, les bouteilles, les chaises atteintes par les branches s'éparpillèrent. Le tapage n'eût pas été si grand, si la chaumière se fût écroulée.

— Je suis morte du coup! le gredin m'a tuée!...

Le cri, l'action et la course de la vieille femme s'expliquèrent par l'apparition sur le seuil d'un garde habillé tout en drap vert, le chapeau bordé d'une ganse d'argent, le sabre au côté, la bandoulière de cuir aux armes de Montcornet avec celles des Troisville en abîme, le gilet rouge d'ordonnance, les guêtres de peau montant jusqu'au-dessus du genou.

Après un moment d'hésitation, le garde dit en voyant Brunet et Vermichel :

— J'ai des témoins.

— De quoi ? dit Tonsard.

— Cette femme a dans son fagot un chêne de dix ans coupé en rondins, un vrai crime!...

Vermichel, dès que le mot témoins eut été prononcé, jugea très à propos d'aller dans le clos prendre l'air.

— De quoi!... de quoi!... dit Tonsard en se plaçant devant le garde pendant que la Tonsard relevait sa belle-mère, veux-tu bien me montrer tes talons, Vatel ?... Verbalise et saisis sur le chemin, tu es là chez toi, brigand, mais sors d'ici. Ma maison est à moi, peut-être ? Charbonnier est maître chez lui...

— Il y a flagrant délit, ta mère va me suivre...

— Arrêter ma mère, chez moi ? tu n'en as pas le droit. Mon domicile est inviolable!... On sait ça du moins. As-tu un mandat de M. Guerbet, notre juge d'instruction ?... Ah! c'est qu'il faut la justice pour entrer ici. Tu n'es pas la justice, quoique tu aies prêté serment au tribunal de nous faire crever de faim, méchant gabelou de forêt!

La fureur du garde était arrivée à un tel paroxysme qu'il voulut s'emparer du fagot; mais la vieille, un affreux parchemin noir doué de mouvement, et dont le pareil ne se voit que dans le tableau des *Sabines* de David, lui cria :

— N'y touche pas ou je te saute aux yeux!

— Eh bien, osez défaire votre fagot en présence de
M. Brunet ? dit le garde.

Quoique l'huissier affectât cet air d'indifférence que
l'habitude des affaires donne aux officiers ministériels, il
fit à la cabaretière et à son mari ce clignement d'yeux qui
signifie : mauvaise affaire!... Le vieux Fourchon, lui,
montra du doigt à sa fille le tas de cendres amoncelé dans
la cheminée, par un geste significatif. La Tonsard, qui
comprit à la fois le danger de sa belle-mère et le conseil
de son père, prit une poignée de cendres et la jeta dans
les yeux du garde. Vatel se mit à hurler, Tonsard, éclairé
de toute la lumière que perdait le garde, le poussa rudement sur les méchantes marches extérieures où les pieds
d'un aveugle devaient si facilement trébucher, que Vatel
roula jusque dans le chemin en lâchant son fusil. En un
moment, le fagot fut défait, les bûches en furent extraites
et cachées avec une prestesse qu'aucune parole ne peut
rendre. Brunet, ne voulant pas être témoin de cette opération prévue, se précipita sur le garde pour le relever, il
l'assit sur le talus et alla mouiller son mouchoir dans l'eau
pour laver les yeux au patient qui, malgré ses souffrances,
essayait de se traîner vers le ruisseau.

— Vatel, vous avez tort, lui dit l'huissier, vous n'avez
pas le droit d'entrer dans les maisons, voyez-vous...

La vieille, petite femme presque bossue, lançait autant
d'éclairs par ses yeux que d'injures par sa bouche démeu-
blée et couverte d'écume, en se tenant sur le seuil de la
porte, les poings sur les hanches et criant à se faire entendre
de Blangy.

— Ah! gredin, c'est bien fait, va! Que l'enfer te
confonde!... Me soupçonner de couper des âbres! moi, la
pus honnête femme du village, et me chasser comme une
bête malfaisante! Je voudrais que tu perdes les yeux, le
pays y gagnerait sa tranquillité. Vous êtes tous des porte-
malheur! toi et tes compagnons qui supposez des méfaits
pour animer la guerre entre votre maître et nous autres!

Le garde se laissait nettoyer les yeux par l'huissier qui,
tout en le pansant, lui démontrait toujours, qu'en Droit,
il était répréhensible.

— La gueuse, elle nous a mis sur les dents, dit enfin
Vatel, elle est dans le bois depuis cette nuit...

Tout le monde ayant prêté main-vive au recel de l'arbre
coupé, les choses furent promptement remises en état dans
le cabaret. Tonsard vint alors sur la porte d'un air rogue.

— Vatel, mon fiston, si tu t'avises, une autre fois, de

violer mon domicile, c'est mon fusil qui te répondra, dit-il. Tu ne sais pas ton métier... Après ça, tu as chaud, si tu veux un verre de vin, on te l'offre, tu pourras voir que le fagot de ma mère n'a pas un brin de bois suspect, c'est tout broussailles !

— Canaille!... dit tout bas à l'huissier le garde plus vivement atteint au cœur par cette ironie qu'il n'avait été atteint aux yeux par la cendre.

En ce moment, Charles, le valet de pied, naguère envoyé à la recherche de Blondet, parut à la porte du Grand-I-Vert.

— Qu'avez-vous donc, Vatel ? dit le valet au garde.

— Ah! répondit le garde-chasse en s'essuyant les yeux, qu'il avait plongés tout ouverts dans le ruisseau pour achever de les nettoyer, j'ai là des débiteurs à qui je ferai maudire le jour où ils ont vu la lumière.

— Si vous l'entendez ainsi, monsieur Vatel, dit froidement Tonsard, vous vous apercevrez que nous n'avons pas froid aux yeux en Bourgogne.

Vatel disparut. Peu curieux d'avoir le mot de cette énigme, Charles regarda dans le cabaret.

— Venez au château, vous et votre loutre, si vous en avez une, dit-il au père Fourchon.

Le vieillard se leva précipitamment et suivit Charles.

— Eh! bien, où donc est-elle, cette loutre ? dit Charles en souriant d'un air de doute.

— Par ici, dit le cordier en allant vers la Thune.

Ce nom est celui du ruisseau fourni par le trop-plein des eaux du moulin et du parc des Aigues. La Thune court tout le long du chemin cantonal jusqu'au petit lac de Soulanges qu'elle traverse et d'où elle regagne l'Avonne, après avoir alimenté les moulins et les eaux du château de Soulanges.

— La voilà, je l'ai cachée dans le *ru* des Aigues avec une pierre à son cou.

En se baissant et se relevant, le vieillard ne sentit plus la pièce dans sa poche, où le métal habitait si peu qu'il devait s'apercevoir aussi bien du vide que du plein.

— Ah! les *guerdins!* s'écria-t-il, si je chasse aux loutes, ils chassent au beau-père, eux!... Ils me prennent tout ce que je gagne, et ils disent que c'est pour mon bien!... Ah! je le crois qu'il s'agit de mon bien! Sans mon pauvre Mouche, qu'est la consolation de mes vieux jours, je me noierais. Les enfants, c'est la ruine des pères. Vous n'êtes pas marié, vous, monsieur Charles, ne vous mariez jamais!

vous n'aurez pas à vous reprocher d'avoir semé de mauvaises graines!... Moi qui croyais pouvoir acheter de la
filasse!... la v'la filée, ma filasse! Ce monsieur, qui est
gentil, m'avait donné dix francs, eh! ben, la v'la ben
renchérie, ma loute, à ste heure!

Charles se défiait tellement du père Fourchon qu'il prit
ses véritables lamentations pour la préparation de ce qu'en
style d'office il appelait *une couleur*, et il commit la faute
de laisser percer son opinion dans un sourire que surprit
le malicieux vieillard.

— Ah! ça, père Fourchon, de la tenue ?... hein! vous
allez parler à madame, dit Charles en remarquant une
assez grande quantité de rubis flamboyant sur le nez et les
joues du vieillard.

— Je suis à mon affaire, Charles, à preuve que si tu
veux me régaler à l'office des restes du déjeuner et d'une
bouteille ou deux de vin d'Espagne, je te dirai trois mots
qui t'éviteront de recevoir *une danse*...

— Dites! et François aura l'ordre de monsieur de vous
donner un verre de vin, répondit le valet de pied.

— C'est dit ?

— C'est dit.

— Eh! bien, tu vas causer avec ma petite-fille Catherine sous l'arche du pont d'Avonne, Godain l'aime, il vous
a vus et il a la bêtise d'être jaloux... Je dis une bêtise, car
un paysan ne doit pas avoir de sentiments qui ne sont
permis qu'aux riches. Si donc tu vas le jour de la fête de
Soulanges à Tivoli pour danser avec elle, tu danseras
plus que tu ne voudras!... Godain est avare et méchant, il
est capable de te casser le bras sans que tu puisses l'assigner...

— C'est trop cher. Catherine est belle, mais elle ne
vaut pas ça, dit Charles, et pourquoi donc qu'il se fâche,
Godain ? Les autres ne se fâchent pas...

— Ah! il l'aime à l'épouser...

— En voilà une qui sera battue!... dit Charles.

— C'est selon, dit le vieillard, elle tient de sa mère sur
qui Tonsard n'a pas levé la main, tant il a peur de lui voir
lever le pied! Une femme qui sait se remuer, c'est bien
profitant... Et d'ailleurs, à la main chaude avec Catherine,
quoiqu'il soit fort, Godain n'aurait pas le dernier.

— Tenez, père Fourchon, v'là quarante sous pour
boire à ma santé, dans le cas où nous ne pourrions pas
siroter de vin d'Alicante...

Le père Fourchon détourna la tête en empochant la

pièce pour que Charles ne pût pas voir une expression de plaisir et d'ironie qu'il lui fut impossible de réprimer.

— C'est une fière ribaude, Catherine, reprit le vieillard, elle aime le Malaga, il faut lui dire de venir en chercher aux Aigues, imbécile!

Charles regarda le père Fourchon avec une naïve admiration sans pouvoir deviner l'immense intérêt que les ennemis du général avaient à glisser un espion de plus dans le château.

— Le général doit être heureux, demanda le vieillard, les paysans sont bien tranquilles maintenant. Qu'en dit-il ?... Est-il toujours content de Sibilet ?...

— Il n'y a que monsieur Michaud qui tracasse monsieur Sibilet, on dit qu'il le fera renvoyer, répondit Charles.

— Jalousie de métier! reprit Fourchon. Je gage que tu voudrais bien voir congédier François et devenir premier valet de chambre à sa place...

— Dam! il a douze cents francs! dit Charles, mais on ne peut pas le renvoyer, il a les secrets du général...

— Comme madame Michaud avait ceux de madame, répliqua Fourchon en espionnant Charles jusque dans les yeux. Voyons, mon gars, sais-tu si monsieur et madame ont chacun leur chambre ?

— Parbleu, sans cela monsieur n'aimerait pas tant madame!... dit Charles.

— Tu n'en sais pas plus ?... demanda Fourchon.

Il fallut se taire, Charles et Fourchon se trouvaient devant les croisées des cuisines.

CHAPITRE V

LES ENNEMIS EN PRÉSENCE

Au début du déjeuner, François, le premier valet de chambre, vint dire tout bas à Blondet, mais assez haut pour que le comte l'entendît : « Monsieur, le petit au père Fourchon prétend qu'ils ont fini par prendre une loutre, et demande si vous la voulez, avant qu'ils ne la portent au sous-préfet de La-Ville-aux-Fayes. »

Emile Blondet, quoique professeur en mystification, ne put s'empêcher de rougir comme une vierge à qui l'on dit une histoire un peu leste dont le mot lui est connu.

— Ah! vous avez chassé la loutre ce matin avec le père Fourchon, s'écria le général pris d'un fou rire.

— Qu'est-ce ? demanda la comtesse inquiétée par ce rire de son mari.

— Du moment où un homme d'esprit comme lui, reprit le général, s'est laissé enfoncer par le père Fourchon, un cuirassier retiré n'a pas à rougir d'avoir chassé cette loutre qui ressemble énormément au troisième cheval que la poste vous fait toujours payer et qu'on ne voit jamais.

A travers de nouvelles explosions de son fou rire, le général put encore dire :

— Je ne m'étonne plus si vous avez changé de bottes et de pantalon, vous vous serez mis à la nage. Moi, je ne suis pas allé si loin que vous dans la mystification, je suis resté à fleur d'eau; mais aussi avez-vous beaucoup plus d'intelligence que moi...

— Vous oubliez, mon ami, reprit Mme de Montcornet, que je ne sais pas de quoi vous parlez...

A ces mots, dits d'un air piqué que la confusion de Blondet inspirait à la comtesse, le général devint sérieux, et Blondet raconta lui-même sa pêche à la loutre.

— Mais, dit la comtesse, s'ils ont une loutre, ces pauvres gens ne sont pas si coupables.

— Oui, mais il y a dix ans qu'on n'a pas vu de loutres, reprit l'impitoyable général.

— Monsieur le comte, dit François, le petit jure tous ses serments qu'il en tient une...

— S'ils en ont une, je la leur paie, dit le général.

— Dieu, fit observer l'abbé Brossette, n'a pas privé les Aigues à tout jamais de loutres.

— Ah! monsieur le curé, s'écria Blondet, si vous déchaînez Dieu contre moi...

— Qui donc est venu ? demanda la comtesse.

— Mouche, madame la comtesse, ce petit qui va toujours avec le père Fourchon, répondit le valet de chambre.

— Faites-le venir... si madame le veut, dit le général, il vous amusera peut-être.

— Mais au moins faut-il savoir à quoi s'en tenir, dit la comtesse.

Mouche comparut quelques instants après dans sa presque nudité. En voyant cette personnification de l'indigence au milieu de cette salle à manger, dont un trumeau seul aurait donné, par son prix, presque une fortune à cet enfant, pieds nus, jambes nues, poitrine nue, tête nue, il était impossible de ne pas se laisser aller aux inspirations de la charité. Les yeux de Mouche, comme deux charbons ardents, regardaient tour à tour les richesses de cette salle et celles de la table.

— Tu n'as donc pas de mère ? demanda Mme de Montcornet qui ne pouvait pas autrement expliquer un pareil dénuement.

— Non, ma'me, m'man est morte d'chagrin de n'avoir pas revu p'pa, qu'était parti pour l'armée, en 1812, sans l'avoir épousée *avec les papiers*, et qu'a, sous vot' respect, été gelé... Mais j'ai mon grand'p'pa Fourchon qu'est un ben bon homme, quoiqu'y m'batte quéqu'fois, comme un Jésus.

— Comment se fait-il, mon ami, qu'il y ait sur votre terre des gens si malheureux ?... dit la comtesse en regardant le général.

— Madame la comtesse, dit le curé, nous n'avons sur la commune que des malheurs volontaires. Monsieur le comte a de bonnes intentions; mais nous avons affaire à des gens sans religion, qui n'ont qu'une seule pensée, celle de vivre à vos dépens.

— Mais, dit Blondet, mon cher curé, vous êtes ici pour leur faire la morale.

— Monsieur, répondit l'abbé Brossette à Blondet,

Monseigneur m'a envoyé ici comme en mission chez des Sauvages ; mais, ainsi que j'ai eu l'honneur de le lui dire, les Sauvages de France sont inabordables, ils ont pour loi de ne pas nous écouter, tandis qu'on peut intéresser les Sauvages de l'Amérique.

— M'sieu le curé, dit Mouche, on m'aide encore un peu, mais si j'allais à vout' église, on ne m'aiderait plus du tout, et on me fich'rait des calottes.

— La religion devrait commencer par lui donner des pantalons, mon cher abbé, dit Blondet. Dans vos missions, ne débutez-vous pas par amadouer les Sauvages ?...

— Il aurait bientôt vendu ses habits, répondit l'abbé Brossette à voix basse, et je n'ai pas un traitement qui me permette de faire un pareil commerce.

— Monsieur le curé a raison, dit le général en regardant Mouche.

La politique du petit gars consistait à paraître ne rien comprendre à ce qu'on disait quand on avait raison contre lui.

— L'intelligence du petit drôle vous prouve qu'il sait discerner le bien du mal, reprit le comte. Il est en âge de travailler, et il ne songe qu'à commettre des délits impunément. Il est bien connu des gardes !... Avant que je ne fusse maire, il savait déjà qu'un propriétaire, témoin d'un délit sur ses terres, ne peut pas faire de procès-verbal, il restait effrontément dans mes prés avec ses vaches, sans en sortir quand il m'apercevait, tandis que maintenant il se sauve !

— Ah ! c'est bien mal, dit la comtesse, il ne faut pas prendre le bien d'autrui, mon petit ami...

— Madame, faut manger, mon grand-père me donne *pus* de coups que de miches, et ça creuse l'estomac, les gifles !... Quand les vaches ont du lait, j'en trais un peu, ça me soutient... Monseigneur est-il donc si pauvre qu'il ne puisse me laisser boire un peu de son herbe ?...

— Mais, il n'a peut-être rien mangé d'aujourd'hui, dit la comtesse émue par cette profonde misère. Donnez-lui donc du pain, et ce reste de volaille, enfin qu'il déjeune !... ajouta-t-elle en regardant le valet de chambre. Où couches-tu ?

— Partout, madame, où l'on veut bien nous souffrir l'hiver, et à la belle étoile quand il fait beau.

— Quel âge as-tu ?

— Douze ans.

— Mais il est encore temps de le mettre en bon chemin, dit la comtesse à son mari.

— Ça fera un soldat, dit rudement le général, il est bien préparé. J'ai souffert tout autant que lui, moi, et me voilà.

— Pardon, général, je ne suis pas déclaré, dit l'enfant, je ne tirerai pas au sort. Ma pauvre mère, qu'était fille, est accouchée aux champs. Je suis fils de la Tarre, comme dit mon grand'papa. M'man m'a sauvé de la milice. Je ne m'appelle pas plus Mouche que rien du tout... Grand' papa m'a bien appris *m's*'avantages, je ne suis pas mis sur les *papiers* du gouvernement, et quand j'aurai l'âge de la conscription, je ferai mon tour de France! on ne m'attrapera point.

— Tu l'aimes ton grand-père? dit la comtesse en essayant de lire dans ce cœur de douze ans.

— Dam! y me fiche des gifles quand il est dans le train; mais que voulez-vous, il est si bon enfant! et puis, il dit qu'il se paie de m'avoir enseigné à lire et à écrire...

— Tu sais lire?... dit le comte.

— Eh dà, voui, monsieur le comte, et dans la fine écriture encore, vrai comme nous avons une loutre.

— Qu'y a-t-il là? dit le comte en lui présentant le journal.

— La *cu-o-ssi-dienne*, répliqua Mouche en n'hésitant que trois fois.

Tout le monde, même l'abbé Brossette, se mit à rire.

— Eh! dam! vous me faites lire *el journiau*, s'écria Mouche exaspéré. Mon grand'p'pa dit que c'est fait pour les riches, et qu'on sait toujours plus tard ce qu'il y a là dedans.

— Il a raison, cet enfant, général, il me donne envie de revoir mon vainqueur de ce matin, dit Blondet, je vois que sa mystification était mouchetée...

Mouche comprenait admirablement qu'il posait pour les menus plaisirs des bourgeois; l'élève du père Fourchon fut alors digne de son maître, il se mit à pleurer...

— Comment pouvez-vous plaisanter un enfant qui va pieds nus?... dit la comtesse.

— Et qui trouve tout simple que son grand-père se rembourse en tapes des frais de son éducation? dit Blondet.

— Voyons, mon pauvre petit, avez-vous pris une loutre? dit la comtesse.

— Oui, madame, aussi vrai que vous êtes la plus belle femme que j'aie vue, et que je verrai jamais, dit l'enfant en essuyant ses larmes.

— Montre-la... dit le général.

— Oh! m'sieur le comte, mon grand'p'pa l'a cachée; mais elle gigotait core quand nous étions à notre corderie... Vous pouvez faire venir mon grand'p'pa, car il veut la vendre lui-même.

— Emmenez-le à l'office, dit la comtesse à François, qu'il y déjeune en attendant le père Fourchon, que vous enverrez chercher par Charles. Voyez à trouver des souliers, un pantalon et une veste pour cet enfant. Ceux qui viennent ici tout nus, doivent en sortir habillés...

— Que Dieu vous bénisse! ma chère dame, dit Mouche en s'en allant, m'sieur le curé peut être certain que venant de vous, je garderai ces hardes pour les jours de fête.

Emile et Mme de Montcornet se regardèrent étonnés de cet à-propos, et parurent dire au curé par un coup d'œil : Il n'est pas si sot!...

— Certes, madame, dit le curé quand l'enfant ne fut plus là, l'on ne doit pas compter avec la Misère, je pense qu'elle a des raisons cachées dont le jugement n'appartient qu'à Dieu, des raisons physiques souvent fatales, et des raisons morales nées du caractère, produites par des dispositions que nous accusons et qui parfois sont le résultat de qualités, malheureusement pour la société, sans issue. Les miracles accomplis sur les champs de bataille nous ont appris que les plus mauvais drôles pouvaient s'y transformer en héros... Mais ici, vous êtes dans des circonstances exceptionnelles, et si votre bienfaisance ne marche pas accompagnée de la réflexion, vous courrez risque de solder vos ennemis...

— Nos ennemis ? s'écria la comtesse.

— De cruels ennemis, répéta gravement le général.

— Le père Fourchon est avec son gendre Tonsard, reprit le curé, toute l'intelligence du menu peuple de la vallée, on les consulte pour les moindres choses. Ces gens-là sont d'un machiavélisme incroyable. Sachez-le, dix paysans réunis dans un cabaret sont la monnaie d'un grand politique...

En ce moment, François annonça monsieur Sibilet.

— C'est le ministre des finances, dit le général en souriant, faites-le entrer, il vous expliquera la gravité de la question, ajouta-t-il en regardant sa femme et Blondet.

— D'autant plus qu'il ne vous la dissimule guère, dit tout bas le curé.

Blondet aperçut alors le personnage dont il entendait

parler depuis son arrivée, et qu'il désirait connaître, le régisseur des Aigues. Il vit un homme de moyenne taille, d'environ trente ans, doué d'un air boudeur, d'une figure disgracieuse à qui le rire allait mal. Sous un front soucieux, des yeux d'un vert changeant se fuyaient l'un l'autre en déguisant ainsi la pensée. Sibilet, vêtu d'une redingote brune, d'un pantalon et d'un gilet noir, portait les cheveux longs et plats, ce qui lui donnait une tournure cléricale. Le pantalon cachait très imparfaitement des genoux cagneux. Quoique son teint blafard et ses chairs molles pussent faire croire à une constitution maladive, Sibilet était robuste. Le son de sa voix, un peu sourde, s'accordait avec cet ensemble peu flatteur.

Blondet échangea secrètement un regard avec l'abbé Brossette, et le coup d'œil par lequel le jeune prêtre lui répondit apprit au journaliste que ses soupçons sur le régisseur étaient une certitude chez le curé.

— N'avez-vous pas, mon cher Sibilet, dit le général, évalué ce que nous volent les paysans au quart des revenus ?

— A beaucoup plus, monsieur le comte, répondit le régisseur. Vos pauvres touchent de vous plus que l'État ne vous demande. Un petit drôle comme Mouche glane ses deux boisseaux par jour. Et les vieilles femmes, que vous diriez à l'agonie, retrouvent à l'époque du glanage de l'agilité, de la santé, de la jeunesse. Vous pourrez être témoin de ce phénomène, dit Sibilet en s'adressant à Blondet; car dans six jours, la moisson, retardée par les pluies du mois de juillet, commencera. Les seigles vont se couper la semaine prochaine. On ne devrait glaner qu'avec un certificat d'indigence donné par le maire de la commune, et surtout les communes ne devraient laisser glaner sur leur territoire que leurs indigents; mais les communes d'un canton glanent les unes chez les autres, sans certificat. Si nous avons soixante pauvres dans la commune, il s'y joint quarante fainéants. Enfin les gens établis, eux-mêmes, quittent leurs occupations pour glaner et pour halleboter. Ici, tous ces gens-là récoltent trois cents boisseaux par jour, la moisson dure quinze jours, c'est quatre mille cinq cents boisseaux qui s'enlèvent dans le canton. Aussi le glanage représente-t-il plus que la dîme. Quant au pâturage abusif, il gâche environ le sixième du produit de nos prés. Quant aux bois, c'est incalculable, on est arrivé à couper des arbres de six ans... Les dommages que vous souffrez, monsieur le comte, vont à vingt et quelques mille francs par an.

— Eh! bien, madame! dit le général à la comtesse, vous l'entendez.

— N'est-ce pas exagéré? demanda Mme de Mont-cornet.

— Non, madame, malheureusement, répondit le curé. Le pauvre père Niseron, ce vieillard à tête blanche qui cumule les fonctions de sonneur, de bedeau, de fossoyeur, de sacristain et de chantre, malgré ses opinions républicaines, enfin le grand-père de cette petite Geneviève que vous avez placée chez Mme Michaud...

— La Péchina! dit Sibilet en interrompant l'abbé.

— Quoi! la Péchina? demanda la comtesse, que voulez-vous dire?

— Madame la comtesse, quand vous avez rencontré Geneviève sur le chemin dans une si misérable situation, vous vous êtes écriée en italien : *Piccina!* Ce mot-là, devenu son sobriquet, s'est si bien corrompu qu'aujourd'hui toute la commune appelle votre protégée la Péchina, dit le curé. La pauvre enfant est la seule qui vienne à l'église, avec Mme Michaud et Mme Sibilet.

— Et elle ne s'en trouve guère bien! dit le régisseur, on la maltraite en lui reprochant sa religion...

— Eh! bien, ce pauvre vieillard de soixante-douze ans ramasse, honnêtement d'ailleurs, près d'un boisseau et demi par jour, reprit le curé; mais la rectitude de ses opinions lui défend de vendre ses glanes, comme les vendent tous les autres, il les garde pour sa consommation. A ma considération, M. Langlumé, votre adjoint, lui moud son grain gratis, et ma domestique lui cuit son pain avec le mien.

— J'avais oublié ma petite protégée, dit la comtesse que le mot de Sibilet avait épouvantée. Votre arrivée ici, reprit-elle en regardant Blondet, m'a fait tourner la tête. Mais après déjeuner nous irons ensemble à la porte d'Avonne, je vous montrerai vivante une de ces figures de femme comme en inventaient les peintres du XVe siècle.

En ce moment le père Fourchon, amené par François, fit entendre le bruit de ses sabots cassés, qu'il déposait à la porte de l'office. Sur une inclination de tête de la comtesse à François qui l'annonça, le père Fourchon, suivi de Mouche, la bouche pleine, se montra tenant sa loutre à la main, pendue par une ficelle nouée à des pattes jaunes, étoilées comme celles des palmipèdes. Il jeta sur les quatre maîtres assis à table et sur Sibilet ce regard empreint de défiance et de servilité qui sert de voile aux paysans; puis il brandit l'amphibie d'une air de triomphe.

— La voilà, dit-il en s'adressant à Blondet.

— Ma loutre, reprit le Parisien, car je l'ai bien payée.

— Oh! mon cher monsieur, répondit le père Fourchon, la vôtre s'est enfuie, elle est à ste heure, dans
son trou d'où elle n'a pas voulu sortir, car c'est la femelle,
au lieur que celle-là, c'est le mâle!... Mouche l'a vue venir
de loin quand vous vous êtes en allé. Aussi vrai que monsieur le comte s'est couvert de gloire avec ses cuirassiers
à Waterloo, la loute est à moi, comme les Aigues sont à
monseigneur le général... Mais pour vingt francs la loute
est à vous, ou je la porte à notre *Souparfait*, si M. Gourdon la trouve trop chère. Comme nous avons chassé ce
matin ensemble, je vous donne la parférence, ça vous est dû.

— Vingt francs? dit Blondet, en bon Français, ça ne
peut pas s'appeler *donner* la préférence.

— Eh! mon cher monsieur... cria le vieillard, je sais si
peu le français que je vous les demanderai, si vous voulez
en bourguignon, pourvu que je les aie, ça m'est égal, je
parlerai latin, *latinus, latina, latinum!* Après tout, c'est ce
que vous m'avez promis ce matin! D'ailleurs mes enfants
m'ont déjà pris votre argent, que j'en ai pleuré sur le
chemin en venant. Demandez à Charles?... Je ne peux
pas les *assiner* pour dix francs et publier leurs méfaits au
tribunau. Dès que j'ai quelques sous, ils me les volent
en me faisant boire... C'est dur d'en être réduit à aller
prendre un verre de vin ailleurs que chez ma fille?... Mais
voilà les enfants d'aujourd'hui!... C'est ce que nous avons
gagné à la Révolution, il n'y a plus que pour les enfants,
on a supprimé les pères! Ah! j'éduque Mouche tout autrement, il m'aime, le petit *guerdin!*... dit-il, en donnant une
tape à son petit-fils.

— Il me semble que vous en faites un petit voleur tout
comme les autres, dit Sibilet, car il ne se couche jamais
sans avoir un délit sur la conscience.

— Ah! monsieur Sibilet, il a la conscience pus tranquille *équ*' la vôtre... Pauvre enfant, qué qu'il prend donc?
un peu d'harbe. Ça vaut mieux que d'étrangler un
homme! Dam! il ne sait pas, comme vous, les mathéma-
tiques, il ne connaît pas encore la soustraction, l'addition,
la multiplication... Vous nous faites bien du mal, allez!
Vous dites que nous sommes des tas de brigands, et vous
êtes cause *ed'* la division entre notre seigneur que voilà,
qu'est un brave homme, et nous autres qui sommes de
braves gens... Et *gnia* pas un pus brave pays que celui-ci.

Voyons ? est-ce que nous avons des rentes ? Est-ce qu'on ne va pas quasiment nu, et Mouche aussi ? Nous couchons dans de beaux draps, lavés tous les matins par la rosée, et à moins qu'on nous envie l'air que nous raspirons et les rayons du soleil *éq'* nous buvons, je ne vois pas ce qu'on peut nous vouloir ôter... Les bourgeois volent au coin du feu, c'est plus profitable que de ramasser ce qui traîne au coin des bois. Il n'y a ni gardes champêtres, ni garde à cheval pour m'sieur Gaubartin qu'est entré ici, nu comme *ein var*, et qu'a deux millions! C'est bientôt dit : voleurs! V'là quinze ans que le père Guerbet, *el parcepteur* de Soulanges, s'en va *e'd'* nos villages à la nuit avec sa recette, et qu'on ne lui a pas core demandé deux liards. Ce n'est pas le fait d'un pays *e'd'*voleurs! Le vol ne nous enrichit guère. Montrez-moi donc qui de nous ou de vous aut'bourgeois ont *d' quoi viv'* à ne rien faire ?

— Si vous aviez travaillé, vous auriez des rentes, dit le curé. Dieu bénit le travail.

— Je ne veux pas vous démentir, monsieur l'abbé, car vous êtes plus savant que moi, et vous sauriez peut-être m'expliquer ste chose-ci. Me voilà, n'est-ce pas ? Moi le paresseux, le fainéant, l'ivrogne, le propre à rien de pare Fourchon, qui a eu de l'éducation, qu'a été farmier, qu'a tombé dans le malheur et ne s'en est pas *erlevé!*... eh! bien, qué différence y a-t-il donc entre moi et ce brave, *s't'* honnête père Niseron, un vigneron de soixante-dix ans, car il a mon âge, qui, pendant soixante ans, a pioché la terre, qui s'est levé tous les matins avant le jour pour aller au labour, qui s'est fait un corps *ed* fer et *eune* belle âme! Je le vois tout aussi pauvre que moi. La Péchina, sa petite-fille, est en service chez Mme Michaud, tandis que mon petit Mouche est libre comme l'air... Ce pauvre bon-homme est donc récompensé de ses vartus comme je suis puni de mes vices ? Il ne sait pas ce qu'est un verre de vin, il est sobre comme un apôtre, il enterre les morts, et moi je fais danser les vivants. Il a mangé de la vache enragée, et moi je me suis rigolé comme une joyeuse créature du diable. Nous sommes aussi avancés l'un que l'autre, nous avons la même neige sur la tête, le même avoir dans nos poches, et je lui fournis la corde pour sonner la cloche. Il est républicain et je ne suis pas publicain, v'là tout. Que le paysan vive de bien ou de mal faire, à vout'idée, il s'en va comme il est venu, dans des haillons et vous dans de beaux linges!...

Personne n'interrompit le père Fourchon qui paraissait
devoir son éloquence au vin bouché; d'abord Sibilet voulut lui couper la parole, mais un geste de Blondet rendit
le régisseur muet. Le curé, le général et la comtesse comprirent, aux regards jetés par l'écrivain, qu'il voulait
étudier la question du paupérisme sur le vif, et peut-
être prendre sa revanche avec le père Fourchon.

— Et comment entendez-vous l'éducation de Mouche?
Comment vous y prenez-vous pour le rendre meilleur
que vos filles?... demanda Blondet.

— Il ne lui parle pas de Dieu, dit le curé.

— Oh! non, non, m'sieur le curé, je ne lui disons pas
de craindre Dieu, mais l'z' houmes! Dieu est bon et nous
a promis, selon *vous aut*, le royaume du ciel, puisque les
riches gardent celui de la terre. Je lui dis : « Mouche!
crains la prison, c'est par là qu'on sort pour aller à l'écha-
faud. Ne vole rien, fais-toi donner! Le vol mène à l'assassinat, et l'assassinat appelle la justice e'd'z' hommes. E'l
rasoir de la justice, v'là ce qu'il faut craindre, il garantit le
sommeil des riches contre les insomnies des pauvres.
Apprends à lire. Avec de l'instruction, tu trouveras des
moyens d'amasser de l'argent à couvert de la loi, comme
ce brave M. Gaubertin, tu seras régisseur, quoi, comme
M. Sibilet à qui M. le comte laisse prendre ses rations.
Le fin est d'être à côté des riches, il y a des miettes sous
la table!... » V'là ce que j'appelle *eune* fière éducation et
solide. Aussi le petit mâtin est-il toujours du coûté de la
loi... Ce sera *ein* bon sujet, il aura soin de moi...

— Et qu'en ferez-vous?

— Un domestique pour commencer, reprit Fourchon,
parce qu'en voyant les maîtres *ed* près, il s'achèvera *ben*,
allez! Le bon exemple lui fera faire fortune, la loi en
main, comme vous *aut*!... Si m'sieur le comte le mettait
dans ses écuries, pour apprendre à panser les chevaux,
il en serait ben content... vu que s'il craint l'z'hommes,
il ne craint pas les bêtes.

— Vous avez de l'esprit, père Fourchon, reprit Blondet, vous savez bien ce que vous dites, et vous ne parlez
pas sans raison.

— Oh! ma fine, si, car elle est au Grand-I-Vert ma
raison avec mes deux pièces *ed*' cent sous...

— Comment un homme comme vous s'est-il laissé
tomber dans la misère? Car, dans l'état actuel des choses,
un paysan n'a qu'à s'en prendre à lui-même de son malheur, il est libre, il peut devenir riche. Ce n'est plus

comme autrefois. Si le paysan sait amasser un pécule, il trouve de la terre à vendre, il peut l'acheter, il est son maître !

— J'ai vu l'ancien temps et je vois le nouveau ; mon cher savant monsieur, répondit Fourchon, l'enseigne est changée, c'est vrai, mais le vin est toujours le même ! AUJOURD'HUI n'est que le cadet d'HIER. Allez ! mettez ça dans *vout' journiau !* Est-ce que nous sommes affranchis ? Nous appartenons toujours au même village, et le seigneur est toujours là, je l'appelle Travail. La houe qu'est toute notre chevance, n'a pas quitté nos mains. Que ce soit pour un seigneur ou pour l'impôt qui prend le plus clair de nos labeurs, faut toujours dépenser not' vie en sueurs...

— Mais vous pouvez choisir un état, tenter ailleurs la fortune, dit Blondet.

— Vous me parlez d'aller quérir la fortune ?... Où donc irais-je ? Pour franchir mon département, il me faut un passeport qui coûte quarante sous ! V'là quarante ans que je n'ai pas pu me voir une gueuse *ed* pièce de quarante sous sonnant dans mes poches avec une voisine. Pour aller devant soi, faut autant d'écus que l'on trouve de villages, et il n'y a pas beaucoup de Fourchon qui aient de quoi visiter six villages ! Il n'y a que la conscription qui nous tire *ed'* nos communes. Et à quoi nous sert l'armée ? à faire vivre les colonels par le soldat, comme le bourgeois vit par le paysan. Compte-t-on sur cent un colonel sorti de nos flancs ? C'est là, comme dans le monde, un enrichi pour cent *aut'* qui tombent. Faute de quoi tombent-ils ?... Dieu le sait et l'z' usuriers aussi ! Ce que nous avons de mieux à faire est donc de rester dans nos communes, où nous sommes parqués comme des moutons par la force des choses, comme nous l'étions par les seigneurs. Et je me moque bien de ce qui m'y cloue. Cloué par la loi de la Nécessité, cloué par celle de la Seigneurie, on est toujours condamné à perpétuité à la tarre. Là où nous sommes, nous la creusons la tarre et nous la bêchons, nous la fumons et nous la travaillons pour vous autres qu'êtes nés riches, comme nous sommes nés pauvres. La masse sera toujours la même, elle reste ce qu'elle est... Les gens de chez nous qui s'élèvent ne sont pas si nombreux que ceux de chez vous qui dégringolent !... Nous savons *ben* ça, si nous ne sommes pas savants. Faut pas nous faire *nout* procès à tout moment. Nous vous laissons tranquilles, laissez-nous vivre... Autrement, si ça continue, vous serez obligés de nous nourrir dans vos prisons

où l'on est mieux que sur *nout* paille. Vous voulez rester
les maîtres, nous serons toujours ennemis, aujourd'hui
comme il y a trente ans. Vous avez tout, nous n'avons rien,
vous ne pouvez pas encore prétendre à notre amitié!

— Voilà ce qui s'appelle une déclaration de guerre,
dit le général.

— Monseigneur, répliqua Fourchon, quand les Aigues
appartenaient à ste pauvre madame, que Dieu veuille
prendre soin de son âme, puisqu'il paraît qu'elle a chanté
l'iniquité dans sa jeunesse, nous étions heureux. Alle nous
laissait ramasser notre vie dans ses champs, et notre bois
dans ses forêts, elle n'en était pas plus pauvre pour ça!
Et vous, au moins aussi riche qu'elle, vous nous pour-
chassez ni plus ni moins que des bêtes féroces et vous traî-
nez le petit monde au tribunau... Eh! bien, ça finira mal!
vous serez cause de quelque mauvais coup! Je viens de
voir votre garde, ce gringalet de Vatel qui a failli tuer une
pauvre vieille femme pour un brin de bois. On fera de
vous un ennemi du peuple, et l'on s'aigrira contre vous
dans les veillées, l'on vous maudira tout aussi dru qu'on
bénissait feu madame!... La malédiction des pauvres,
monseigneur, ça pousse! et ça devient plus grand que les
plus grands *ed* vos chênes, et le chêne fournit la potence...
Personne ici ne vous dit la vérité, la voilà, la *varité.* J'attends tous les matins la mort, je ne risque pas grand-chose
à vous la donner par-dessus le marché, la varité!... Moi
qui fais danser les paysans aux grandes fêtes, en accompagnant Vermichel au Café de la Paix, à Soulanges, j'entends leurs discours; eh! bien, ils sont mal disposés, et
ils vous rendront le pays difficile à habiter. Si votre
damné Michaud ne change pas, on vous forcera *ed* l'
changer... C't avis-là et la loute, ça vaut *ben* vingt francs,
allez!...

Pendant que le vieillard disait cette dernière phrase,
un pas d'homme se fit entendre, et celui que Fourchon
menaçait ainsi se montra sans être annoncé. Au regard
que Michaud lança sur l'orateur des pauvres, il fut facile
de voir que la menace était arrivée à son oreille, et toute
l'audace de Fourchon tomba. Ce regard produisit sur le
pêcheur de loutre l'effet du gendarme sur le voleur. Fourchon se savait en faute, Michaud semblait avoir le droit
de lui demander compte de discours évidemment desti-
nés à effrayer les habitants des Aigues.

— Voilà le ministre de la guerre, dit le général en
s'adressant à Blondet et lui montrant Michaud.

— Pardonnez-moi, madame, dit ce ministre à la comtesse, d'être entré par le salon sans avoir demandé si vous vouliez me recevoir ; mais l'urgence des affaires exige que je parle à mon général...

Michaud, tout en s'excusant, observait Sibilet à qui les hardis propos de Fourchon causaient une joie intime dont la révélation n'existait sur son visage pour aucune des personnes assises à table, car Fourchon les préoccupait étrangement, tandis que Michaud qui, par des raisons secrètes, observait constamment Sibilet, fut frappé de son air et de sa contenance.

— Il a bien, comme il le dit, gagné ses vingt francs, monsieur le comte, s'écria Sibilet, la loutre n'est pas chère...

— Donne-lui vingt francs, dit le général à son valet de chambre.

— Vous me la prenez donc ? demanda Blondet au général.

— Je veux la faire empailler ! s'écria le comte.

— Ah ! ce cher monsieur m'avait laissé la peau, monseigneur !... dit le père Fourchon.

— Eh ! bien, s'écria la comtesse, vous aurez cent sous pour votre peau ; mais laissez-nous...

La forte et sauvage odeur des deux habitués du grand chemin empestait si bien la salle à manger, que Mme de Montcornet, dont les sens délicats en étaient offensés, eût été forcée de sortir, si Mouche et Fourchon fussent restés plus longtemps. Ce fut à cet inconvénient que le vieillard dut ses vingt-cinq francs, il sortit en regardant toujours M. Michaud d'un air craintif, et en lui faisant d'interminables salutations.

— Ce que j'ons dit à monseigneur, monsieur Michaud, ajouta-t-il, c'est pour votre bien.

— Ou pour celui des gens qui vous paient, répliqua Michaud en lui lançant un regard profond.

— Une fois le café servi, laissez-nous, dit le général à ses gens, et surtout fermez les portes...

Blondet, qui n'avait pas encore vu le garde général des Aigues, éprouvait en le regardant des impressions bien différentes de celles que Sibilet venait de lui donner. Autant le régisseur inspirait de répulsion, autant Michaud commandait l'estime et la confiance.

Le garde général attirait tout d'abord l'attention par une figure heureuse, d'un ovale parfait, fine de contours, que le nez partageait également, perfection qui manque

à la plupart des figures françaises. Tous les traits, quoique
réguliers, ne manquaient pas d'expression, peut-être à
cause d'un teint harmonieux où dominaient ces tons d'ocre
et de rouge, indices du courage physique. Les yeux brun-
clair, vifs et perçants, ne marchandaient pas l'expression
de la pensée, ils regardaient toujours en face. Le front,
large et pur, était encore mis en relief par des cheveux
noirs abondants. La probité, la décision, une sainte
confiance animaient cette belle figure où le métier des
armes avait laissé quelques rides sur le front. Le soupçon,
la défiance, s'y lisaient aussitôt formés. Comme tous les
hommes, triés pour la cavalerie d'élite, sa taille, belle et
svelte encore, pouvait faire dire du garde qu'il était bien
découplé. Michaud, qui gardait ses moustaches, ses favoris et un collier de barbe, rappelait le type de cette figure
martiale que le déluge de peintures et de gravures patrio-
tiques a failli ridiculiser. Ce type a eu le défaut d'être
commun dans l'armée française; mais peut-être aussi la
continuité des mêmes émotions, les souffrances du
bivouac, dont ne furent exempts ni les grands ni les
petits, les efforts, semblables chez les chefs et les soldats
sur le champ de bataille, ont-ils contribué à rendre cette
physionomie uniforme. Michaud, entièrement vêtu de
drap bleu de roi, conservait le col de satin noir, et les
bottes du militaire, comme il en offrait l'attitude un peu
raide. Les épaules s'effaçaient; le buste était tendu comme
si Michaud se trouvait encore sous les armes. Le ruban
rouge de la Légion d'honneur fleurissait sa boutonnière.
Enfin, pour achever en un seul mot au moral cette esquisse
purement physique, si le régisseur, depuis son entrée en
fonctions, n'avait jamais manqué de dire monsieur le
comte à son patron, jamais Michaud n'avait nommé son
maître autrement que mon général.

Blondet échangea derechef avec l'abbé Brossette un
regard qui voulait dire : « Quel contraste ! » en lui montrant
le régisseur et le garde général; puis pour savoir si le
caractère, la parole, l'expression s'harmoniaient avec
cette stature, cette physionomie, cette contenance, il
regarda Michaud en lui disant :

— Mon Dieu! je suis sorti ce matin de bonne heure,
et j'ai trouvé vos gardes dormant encore.

— A quelle heure ? demanda l'ancien militaire inquiet.

— A sept heures et demie.

Michaud lança un regard presque malicieux à son
général.

— Et par quelle porte monsieur est-il sorti ? dit
Michaud.

— Par la porte de Couches. Le garde, en chemise à sa
fenêtre, me regardait, répondit Blondet.

— Gaillard venait sans doute de se coucher, répliqua
Michaud. Quand vous m'avez dit que vous étiez sorti de
bonne heure, j'ai cru que vous vous étiez levé au jour, et
alors il eût fallu, pour que mon garde fût déjà rentré, qu'il
eût été malade; mais à sept heures et demie, il allait se
mettre au lit. Nous passons les nuits, reprit Michaud après
une pause en répondant ainsi à un regard étonné de la
comtesse, mais cette vigilance est toujours en défaut!
Vous venez de faire donner vingt-cinq francs à un homme
qui tout à l'heure aidait tranquillement à cacher les traces
d'un vol commis ce matin chez vous. Enfin, nous en causerons quand vous aurez fini, mon général, car il faut
prendre un parti.

— Vous êtes toujours plein de votre droit, mon cher
Michaud, et, *summum jus, summa injuria*. Si vous n'usez
pas de tolérance, vous vous ferez de mauvaises affaires, dit
Sibilet. J'aurais voulu que vous entendissiez le père
Fourchon, que le vin a fait parler un peu plus franche-
ment que de coutume.

— Il m'a effrayée, dit la comtesse.

— Il n'a rien dit que je ne sache depuis longtemps,
répondit le général.

— Et le coquin n'était pas gris, il a joué son rôle,
au profit de qui ?... vous le savez peut-être! reprit Michaud
en faisant rougir Sibilet par le regard fixe qu'il lui jeta.

— *O Rus!*... s'écria Blondet en guignant l'abbé Brossette.

— Ces pauvres gens souffrent, dit la comtesse, et il y
a du vrai dans ce que vient de nous crier Fourchon, car
on ne peut pas dire qu'il nous ait *parlé*.

— Madame, répondit Michaud, croyez-vous que pendant quatorze ans les soldats de l'Empereur aient été sur
des roses ?... Mon général est comte, il est grand officier
de la Légion, il a eu des dotations, me voyez-vous jaloux
de lui, moi simple sous-lieutenant, qui ai débuté comme
lui, qui me suis battu comme lui ? Ai-je envie de lui chicaner sa gloire, de lui voler sa dotation, de lui refuser les
honneurs dus à son grade ? Le paysan doit obéir comme
les soldats obéissent, il doit avoir la probité du soldat, son
respect pour les droits acquis et tâcher de devenir officier,
loyalement, par son travail et non par le vol. Le soc et le

briquet sont deux jumeaux. Le soldat a de plus que le
paysan, à toute heure, la mort à fleur de tête.

— Voilà ce que je voudrais leur dire en chaire! s'écria
l'abbé Brossette.

— De la tolérance? reprit le garde général en répondant à l'invitation de Sibilet, je tolérerais bien dix pour
cent de perte sur les revenus bruts des Aigues; mais, à la
façon dont vont les choses, c'est trente pour cent que
vous perdez, mon général, et si M. Sibilet a tant pour
cent sur la recette, je ne comprends pas sa tolérance, car
il renonce assez bénévolement à mille ou douze cents
francs par an.

— Mon cher monsieur Michaud, répliqua Sibilet,
d'un ton grognon, je l'ai dit à M. le comte, j'aime mieux
perdre douze cents francs que la vie. Je ne vous épargne
pas les conseils à cet égard!...

— La vie? s'écria la comtesse, il s'agirait dans ceci de
la vie de quelqu'un?

— Nous ne devrions pas discuter ici les affaires de
l'Etat, reprit le général en riant. Tout ceci, madame, signifie que Sibilet, en sa qualité de financier, est craintif et
poltron, tandis que mon ministre de la guerre est brave,
et de même que mon général, ne redoute rien.

— Dites prudent! monsieur le comte, s'écria Sibilet.

— Ah! çà! nous sommes donc ici comme les héros
de Cooper dans les forêts de l'Amérique, entourés de
pièges par les Sauvages? demanda railleusement Blondet.

— Allons! votre état, messieurs, est de savoir admi-
nistrer sans nous effrayer par le bruit des rouages de
l'administration, dit Mme de Montcornet.

— Ah! peut-être est-il nécessaire, madame la comtesse, que vous sachiez tout ce qu'un de ces jolis bonnets
que vous portez coûte de sueurs ici, dit le curé.

— Non, car je pourrais bien alors m'en passer, devenir
respectueuse devant une pièce de vingt francs, être avare
comme tous les campagnards, et j'y perdrais trop, répliqua
la comtesse en riant. Tenez, mon cher abbé, donnez-moi
le bras, laissons le général entre ses deux ministres, et
allons à la porte d'Avonne voir Mme Michaud à qui
depuis mon arrivée je n'ai pas fait de visite, nous nous
occuperons de ma petite protégée.

Et la jolie femme, oubliant déjà les haillons de Mouche
et de Fourchon, leurs regards haineux et les terreurs de
Sibilet, alla se faire chausser et mettre un chapeau.

L'abbé Brossette et Blondet obéirent à l'appel de la

maîtresse de la maison en la suivant, et l'attendirent sur la terrasse devant la façade.

— Que pensez-vous de tout ça ? dit Blondet à l'abbé.

— Je suis un paria, l'on m'espionne comme l'ennemi commun, je suis forcé d'ouvrir à tout moment les yeux et les oreilles de la prudence pour éviter les pièges qu'on me tend afin de se débarrasser de moi, répondit le desservant. J'en suis, entre nous, à me demander s'ils ne me tireront pas un coup de fusil...

— Et vous restez ?... dit Blondet.

— On ne déserte pas plus la cause de Dieu que celle d'un Empereur ! répondit le prêtre avec une simplicité qui frappa Blondet.

L'écrivain prit la main du prêtre et la lui serra cordialement.

— Vous devez comprendre alors, reprit l'abbé Brossette, comment je ne puis rien savoir de ce qui se trame. Néanmoins, il me semble que le général est ici sous le coup de ce qu'en Artois et en Belgique on appelle *le mauvais gré*.

Quelques phrases sont ici nécessaires sur le curé de Blangy. Cet abbé, quatrième fils d'une bonne famille bourgeoise d'Autun, était un homme d'esprit, portant le rabat très haut. Petit et fluet, il rachetait sa piètre figure par cet air têtu qui sied aux Bourguignons. Il avait accepté ce poste secondaire par dévouement, car sa conviction religieuse était doublée d'une conviction politique. Il y avait en lui du prêtre des anciens temps, il tenait à l'Eglise et au clergé passionnément, il voyait l'ensemble des choses, et l'égoïsme ne gâtait pas son ambition : *Servir* était sa devise, servir l'Eglise et la monarchie sur le point le plus menacé, servir au dernier rang, comme un soldat qui se sait destiné, tôt ou tard, au généralat par son désir de bien faire et par son courage. Il ne transigeait avec aucun de ses vœux de chasteté, de pauvreté, d'obéissance.

Du premier coup d'œil, ce prêtre éminent devina l'attachement de Blondet pour la comtesse, il comprit qu'avec une Troisville et un écrivain monarchique, il devait se montrer homme d'esprit, parce que sa robe serait toujours respectée. Presque tous les soirs, il venait faire le quatrième au whist. L'écrivain, qui sut reconnaître la valeur de l'abbé Brossette, avait eu pour lui tant de déférence, qu'ils s'étaient amourachés l'un de l'autre, comme il arrive à tout homme d'esprit enchanté de trouver un compère ou, si vous voulez, un écouteur. Toute épée aime son fourreau.

— Mais à quoi, monsieur l'abbé, vous qui vous trouvez par votre dévouement au-dessus de votre position, attribuez-vous cet état de choses ?

— Je ne veux pas vous dire de banalités après une si flatteuse parenthèse, reprit en souriant l'abbé Brossette. Ce qui se passe dans cette vallée a lieu partout en France, et tient aux espérances que le mouvement de 1789 a jetées chez les paysans. La Révolution a plus profondément affecté certains pays que d'autres, et cette lisière de la Bourgogne, si voisine de Paris, est un de ceux où le sens de ce mouvement a été pris comme le triomphe du Gaulois sur le Franc. Historiquement, les paysans sont encore au lendemain de la Jacquerie, leur défaite est restée inscrite dans leur cervelle. Ils ne se souviennent plus du fait, il est passé à l'état d'idée instinctive. Cette idée est dans le sang paysan comme l'idée de la supériorité fut jadis dans le sang noble. La Révolution de 1789 a été la revanche des vaincus. Les paysans ont mis le pied dans la possession du sol que la loi féodale leur interdisait depuis douze cents ans. De là leur amour pour la terre qu'ils partagent entre eux jusqu'à couper un sillon en deux parts, ce qui souvent annule la perception de l'impôt, car la valeur de la propriété ne suffirait pas à couvrir les frais de poursuites pour le recouvrement!...

— Leur entêtement, leur défiance, si vous voulez, est telle, à cet égard, que dans mille cantons, sur les trois mille dont se compose le territoire français, il est impossible à un riche d'acheter du bien de paysan, dit Blondet en interrompant l'abbé. Les paysans, qui se cèdent leurs lopins de terre entre eux, ne s'en dessaisissent à aucun prix ni à aucune condition pour le bourgeois. Plus le grand propriétaire offre d'argent, plus la vague inquiétude du paysan augmente. L'expropriation seule fait rentrer le bien du paysan sous la loi commune des transactions. Beaucoup de gens ont observé ce fait et n'y trouvent point de cause.

— Cette cause, la voici, reprit l'abbé Brossette en croyant avec raison que chez Blondet une pause équivalait à une interrogation. Douze siècles ne sont rien pour une caste que le spectacle historique de la civilisation n'a jamais divertie de sa pensée principale, et qui conserve encore orgueilleusement le chapeau à grands rebords et à tour en soie de ses maîtres, depuis le jour où la mode abandonnée le lui a laissé prendre. L'amour dont la racine plongeait jusqu'aux entrailles du peuple, et qui s'attacha violemment à Napoléon, dans le secret duquel il ne fut même pas autant qu'il le croyait, et qui peut expliquer le prodige de son retour en 1815, procédait uniquement de cette idée. Aux yeux du Peuple, Napoléon, sans cesse uni au Peuple par son million de soldats, est encore le roi sorti des flancs de la Révolution, l'homme qui lui assurait la possession des biens nationaux. Son sacre fut trempé dans cette idée...

— Une idée à laquelle 1814 a touché malheureusement et que la monarchie doit regarder comme sacrée, dit vivement Blondet, car le peuple peut trouver auprès du trône un prince à qui son père a laissé la tête de Louis XVI comme une valeur d'hoirie.

— Voici madame, taisons-nous, dit tout bas l'abbé Brossette, Fourchon lui a fait peur, et il faut la conserver ici, dans l'intérêt de la Religion, du Trône et de ce pays même.

Michaud, le garde général des Aigues, était sans doute amené par l'attentat perpétré sur les yeux de Vatel. Mais avant de rapporter la délibération qui allait avoir lieu dans le conseil de l'Etat, l'enchaînement des faits exige la narration succincte des circonstances dans lesquelles le général avait acheté les Aigues, des causes graves qui firent de Sibilet le régisseur de cette magnifique propriété, des raisons qui rendirent Michaud garde général, enfin des antécédents auxquels étaient dues et la situation des esprits, et les craintes exprimées par Sibilet.

Ce précis rapide aura le mérite d'introduire quelques-uns des principaux acteurs du drame, de dessiner leurs intérêts et de faire comprendre les dangers de la situation où se trouvait alors le général comte de Montcornet.

CHAPITRE VI

UNE HISTOIRE DE VOLEURS

Vers 1791, en visitant sa terre, Mlle Laguerre accepta pour intendant le fils de l'ex-bailli de Soulanges, appelé Gaubertin. La petite ville de Soulanges, aujourd'hui simple chef-lieu de canton, fut la capitale d'un comté considérable au temps où la maison de Bourgogne guerroyait contre la maison de France. La-Ville-aux-Fayes, aujourd'hui siège de la sous-préfecture, simple petit fief, relevait alors de Soulanges, comme les Aigues, Ronquerolles, Cerneux, Couches et quinze autres clochers. Les Soulanges sont restés comtes, tandis que les Ronquerolles sont aujourd'hui marquis par le jeu de cette puissance, appelée la Cour, qui fit le fils du capitaine du Plessis duc avant les premières familles de la Conquête. Ceci prouve que les villes ont, comme les familles, de très changeantes destinées.

Le fils du bailli, garçon sans aucune espèce de fortune, succédait à un intendant enrichi par une gestion de trente années, et qui préféra la troisième part dans la fameuse Compagnie Minoret, à la gestion des Aigues. Dans son propre intérêt, le futur vivrier avait présenté pour régisseur François Gaubertin, alors majeur, son comptable depuis cinq ans, chargé de protéger sa retraite, et qui, par reconnaissance pour les instructions qu'il reçut de son maître en intendance, lui promit d'obtenir un *quitus* de Mlle Laguerre, en la voyant très effrayée de la Révolution. L'ancien bailli, devenu Accusateur public au Département, fut le protecteur de la peureuse cantatrice. Ce Fouquier-Tinville de province arrangea contre une reine de théâtre, évidemment suspecte à raison de ses liaisons avec l'aristocratie, une fausse émeute pour donner à son fils le mérite d'un sauvetage postiche, à l'aide duquel on eut le *quitus* du prédécesseur. La citoyenne Laguerre fit alors de François Gaubertin son premier ministre, autant par politique que par reconnaissance.

Le futur fournisseur des vivres de la République n'avait pas gâté mademoiselle, il lui faisait passer à Paris environ trente mille livres par an, quoique les Aigues en dussent dès ce temps rapporter quarante au moins ; l'ignorante fille d'Opéra fut donc émerveillée quand Gaubertin lui en promit trente-six.

Pour justifier de la fortune actuelle du régisseur des Aigues au tribunal des probabilités, il est nécessaire d'en expliquer les commencements. Protégé par son père, le jeune Gaubertin fut nommé maire de Blangy. Il put donc faire payer en argent malgré les lois, en *terrorisant* (un mot du temps) les débiteurs qui pouvaient à sa guise être ou non frappés par les écrasantes réquisitions de la République. Le régisseur, lui, donna des assignats à sa bourgeoise, tant que dura le cours de ce papier-monnaie, qui, s'il ne fit pas la fortune publique, fit du moins beaucoup de fortunes particulières. De 1792 à 1795, pendant trois ans, le jeune Gaubertin récolta cent cinquante mille livres aux Aigues, avec lesquelles il opéra sur la place de Paris. Bourrée d'assignats, Mlle Laguerre fut obligée de battre monnaie avec ses diamants désormais inutiles ; elle les remit à Gaubertin qui les vendit et lui en rapporta fidèlement le prix en argent. Ce trait de probité toucha beaucoup mademoiselle, elle crut dès lors en Gaubertin comme en Piccini.

En 1796, époque de son mariage avec la citoyenne Isaure Mouchon, fille d'un ancien conventionnel ami de son père, Gaubertin possédait trois cent cinquante mille francs en argent ; et, comme le Directoire lui parut devoir durer, il voulut, avant de se marier, faire approuver ses cinq ans de gestion par mademoiselle, en prétextant d'une nouvelle ère.

— Je serai père de famille, dit-il, vous savez quelle est la réputation des intendants, mon beau-père est un républicain d'une probité romaine, un homme influent d'ailleurs, je veux lui prouver que je suis digne de lui.

Mlle Laguerre arrêta les comptes de Gaubertin dans les termes les plus flatteurs.

Pour inspirer de la confiance à Mme des Aigues, le régisseur essaya, dans les premiers temps, de réprimer les paysans en craignant avec raison que les revenus ne souffrissent de leurs dévastations, et que les prochains

pots-de-vin du marchand de bois fussent moindres ; mais
alors le peuple souverain se regardait partout comme chez
lui, madame eut peur de ses rois en les voyant de si près,
et dit à son Richelieu qu'elle voulait avant tout mourir
en paix. Les revenus de l'ancien Premier Sujet du Chant
étaient si fort au-dessus de ses dépenses qu'elle laissa
s'établir les plus funestes précédents. Ainsi, pour ne pas
plaider, elle souffrit les empiétements de terrain de ses
voisins. En voyant son parc entouré de murs infranchis-
sables, elle ne craignit point d'être troublée dans ses
jouissances immédiates, et ne souhaitait pas autre chose
que la paix, en vraie philosophe qu'elle fut. Quelques
mille livres de rentes de plus ou de moins, des indemnités
demandées sur le prix du bail par le marchand de bois
pour les dégâts commis par les paysans, qu'était-ce aux
yeux d'une ancienne fille d'opéra prodigue, insouciante,
à qui ses cent mille livres de revenu n'avaient coûté que
du plaisir et qui venait de subir sans se plaindre la réduc-
tion des deux tiers sur soixante mille francs de rentes !

— Eh ! disait-elle, avec la facilité des Impures de l'ancien régime, il faut que tout le monde vive, même la République !

La terrible Mlle Cochet, sa femme de chambre et son
vizir femelle, avait essayé de l'éclairer en voyant l'empire que Gaubertin prit sur celle qu'il appela tout
d'abord madame, malgré les lois révolutionnaires sur
l'Egalité ; mais Gaubertin éclaira de son côté Mlle Cochet
en lui montrant une dénonciation soi-disant envoyée à
son père, où elle était véhémentement accusée de corres-
pondre avec Pitt et Cobourg. Dès lors ces deux puis-
sances partagèrent, mais à la Montgommery. La Cochet
vanta Gaubertin à Mlle Laguerre, comme Gaubertin lui
vanta la Cochet. Le lit de la femme de chambre était
d'ailleurs tout fait, elle se savait couchée sur le testament de madame pour soixante mille francs. Madame
ne pouvait plus se passer de la Cochet, tant elle y était
habituée. Cette fille connaissait tous les secrets de la
toilette de sa chère maîtresse, elle avait le talent d'endormir chère maîtresse le soir par mille contes et de la réveiller
le lendemain par des paroles flatteuses, enfin jusqu'au
jour de la mort, elle ne trouva jamais chère maîtresse
changée, et quand chère maîtresse fut dans son cercueil,
elle la trouva sans doute encore bien mieux qu'elle ne
l'avait jamais vue.

Les gains annuels de Gaubertin et ceux de Mlle Co-

chet, leurs appointements, leurs intérêts devinrent
si considérables, que les parents les plus affectueux
n'eussent pas été plus attachés qu'eux à cette excellente
créature. On ne sait pas encore combien le fripon dorlote
sa dupe! Une mère n'est pas si caressante ni si prévoyante
pour une fille adorée, que l'est tout commerçant en tar-
tufferie pour sa vache à lait. Aussi quel succès n'ont pas
les représentations de *Tartuffe* jouées à huis-clos ? Ça
vaut l'amitié. Molière est mort trop tôt, il nous aurait
montré le désespoir d'Orgon ennuyé par sa famille, tra-
cassé par ses enfants, regrettant les flatteries de Tartuffe,
et disant : « C'était le bon temps! »

Dans les huit dernières années de sa vie, Mlle Laguerre
ne toucha pas plus de trente mille francs sur les cinquante que rapportait en réalité la terre des Aigues.
Gaubertin en était arrivé, comme on voit, au même résultat administratif que son prédécesseur, quoique les fermages et les produits territoriaux eussent notablement
augmenté de 1791 à 1815, sans compter les continuelles
acquisitions de Mlle Laguerre. Mais le plan formé
par Gaubertin pour hériter des Aigues à la mort prochaine de madame l'obligeait à maintenir cette magnifique terre dans un état patent de dépréciation, quant aux
revenus ostensibles. Initiée à cette combinaison, la Cochet
devait en partager les profits. Comme, au déclin de ses
jours, l'ex-reine de théâtre, riche de vingt mille livres de
rentes dans les fonds appelés les Consolidés (tant la
langue politique se prête à la plaisanterie), dépensait à
peine lesdits vingt mille francs par an, elle s'étonnait des
acquisitions annuelles faites par son régisseur pour
employer les fonds disponibles, elle qui jadis anticipait
toujours sur ses revenus! L'effet du peu de besoins de
sa vieillesse lui semblait un résultat de la probité de Gaubertin et de Mlle Cochet.

— Deux perles! disait-elle aux personnes qui la
venaient voir.

Gaubertin gardait d'ailleurs dans ses comptes les apparences de la probité. Il portait exactement en recette les
fermages. Tout ce qui devait frapper la faible intelligence
de la cantatrice en fait d'arithmétique, était clair, net, précis. Le régisseur demandait ses bénéfices à la dépense,
aux frais d'exploitation, aux marchés à conclure, aux
ouvrages, aux procès qu'il inventait, aux réparations,
détails que jamais madame ne vérifiait et qu'il lui arrivait
quelquefois de doubler, d'accord avec les entrepreneurs,

dont le silence s'achetait par des prix avantageux. Cette
facilité conciliait l'estime publique à Gaubertin, et les
louanges de madame sortaient de toutes les bouches ; car,
outre ces arrosages en travaux, elle faisait beaucoup d'au-
mônes en argent.

— Que Dieu la conserve, la chère dame ! était le mot
de tout le monde.

Chacun obtenait en effet quelque chose d'elle, en pur
don ou indirectement. En représailles de sa jeunesse, la
vieille artiste était exactement pillée, et si bien pillée que
chacun y mettait une certaine mesure, afin que les choses
n'allassent pas si loin qu'elle n'ouvrît les yeux, ne vendît
les Aigues et ne retournât à Paris.

Cet intérêt de grappillage fut, hélas ! la raison de l'assassinat de Paul-Louis Courier, qui fit la faute d'annoncer
la vente de sa terre et son projet d'emmener sa femme
dont vivaient plusieurs Tonsards de Touraine. Dans cette
crainte, les maraudeurs des Aigues ne coupaient un jeune
arbre qu'à la dernière extrémité, quand ils ne voyaient
plus de branches à la hauteur des faucilles mises au bout
d'une perche. On faisait le moins de tort possible, dans
l'intérêt même du vol. Néanmoins, pendant les dernières
années de la vie de Mlle Laguerre, l'usage d'aller ramasser
le bois était devenu l'abus le plus effronté. Par certaines
nuits claires, il ne se liait pas moins de deux cents fagots.
Quant au glanage et au hallebotage, les Aigues y perdaient, comme l'a démontré Sibilet, le quart des produits.

Mlle Laguerre avait interdit à la Cochet de se marier
de son vivant, par une sorte d'égoïsme de maîtresse à
femme de chambre dont beaucoup d'exemples peuvent
avoir été remarqués en tout pays, et qui n'est pas plus
absurde que la manie de garder jusqu'au dernier soupir
des biens parfaitement inutiles au bonheur matériel, au
risque de se faire empoisonner par d'impatients héritiers.
Aussi, vingt jours après l'enterrement de Mlle Laguerre,
Mlle Cochet épousa-t-elle le brigadier de la gendarmerie
de Soulanges, nommé Soudry, très bel homme de qua-
rante-deux ans, qui depuis 1800, époque de la création
de la gendarmerie, la venait voir presque tous les jours aux
Aigues et qui, par semaine, dînait au moins quatre fois
avec elle et les Gaubertin.

Madame, pendant toute sa vie, eut une table servie pour
elle seule ou pour sa compagnie. Malgré leur familiarité,
jamais ni la Cochet ni les Gaubertin ne furent admis à la
table du Premier Sujet de l'Académie royale de Musique

et de Danse qui conserva jusqu'à sa dernière heure son
étiquette, ses habitudes de toilette, son rouge et ses mules,
sa voiture, ses gens, et sa majesté de Déesse. Déesse au
théâtre, Déesse à la ville, elle resta Déesse jusqu'au fond
de la campagne où sa mémoire est encore adorée, et
balance bien certainement la cour de Louis XVI dans
l'esprit de *la première société* de Soulanges.

Ce Soudry, qui, dès son arrivée dans le pays, fit la cour
à la Cochet, possédait la plus belle maison de Soulanges,
six mille francs environ, et l'espérance de quatre
cents francs de retraite, le jour où il quitterait le service.
Devenue Mme Soudry, la Cochet obtint dans Soulanges
une grande considération. Quoiqu'elle gardât un secret
absolu sur le montant de ses économies, placées comme les
fonds de Gaubertin à Paris, chez le commissionnaire des
marchands de vin du département, un certain Leclercq,
enfant du pays que le régisseur commandita, l'opinion
générale fit de l'ancienne femme de chambre une des
premières fortunes de cette petite ville d'environ douze
cents âmes.

Au grand étonnement du pays, M. et Mme Soudry
reconnurent pour légitime, par leur acte de mariage, un
fils naturel du gendarme, à qui dès lors la fortune de
Mme Soudry devait appartenir. Le jour où ce fils acquit
officiellement une mère, il venait d'achever son Droit à
Paris et se proposait d'y faire son stage, afin d'entrer
dans la magistrature.

Il est presque inutile de faire observer qu'une mutuelle
intelligence de vingt années engendra l'amitié la plus
solide entre les Gaubertin et les Soudry. Les uns et les
autres devaient, jusqu'à la fin de leurs jours se donner
réciproquement *urbi et orbi* pour *les plus honnêtes gens*
de France. Cet intérêt, basé sur une connaissance réci-
proque des taches secrètes que portait la blanche tunique
de leur conscience, est un des liens les moins dénoués ici-
bas. Vous en avez, vous qui lisez ce drame social, une
telle certitude, que, pour expliquer la continuité de certains dévouements qui font rougir votre égoïsme, vous
dites de deux personnes : « Elles ont, pour sûr, commis
quelque crime ensemble ! »

Après vingt-cinq ans de gestion, l'intendant se voyait
alors à la tête de six cent mille francs en argent, et la
Cochet possédait environ deux cent cinquante mille francs.
Le revirement agile et perpétuel de ces fonds, confiés à
la maison Leclercq et compagnie du quai de Béthune,

à l'île Saint-Louis, antagoniste de la fameuse maison
Grandet, aida beaucoup à la fortune de ce commissionnaire en vins et à celle de Gaubertin. A la mort de
Mlle Laguerre, Jenny, fille aînée du régisseur, fut
demandée en mariage par Leclercq, chef de la maison
du quai de Béthune. Gaubertin se flattait alors de devenir
le maître des Aigues par un complot ourdi dans l'étude
de maître Lupin, notaire, établi par lui depuis onze ans
à Soulanges.

Lupin, fils du dernier intendant de la maison de Soulanges, s'était prêté à de faibles expertises, à une mise à
prix de cinquante pour cent au-dessous de la valeur, à des
affichages inédits, à toutes les manœuvres malheureusement si communes au fond des provinces pour adjuger,
sous le manteau, selon le proverbe, d'importants
immeubles. Dernièrement il s'est formé, dit-on, à Paris,
une compagnie dont le but est de rançonner les auteurs de
ces trames, en les menaçant d'enchérir. Mais, en 1816,
la France n'était pas, comme aujourd'hui, brûlée par une
flamboyante Publicité, les complices pouvaient donc
compter sur le partage des Aigues fait secrètement entre
la Cochet, le notaire et Gaubertin qui se réservait *in petto*
de leur offrir une somme pour les désintéresser de leurs
lots, une fois la terre en son nom. L'avoué chargé de
poursuivre la licitation au tribunal par Lupin avait vendu
sa charge sur parole à Gaubertin pour son fils, en sorte
qu'il favorisa cette spoliation, si tant est que les onze
cultivateurs picards à qui cette succession tomba des
nues, se regardèrent comme spoliés.

Au moment où tous les intéressés croyaient leur fortune doublée, un avoué de Paris vint, la veille de l'adjudication définitive, charger l'un des avoués de La-Ville-
aux-Fayes, qui se trouvait être un de ses anciens clercs,
d'acquérir les Aigues, et il les eut pour onze cent mille
cinquante francs. A onze cent mille cent francs, aucun des
conspirateurs n'osa continuer d'enchérir. Gaubertin crut
à quelque trahison de Soudry, comme Lupin et Soudry se
crurent joués par Gaubertin; mais la déclaration de *com-
mand* les réconcilia. Quoique soupçonnant le plan formé
par Gaubertin, Lupin et Soudry, l'avoué de province se
garda bien d'éclairer son ancien patron. Voici pourquoi :
En cas d'indiscrétion des nouveaux propriétaires, cet
officier ministériel aurait eu trop de monde à dos pour
pouvoir rester dans le pays. Ce mutisme, particulier à
l'homme de province, sera d'ailleurs parfaitement justifié

par les événements de cette ÉTUDE. Si l'homme de province est sournois, il est obligé de l'être; sa justification
se trouve dans son péril admirablement exprimé par ce
proverbe : *Il faut hurler avec les loups*, le sens du personnage de Philinte.

Quand le général Montcornet prit possession des
Aigues, Gaubertin ne se trouva plus assez riche pour
quitter sa place. Afin de marier sa fille aînée au riche
banquier de l'Entrepôt, il était obligé de la doter de
deux cent mille francs; il devait payer trente mille francs
la charge achetée à son fils; il ne lui restait donc plus que
trois cent soixante-dix mille francs, sur lesquels il lui
faudrait tôt ou tard prendre la dot de sa dernière fille
Elise, à laquelle il se flattait de moyenner un mariage au
moins aussi beau que celui de l'aînée. Le régisseur voulut
étudier le comte de Montcornet, afin de savoir s'il pourrait le dégoûter des Aigues, en comptant alors réaliser
pour lui seul la conception avortée.

Avec la finesse particulière aux gens qui font leur fortune par la cautèle, Gaubertin crut à la ressemblance,
assez probable d'ailleurs, du caractère d'un vieux militaire et d'une vieille cantatrice. Une fille d'opéra, un
général de Napoléon, n'étaient-ce pas les mêmes habitudes de prodigalité, la même insouciance ? A la fille
comme au soldat, le bien ne vient-il pas capricieusement
et au feu ? S'il se rencontre des militaires rusés, astucieux,
politiques, n'est-ce pas l'exception ? Et le plus souvent,
le soldat, surtout un sabreur fini comme Montcornet,
doit être simple, confiant, novice en affaires, et peu propre
aux mille détails de la gestion d'une terre. Gaubertin se
flatta de prendre et de tenir le général dans la nasse où
Mlle Laguerre avait fini ses jours. Or, l'Empereur avait
jadis permis, par calcul, à Montcornet d'être en Poméranie ce que Gaubertin était aux Aigues, le général se
connaissait donc en fourrage d'intendance.

En venant planter ses choux, suivant l'expression du
premier duc de Biron, le vieux cuirassier voulait s'occuper
de ses affaires pour se distraire de sa chute. Quoiqu'il eût
livré son corps d'armée aux Bourbons, ce service, commis
par plusieurs généraux et nommé licenciement de l'armée de la Loire, ne put racheter le crime d'avoir suivi
l'homme des Cent-Jours sur son dernier champ de
bataille. En présence des Etrangers, il fut impossible au
pair de 1815 de se maintenir sur les cadres de l'armée, à
plus forte raison de rester au Luxembourg. Montcornet

alla donc, selon le conseil d'un maréchal en disgrâce, cultiver les carottes en nature. Le général ne manquait pas de cette ruse particulière aux vieux loups de guérite; et, dès les premiers jours consacrés à l'examen de ses propriétés, il vit dans Gaubertin un véritable intendant d'opéra-comique, un fripon, comme les maréchaux et les ducs de Napoléon, ces champignons nés sur la couche populaire, en avaient presque tous rencontré.

En s'apercevant de la profonde expérience de Gaubertin en administration rurale, le sournois cuirassier sentit combien il était utile de le conserver pour se mettre au courant de cette agriculture correctionnelle; aussi se donna-t-il l'air de continuer Mlle Laguerre, fausse insouciance qui trompa le régisseur. Cette apparente niaiserie dura pendant tout le temps nécessaire au général pour connaître le fort et le faible des Aigues, les détails des revenus, la manière de les percevoir, comment et où l'on voulait, les améliorations et les économies à réaliser. Puis, un beau jour, ayant surpris Gaubertin la main dans le sac, suivant l'expression consacrée, le général entra dans une de ces colères particulières à ces dompteurs de pays. Il fit alors une de ces fautes capitales, susceptibles d'agiter toute la vie d'un homme qui n'aurait pas eu sa grande fortune ou sa consistance, et d'où sourdirent, d'ailleurs, les malheurs, grands et petits, dont fourmille cette histoire. Elève de l'école impériale, habitué à tout sabrer, plein de dédain pour les *péquins*, Montcornet ne crut pas devoir prendre de gants pour mettre à la porte un coquin d'intendant. La vie civile et ses mille précautions étaient inconnues à ce général aigri déjà par sa disgrâce, il humilia donc profondément Gaubertin qui s'attira d'ailleurs ce traitement cavalier par une réponse dont le cynisme excita la fureur de Montcornet.

— Vous vivez de ma terre ? lui avait dit le comte avec une railleuse sévérité.

— Croyez-vous donc que j'aie pu vivre du ciel ? répliqua Gaubertin en riant.

— Sortez, canaille, je vous chasse! dit le général en lui donnant des coups de cravache que le régisseur a toujours niés, les ayant reçus à huis clos.

— Je ne sortirai pas sans mon *quitus*, dit froidement Gaubertin après s'être éloigné du violent cuirassier.

— Nous verrons ce que pensera de vous la police correctionnelle, répondit Montcornet en haussant les épaules.

En s'entendant menacer d'un procès en police correctionnelle, Gaubertin regarda le comte en souriant. Ce
sourire eut la vertu de détendre le bras du général, comme
si les nerfs en eussent été coupés. Expliquons ce sourire.

Depuis deux ans, le beau-frère de Gaubertin, un
nommé Gendrin, longtemps juge au tribunal de Première Instance de La-Ville-aux-Fayes, en était devenu
le président par la protection du comte de Soulanges.
Nommé pair de France en 1814, et resté fidèle aux Bourbons pendant les Cent-Jours, M. de Soulanges avait
demandé cette nomination au Garde des Sceaux. Cette
parenté donnait à Gaubertin une certaine importance
dans le pays. Relativement, d'ailleurs, un président de
tribunal est, dans une petite ville, un plus grand personnage qu'un premier président de cour royale qui trouve
au chef-lieu des égaux dans le général, l'évêque, le préfet,
le receveur général, tandis qu'un simple président de
tribunal n'en a pas, le procureur du roi, le sous-préfet
étant amovibles ou destituables. Le jeune Soudry, le
camarade à Paris comme aux Aigues de Gaubertin fils,
venait alors d'être nommé substitut du procureur du roi
dans le chef-lieu du département. Avant de devenir brigadier de gendarmerie, Soudry père, fourrier dans l'artillerie, avait été blessé dans une affaire en défendant
M. de Soulanges, alors adjudant-général. Lors de la création
de la gendarmerie, le comte de Soulanges, devenu colonel,
avait demandé pour son sauveur la brigade de Soulanges;
et plus tard, il sollicita le poste où Soudry fils avait
débuté. Enfin, le mariage de Mlle Gaubertin étant chose
conclue au quai de Béthune, le comptable infidèle se
sentait plus fort dans le pays qu'un lieutenant général mis
en disponibilité.

Si cette histoire ne devait offrir d'autre enseignement
que celui qui ressort de la brouille du général et de son
régisseur, elle serait déjà profitable à bien des gens pour
leur conduite dans la vie. A qui sait lire fructueusement
Machiavel, il est démontré que la prudence humaine
consiste à ne jamais menacer, à faire sans dire, à favoriser
la retraite de son ennemi en ne marchant pas, selon le
proverbe, sur la queue du serpent, et à se garder comme
d'un meurtre de blesser l'amour-propre de plus petit que
soi. Le Fait, quelque dommageable qu'il soit aux intérêts,
se pardonne à la longue, il s'explique de mille manières;
mais l'amour-propre, qui saigne toujours du coup qu'il
a reçu, ne pardonne jamais à l'Idée. La personnalité

morale est plus sensible, plus vivante en quelque sorte que la personnalité physique. Le cœur et le sang sont moins impressibles que les nerfs. Enfin notre être intérieur nous domine, quoi que nous fassions. On réconcilie deux familles qui se sont entre-tuées, comme en Bretagne ou en Vendée, lors des guerres civiles; mais on ne réconciliera pas plus les spoliés et les spoliateurs, que les calomniés et les calomniateurs. On ne doit s'injurier que dans les poèmes épiques, avant de se donner la mort. Le Sauvage, le Paysan, qui tient beaucoup du Sauvage, ne parlent jamais que pour tendre des pièges à leurs adversaires. Depuis 1789, la France essaie de faire croire, contre toute évidence, aux hommes qu'ils sont égaux; or, dire à un homme : « Vous êtes un fripon! » est une plaisanterie sans conséquence; mais le lui prouver en le prenant sur le fait et le cravachant; mais le menacer d'un procès correctionnel sans le poursuivre, c'est le ramener à l'inégalité des conditions. Si la masse ne pardonne à aucune supériorité, comment un fripon pardonnerait-il à un honnête homme ?

Montcornet aurait renvoyé son intendant sous prétexte d'acquitter d'anciennes obligations en mettant à sa place quelque ancien militaire; certes, ni Gaubertin, ni le général ne se seraient trompés, l'un aurait compris l'autre; mais l'autre en ménageant l'amour-propre de l'un, lui eût ouvert une porte pour se retirer, Gaubertin eût alors laissé le grand propriétaire tranquille, il eût oublié sa défaite à l'Audience des Criées; et peut-être eût-il cherché l'emploi de ses capitaux à Paris. Ignominieusement chassé, le régisseur garda contre son maître une de ces rancunes qui sont un élément de l'existence en province, et dont la durée, la persistance, les trames, étonneraient les diplomates habitués à ne s'étonner de rien. Un cuisant désir de vengeance lui conseilla de se retirer à La-Ville-aux-Fayes, d'y occuper une position d'où il pût nuire à Montcornet, et lui susciter assez d'ennuis pour le forcer à remettre les Aigues en vente.

Tout trompa le général, car les dehors de Gaubertin n'étaient pas de nature à l'avertir ni à l'effrayer. Par tradition, le régisseur affecta toujours, non pas la pauvreté, mais la gêne. Il tenait cette règle de conduite de son prédécesseur. Aussi, depuis douze ans, mettait-il à tout propos en avant ses trois enfants, sa femme et les énormes dépenses causées par sa nombreuse famille. Mlle Laguerre à qui Gaubertin se disait trop pauvre pour payer

l'éducation de son fils à Paris, en avait fait tous les frais,
elle donnait cent louis par an à son cher filleul, car elle
était la marraine de Claude Gaubertin.

Le lendemain Gaubertin vint, accompagné d'un garde
nommé Courtecuisse, demander très fièrement au général
son *quitus*, en lui montrant les décharges données par feu
mademoiselle en termes flatteurs, et il le pria très ironique-
ment de chercher où se trouvaient ses immeubles et ses
propriétés. S'il recevait des gratifications des marchands
de bois et des fermiers au renouvellement des baux,
Melle Laguerre les avait, dit-il, toujours autorisées, et
non seulement elle y gagnait en les lui laissant prendre,
mais encore y trouvait sa tranquillité. L'on se serait fait
tuer dans le pays pour mademoiselle, tandis qu'en continuant ainsi, le général se préparait bien des difficultés.

Gaubertin, et ce dernier trait est fréquent dans la plupart des professions où l'on s'approprie le bien d'autrui
par des moyens non prévus par le Code, se croyait un
parfait honnête homme. D'abord, il possédait depuis si
longtemps l'argent extirpé par la terreur aux fermiers de
Melle Laguerre, payée en assignats, qu'il le consi-
dérait comme légitimement acquis. Ce fut une affaire
de change. A la longue, il pensait même avoir couru
des dangers en acceptant des écus. Puis, légalement,
madame ne devait recevoir que des assignats. *Légalement*
est un adverbe robuste, il supporte bien des fortunes !
Enfin, depuis qu'il existe des grands propriétaires et des
intendants, c'est-à-dire depuis l'origine des sociétés,
l'intendant a forgé, pour son usage, un raisonnement que
pratiquent aujourd'hui les cuisinières et que voici dans
sa simplicité.

— Si ma bourgeoise, se dit chaque cuisinière, allait
elle-même au marché, peut-être paierait-elle ses provisions plus que je ne les lui compte; elle y gagne, et le
bénéfice qu'on m'abandonne est mieux placé dans mes
poches que dans celles du marchand.

— Si mademoiselle exploitait elle-même les Aigues,
elle n'en tirerait pas trente mille francs, les paysans, les
marchands, les ouvriers, lui voleraient la différence, il est
plus naturel que je la garde, et je lui épargne bien des
soucis, se disait Gaubertin.

La Religion Catholique a seule le pouvoir d'empêcher
de semblables capitulations de conscience; mais depuis
1789, la religion est sans force sur les deux tiers de la
population, en France. Aussi les paysans, dont l'intelli-

gence est très éveillée, et que la misère pousse à l'imitation, étaient-ils, dans la vallée des Aigues, arrivés à un état effrayant de démoralisation. Ils allaient à la messe le dimanche, mais en dehors de l'église, car ils s'y donnaient toujours, par habitude, rendez-vous pour leurs marchés et leurs affaires.

On doit maintenant mesurer tout le mal produit par l'incurie et par le laisser-aller de l'ancien Premier Sujet du Chant à l'Académie royale de Musique. Mlle Laguerre avait, par égoïsme, trahi la cause de ceux qui possèdent, tous en butte à la haine de ceux qui ne possèdent pas. Depuis 1792, tous les propriétaires de France sont devenus solidaires. Hélas! si les familles féodales, moins nombreuses que les familles bourgeoises, n'ont compris leur solidarité ni en 1400 sous Louis XI, ni en 1600 sous Richelieu, peut-on croire que, malgré les prétentions du XIXe siècle au Progrès, la Bourgeoisie sera plus unie que ne le fut la Noblesse ? Une oligarchie de cent mille riches a tous les inconvénients de la démocratie sans en avoir les avantages. Le *chacun chez soi, chacun pour soi*, l'égoïsme de famille tuera l'égoïsme oligarchique, si nécessaire à la société moderne, et que l'Angleterre pratique admirablement depuis trois siècles. Quoi qu'on fasse, les propriétaires ne comprendront la nécessité de la discipline qui rendit l'Eglise un admirable modèle de gouvernement, qu'au moment où ils se sentiront menacés chez eux, et il sera trop tard. L'audace avec laquelle le Communisme, cette logique vivante et agissante de la Démocratie, attaque la Société dans l'ordre moral, annonce que, dès aujourd'hui, le Samson populaire, devenu prudent, sape les colonnes sociales dans la cave, au lieu de les secouer dans la salle de festin.

CHAPITRE VII

ESPÈCES SOCIALES DISPARUES

La terre des Aigues ne pouvait se passer d'un régisseur, car le général n'entendait pas renoncer aux plaisirs de l'hiver à Paris où il possédait un magnifique hôtel, rue Neuve-des-Mathurins. Il chercha donc un successeur à Gaubertin; mais il ne le chercha certes pas avec plus de soin que Gaubertin en mit à lui en donner un de sa main.

De toutes les places de confiance, il n'en est pas qui demande à la fois plus de connaissances acquises ni plus d'activité que celle de régisseur d'une grande terre. Cette difficulté n'est connue que des riches propriétaires dont les biens sont situés au-delà d'une certaine zone autour de la capitale et qui commence à une distance d'environ quarante lieues. Là, cessent les exploitations agricoles, dont les produits trouvent à Paris des débouchés certains, et qui donnent des revenus assurés par de longs baux, pour lesquels il existe de nombreux preneurs, riches eux-mêmes. Ces fermiers viennent en cabriolet apporter leurs termes en billets de banque, si toutefois leurs facteurs à la Halle ne se chargent pas de leurs paiements. Aussi les fermes en Seine-et-Oise, en Seine-et-Marne, dans l'Oise, dans l'Eure-et-Loir, dans la Seine-Inférieure et dans le Loiret, sont-elles si recherchées que les capitaux ne s'y placent pas toujours à un et demi pour cent. Comparé au revenu des terres en Hollande, en Angleterre et en Belgique, ce produit est encore énorme. Mais, à cinquante lieues de Paris, une terre considérable implique tant d'exploitations diverses, tant de produits de différentes natures, qu'elle constitue une industrie avec toutes les chances de la fabrique. Tel riche propriétaire n'est qu'un marchand obligé de placer ses productions, ni plus ni moins qu'un fabricant de fer ou de coton. Il n'évite même pas la concurrence; la petite propriété, le paysan la lui font acharnée en descendant à des transactions inabordables aux gens bien élevés.

Un régisseur doit savoir l'arpentage, les usages du pays, ses modes de vente et d'exploitation, un peu de chicane pour défendre les intérêts qui lui sont confiés, la comptabilité commerciale, et se trouver doué d'une excellente santé, d'un goût particulier pour le mouvement et l'équitation. Chargé de représenter le maître, et toujours en relations avec lui, le régisseur ne saurait être un homme du peuple. Comme il est peu de régisseurs appointés à mille écus, ce problème paraît insoluble. Comment rencontrer tant de qualités pour un prix modique, dans un pays où les gens qui en sont pourvus sont admissibles à tous les emplois ?... Faire venir un homme à qui le pays est inconnu, c'est payer cher l'expérience qu'il y acquerra. Former un jeune homme pris sur les lieux, c'est souvent nourrir une ingratitude à l'épinette. Il faut donc choisir entre quelque inepte Probité qui nuit par inertie ou par myopie, et l'Habileté qui songe à elle. De là cette nomenclature sociale et l'histoire naturelle des intendants, ainsi définis par un grand seigneur polonais :

— Nous avons, disait-il, trois sortes de régisseurs : celui qui ne pense qu'à lui, celui qui pense à nous et à lui; quant à celui qui ne penserait qu'à nous, il ne s'est jamais rencontré. Heureux le propriétaire qui met la main sur le second!

On a pu voir ailleurs le personnage d'un régisseur songeant à ses intérêts et à ceux de son maître (voir *Un Début dans la Vie*, Scènes de la Vie Privée). Gaubertin est l'intendant exclusivement occupé de sa fortune. Présenter le troisième terme de ce problème, ce serait offrir à l'admiration publique un personnage invraisemblable que la vieille Noblesse a néanmoins connu (voir *Le Cabinet des Antiques*, Scènes de la Vie de Province) mais qui disparut avec elle. Par la division perpétuelle des fortunes, les mœurs aristocratiques seront inévitablement modifiées. S'il n'y a pas actuellement en France vingt fortunes gérées par des intendants, il n'existera pas dans cinquante ans cent grandes propriétés à régisseurs, à moins de changements dans la loi civile. Chaque riche propriétaire devra veiller lui-même à ses intérêts.

Cette transformation déjà commencée a suggéré cette réponse dite par une spirituelle vieille femme à qui l'on demandait pourquoi, depuis 1830, elle restait à Paris, pendant l'été : « Je ne vais plus dans les châteaux, depuis qu'on en a fait des fermes. » Mais qu'arrivera-t-il de ce débat de plus en plus ardent, d'homme à homme, entre le riche et le pauvre ? Cette Etude n'est écrite que pour éclairer cette terrible question sociale.

On peut comprendre les étranges perplexités auxquelles le général fut en proie après avoir congédié Gaubertin. Si, comme toutes les personnes libres de faire ou de ne pas faire, il s'était dit vaguement : « Je chasserai ce drôle-là ! » il avait négligé le hasard, oubliant les éclats de sa bouillante colère, la colère du sabreur sanguin, au moment où quelque méfait relèverait les paupières à sa cécité volontaire.

Propriétaire pour la première fois, Montcornet, enfant de Paris, ne s'était pas muni d'un régisseur à l'avance ; et, après avoir étudié le pays, il sentait combien un intermédiaire devenait indispensable à un homme comme lui, pour traiter avec tant de gens et de si bas étage.

Gaubertin, à qui les vivacités d'une scène qui dura deux heures, avaient révélé l'embarras où le général allait se trouver, enfourcha son bidet en quittant le salon où la dispute avait eu lieu, galopa jusqu'à Soulanges et y consulta les Soudry.

Sur ce mot : « Nous nous quittons, le général et moi, qui pouvons-nous lui présenter pour régisseur, sans qu'il s'en doute ? » les Soudry comprirent la pensée de leur ami. N'oubliez pas que le brigadier Soudry, chef de la police depuis dix-sept ans dans le canton, est doublé par sa femme de la ruse particulière aux soubrettes des filles d'opéra.

— Il ferait bien du chemin, dit Mme Soudry, avant de trouver quelqu'un qui valût notre pauvre petit Sibilet.

— Il est cuit ! s'écria Gaubertin encore rouge de ses humiliations. Lupin, dit-il au notaire qui assistait à cette conférence, allez donc à La-Ville-aux-Fayes y seriner Maréchal, en cas que notre beau cuirassier lui demande des renseignements.

Maréchal était cet avoué que son ancien patron, chargé à Paris des affaires du général, avait naturellement recommandé comme conseil à M. de Montcornet, après l'heureuse acquisition des Aigues.

Ce Sibilet, fils aîné du greffier du Tribunal de La-Ville-aux-Fayes, clerc de notaire, sans sou ni maille, âgé de vingt-cinq ans, s'était épris de la fille du juge de paix de Soulanges à en perdre la raison.

Ce digne magistrat à quinze cents francs d'appointe-

ments, nommé Sarcus, avait épousé une fille sans fortune, la sœur aînée de M. Vermut, l'apothicaire de
Soulanges. Quoique fille unique, Melle Sarcus, riche
de sa beauté pour toute fortune, devait mourir et
non vivre des appointements qu'on donne à un clerc de
notaire en province. Le jeune Sibilet, parent de Gaubertin par une alliance assez difficile à reconnaître dans les
croisements de famille qui rendent cousins presque tous
les bourgeois des petites villes, dut aux soins de son père
et de Gaubertin une maigre place au Cadastre. Le malheureux eut l'affreux bonheur de se voir père de deux enfants
en trois ans. Le greffier chargé, lui, de cinq autres enfants,
ne pouvait venir au secours de son fils aîné. Le juge de
paix ne possédait que sa maison à Soulanges et cent écus
de rentes. La plupart du temps, madame Sibilet la jeune
restait donc chez son père, et y vivait avec ses deux enfants.
Adolphe Sibilet, obligé de courir à travers le département, venait voir son Adeline de temps en temps. Peut-
être le mariage ainsi compris explique-t-il la fécondité
des femmes.

L'exclamation de Gaubertin, quoique facile à comprendre par ce sommaire de l'existence des jeunes Sibilet,
exige encore quelques détails.

Adolphe Sibilet, souverainement disgracieux, comme
on a pu le voir d'après son esquisse, appartenait à ce genre
d'hommes qui ne peuvent arriver au cœur d'une femme
que par le chemin de la mairie et de l'autel. Doué d'une
souplesse comparable à celle des ressorts, il cédait, sauf
à reprendre sa pensée. Cette disposition trompeuse ressemble à de la lâcheté; mais l'apprentissage des affaires
chez un notaire de province avait fait contracter à Sibilet
l'habitude de cacher ce défaut sous un air bourru qui
simulait une force absente. Beaucoup de gens faux
abritent leur platitude sous la brusquerie; brusquez-les,
vous produisez l'effet du coup d'épingle sur le ballon.
Tel était le fils du greffier. Mais comme les hommes,
pour la plupart, ne sont pas observateurs, et que, parmi
les observateurs, les trois quarts observent après coup,
l'air grognon d'Adolphe Sibilet passait pour l'effet
d'une rude franchise, d'une capacité vantée par son
patron, et d'une probité revêche qu'aucune éprouvette
n'avait essayée. Il est des gens qui sont servis par leurs
défauts comme d'autres par leurs qualités.

Adeline Sarcus, jolie personne élevée par sa mère,
morte trois ans avant ce mariage, aussi bien qu'une mère

peut élever une fille unique au fond d'une petite ville, aimait le jeune et beau Lupin, fils unique du notaire de Soulanges. Dès les premiers chapitres de ce roman, le père Lupin qui visait pour son fils mademoiselle Elise Gaubertin, envoya le jeune Amaury Lupin à Paris, chez son correspondant, maître Crottat, notaire, où sous prétexte d'apprendre à faire des actes et des contrats, Amaury fit plusieurs actes de folie et contracta des dettes, entraîné par un certain Georges Marest, clerc de l'étude, jeune homme riche qui lui révéla les mystères de la vie parisienne. Quand maître Lupin alla chercher son fils à Paris, Adeline s'appelait déjà Mme Sibilet. En effet, lorsque l'amoureux Adolphe se présenta, le vieux juge de paix, stimulé par Lupin le père, hâta le mariage auquel Adeline se livra par désespoir.

Le Cadastre n'est pas une carrière. Il est, comme beaucoup de ces sortes d'administrations sans avenir, une espèce de trou dans l'écumoire gouvernementale. Les gens qui se lancent par ces trous (la topographie, les ponts-et-chaussées, le professorat, etc.) s'aperçoivent toujours un peu tard que de plus habiles, assis à côté d'eux, s'humectent des sueurs du peuple, disent les écrivains de l'Opposition, toutes les fois que l'écumoire plonge dans l'Impôt, au moyen de cette machine appelée Budget. Adolphe, travaillant du matin au soir et gagnant peu de chose à travailler, reconnut bientôt l'infertile profondeur de son trou. Aussi songeait-il, en trottant de commune en commune et dépensant ses appointements en souliers et en frais de voyages, à chercher une place stable et bénéficieuse.

On ne peut se figurer, à moins d'être louche, et d'avoir deux enfants en légitime mariage, ce que trois années de souffrances entremêlées d'amour, avaient développé d'ambition chez ce garçon dont l'esprit et le regard louchaient également, dont le bonheur était mal assis, pour ne pas dire boiteux. Le plus grand élément des mauvaises actions secrètes, des lâchetés inconnues, est peut-être un bonheur incomplet. L'homme accepte peut-être mieux une misère sans espoir que ces alternatives de soleil et d'amour à travers des pluies continuelles. Si le corps y gagne des maladies, l'âme y gagne la lèpre de l'envie. Chez les petits esprits, cette lèpre tourne en cupidité lâche et brutale à la fois, à la fois audacieuse et cachée; chez les esprits cultivés, elle engendre des doctrines anti-sociales dont on se sert comme d'une escabelle pour dominer ses

supérieurs. Ne pourrait-on pas faire un proverbe de
ceci ? « Dis-moi ce que tu as, je te dirai ce que tu penses. »

Tout en aimant sa femme, Adolphe se disait à toute
heure : « J'ai fait une sottise ! J'ai trois boulets et je n'ai que
deux jambes. Il fallait avoir gagné ma fortune avant de
me marier. On trouve toujours une Adeline, et Adeline
m'empêchera de trouver une fortune. »

Adolphe, parent de Gaubertin, était venu lui faire
trois visites en trois ans. A quelques paroles, Gaubertin
reconnut dans le cœur de son allié cette boue qui veut se
cuire aux brûlantes conceptions du vol légal. Il sonda
malicieusement ce caractère propre à se courber aux exigences d'un plan pourvu qu'il y trouvât sa pâture. A
chaque visite Sibilet grognait.

— Employez-moi donc, mon cousin ? disait-il, prenez-
moi pour commis, et faites-moi votre successeur. Vous
me verrez à l'œuvre ! Je suis capable d'abattre des montagnes pour donner à mon Adeline, je ne dirai pas le luxe,
mais une aisance modeste. Vous avez fait la fortune de
M. Leclercq, pourquoi ne me placeriez-vous pas à Paris
dans la banque ?

— Nous verrons plus tard, je te caserai, répondait le
parent ambitieux, acquiers des connaissances, tout sert !

En de telles dispositions, la lettre par laquelle
Mme Soudry écrivit à son protégé d'arriver en toute hâte,
fit accourir Adolphe à Soulanges, à travers mille châteaux
en Espagne.

Sarcus père, à qui les Soudry démontrèrent la nécessité
de faire une démarche dans l'intérêt de son gendre, était
allé, le lendemain même, se présenter au général et lui
proposer Adolphe pour régisseur. Par les conseils de
Mme Soudry, devenue l'oracle de la petite ville, le bonhomme avait emmené sa fille, dont en effet l'aspect dis-
posa favorablement le comte de Montcornet.

— Je ne me déciderai pas, répondit le général, sans
prendre des renseignements ; mais je ne chercherai personne jusqu'à ce que j'aie examiné si votre gendre remplit
toutes les conditions nécessaires à sa place. Le désir de
fixer aux Aigues une si charmante personne...

— Mère de deux enfants, général, dit assez finement
Adeline pour éviter la galanterie du cuirassier.

Toutes les démarches du général furent admirablement
prévues par les Soudry, par Gaubertin et Lupin, qui
ménagèrent à leur candidat la protection, au chef-lieu du
département où siège une cour royale, du conseiller Gen-

drin, parent éloigné du président de La-Ville-aux-Fayes, celle du baron Bourlac, procureur-général de qui relevait Soudry fils, le procureur du roi, puis celle d'un conseiller de préfecture appelé Sarcus, cousin au troisième degré du juge de paix. Depuis son avoué de La-Ville-aux-Fayes, jusqu'à la Préfecture où le général alla lui-même, tout le monde fut donc favorable au pauvre employé du cadastre, irréprochable d'ailleurs. Son mariage rendait Sibilet intéressant comme un roman de miss Edgeworth, et le posait d'ailleurs en homme désintéressé.

Le temps que le régisseur chassé passa nécessairement aux Aigues fut mis à profit par lui pour créer des embarras à son ancien maître, et qu'une seule des petites scènes jouées par lui fera deviner. Le matin de son départ il fit en sorte de rencontrer Courtecuisse le seul garde qu'il eût pour les Aigues, dont l'étendue en exigeait au moins trois.

— Eh! bien, monsieur Gaubertin, lui dit Courtecuisse, vous avez donc eu des raisons avec notre bourgeois ?

— On t'a déjà dit cela ? répondit Gaubertin. Eh! bien, oui, le général a la prétention de nous mener comme ses cuirassiers, il ne connaît pas les Bourguignons. Monsieur le comte n'est pas content de mes services, et comme je ne suis pas content de ses façons, nous nous sommes chassés tous deux, presque à coups de poings, car il est violent comme une tempête... Prends garde à toi, Courtecuisse! Ah! mon vieux, j'avais cru pouvoir te donner un meilleur maître...

— Je le sais bien, répondit le garde, et je vous aurais bien servi. Dam! quand on se connaît depuis vingt ans! Vous m'avez mis ici, du temps de cette pauvre chère sainte madame. Ah! qué bonne femme! on n'en fait plus comme ça... Le pays a perdu sa mère...

— Dis donc, Courtecuisse, si tu veux, tu peux nous bailler un fier coup de main ?

— Vous restez donc dans le pays ? on nous disait que vous alliez à Paris!

— Non, en attendant la fin des choses, je ferai des affaires à La-Ville-aux-Fayes... Le général ne se doute pas de ce que c'est que le pays, et il y sera haï, vois-tu... Faut voir comment cela tournera. Fais mollement ton service, il te dira de mener les gens à la baguette, car il voit bien par où coule la vendange.

— Il me renverra, mon cher monsieur Gaubertin, et

vous savez comme je suis heureux à la porte d'Avonne...

— Le général se dégoûtera bientôt de sa propriété, lui dit Gaubertin, et tu ne seras pas longtemps dehors, si par hasard il te renvoyait. D'ailleurs, tu vois bien ces bois-là... dit-il en montrant le paysage, j'y serai plus fort que les maîtres!...

Cette conversation avait lieu dans un champ.

— Ces *Arminacs* de Parisiens devraient bien rester dans leurs boues de Paris... dit le garde.

Depuis les querelles du XVe siècle, le mot *Arminacs* (Armagnacs, les Parisiens, antagonistes des ducs de Bourgogne) est resté comme un terme injurieux sur la lisière de la Haute-Bourgogne, où, selon les localités, il s'est différemment corrompu.

— Il y retournera, mais battu! dit Gaubertin, et nous cultiverons un jour le parc des Aigues, car c'est voler le peuple que de consacrer à l'agrément d'un homme neuf cents arpents des meilleures terres de la vallée!

— Ah! dam! ça ferait vivre quatre cents familles..., dit Courtecuisse.

— Si tu veux deux arpents, à toi, là-dedans, il faut nous aider à mettre ce mâtin-là hors la loi!...

Au moment où Gaubertin fulminait cette sentence d'excommunication, le respectable juge de paix présentait au célèbre colonel des cuirassiers son gendre Sibilet, accompagné d'Adeline et de ses deux enfants, venus tous dans une carriole d'osier prêtée par le greffier de la justice de paix, un monsieur Gourdon, frère du médecin de Soulanges, et plus riche que le magistrat. Ce spectacle, si contraire à la dignité de la magistrature, se voit dans toutes les justices de paix, dans tous les tribunaux de Première Instance, où la fortune du greffier éclipse celle du président; tandis qu'il serait si naturel d'appointer les greffiers et de diminuer d'autant les frais de procédure.

Satisfait de la candeur et du caractère du digne magistrat, de la grâce et des dehors d'Adeline, qui furent l'un et l'autre de bonne foi dans leurs promesses, car le père et la fille ignorèrent toujours le caractère diplomatique imposé par Gaubertin à Sibilet, le comte accorda tout d'abord à ce jeune et touchant ménage des conditions qui rendirent la situation du régisseur égale à celle d'un sous-préfet de première classe.

Un pavillon bâti par Bouret, pour faire point de vue et pour loger le régisseur, construction élégante que Gaubertin habitait, et dont l'architecture est suffisamment

indiquée par la description de la porte de Blangy, fut
maintenu aux Sibilet pour leur demeure. Le général ne
supprima point le cheval que Mlle Laguerre accordait à
Gaubertin, à cause de l'étendue de sa propriété, de l'éloi-
gnement des marchés où se concluaient les affaires, et de
la surveillance. Il alloua vingt-cinq septiers de blé, trois
tonneaux de vin, le bois à discrétion, de l'avoine et du
foin en abondance, et enfin trois pour cent sur la recette.
Là où Mlle Laguerre devait toucher plus de quarante
mille livres de rentes, en 1800, le général voulait avec
raison en avoir soixante mille en 1818, après les nombreuses et importantes acquisitions faites par elle. Le
nouveau régisseur pouvait donc se faire un jour près de
deux mille francs en argent. Logé, nourri, chauffé, quitte
d'impôts, son cheval et sa basse-cour défrayés, le comte
lui permettait encore de cultiver un potager, promettant
de ne pas le chicaner sur quelques journées de jardinier.
Certes, de tels avantages représentaient plus de deux
mille francs. Aussi, pour un homme qui gagnait douze
cents francs au Cadastre, avoir les Aigues à régir, était-ce
passer de la misère à l'opulence.

— Dévouez-vous à mes intérêts, dit le général, et ce
ne sera pas mon dernier mot. D'abord, je pourrai vous
obtenir la perception de Couches, de Blangy, de Cerneux en les faisant distraire de la perception de Soulanges.
Enfin, quand vous m'aurez porté mes revenus à soixante
mille francs net, vous serez encore récompensé.

Malheureusement, le digne juge-de-paix et Adeline,
dans l'épanouissement de leur joie, eurent l'imprudence
de confier à Mme Soudry la promesse du comte relative
à cette perception, sans songer que le percepteur de
Soulanges était un nommé Guerbet, frère du maître-de-
poste de Couches et allié, comme on le verra plus tard,
aux Gaubertin et aux Gendrin.

— Ce ne sera pas facile, ma petite, dit madame Soudry; mais n'empêche pas monsieur le comte de faire des
démarches, on ne sait pas comment les choses difficiles
réussissent facilement à Paris. J'ai vu le chevalier Gluck
aux pieds de défunt Madame, et elle a chanté son rôle,
elle qui se serait fait hacher pour Piccini, l'un des hommes
les plus aimables de ce temps-là. Jamais ce cher monsieur
n'entrait chez Madame sans me prendre par la taille en
m'appelant *sa belle friponne*.

— Ah! çà, croit-il, s'écria le brigadier, quand sa femme
lui dit cette nouvelle, qu'il va mener notre pays, y tout

déranger à sa façon, et qu'il fera faire des à-droite et des
à-gauche aux gens de la vallée, comme aux cuirassiers de
son régiment ? Ces officiers ont des habitudes de domination... Mais patience! nous avons messieurs de Soulanges et de Ronquerolles pour nous. Pauvre père Guerbet! il ne se doute guère qu'on veut lui voler les plus belles
roses de son rosier!...

Cette phrase du genre Dorat, la Cochet la tenait de
Mademoiselle qui la tenait de Bouret, qui la tenait de
quelque rédacteur du *Mercure*, et Soudry la répétait tant,
qu'elle est devenue proverbiale à Soulanges.

Le père Guerbet, le percepteur de Soulanges, était
l'homme d'esprit, c'est-à-dire le loustic de la petite
ville et l'un des héros du salon de Mme Soudry. Cette
sortie du brigadier peint parfaitement l'opinion qui se
forma sur *le bourgeois* des Aigues, depuis Couches jusqu'à
La-Ville-aux-Fayes, où partout elle fut profondément
envenimée par les soins de Gaubertin.

L'installation de Sibilet eut lieu vers la fin de l'automne
de 1817. L'année 1818 se passa sans que le général mît
le pied aux Aigues, car les soins de son mariage avec
Mlle de Troisville, conclu dans les premiers jours de
l'année 1819, le retinrent la plus grande partie de l'été
précédent auprès d'Alençon, au château de son beau-
père, à faire la cour à sa prétendue. Outre les Aigues et
son magnifique hôtel, le général Montcornet possédait
soixante mille francs de rentes sur l'Etat et jouissait
du traitement des lieutenants-généraux en disponibilité.
Quoique Napoléon eût nommé cet illustre sabreur comte
de l'Empire, en lui donnant pour armes un écusson *écartelé
au un d'azur au désert d'or à trois pyramides d'argent; au
deux, de sinople à trois cors de chasse d'argent; au trois, de
gueule au canon d'or monté sur un affût de sable, au croissant d'or en chef; au quatre, d'or à la couronne de sinople,*
avec cette devise digne du Moyen Age : SONNEZ LA
CHARGE! Montcornet se savait issu d'un ébéniste du
faubourg Saint-Antoine encore qu'il l'oubliât volontiers.
Or, il se mourait du désir d'être renommé pair de France.
Il ne comptait pour rien le grand cordon de la Légion
d'honneur, sa croix de Saint-Louis et ses cent quarante
mille francs de rentes. Mordu par le démon de l'aristocratie, la vue d'un cordon bleu le mettait hors de lui. Le
sublime cuirassier d'Essling eût lapé la boue du pont
Royal pour être reçu chez les Navarreins, les Lenoncourt,
les Grandlieu, les Maufrigneuse, les d'Espard, les Van-

denesse, les Chaulieu, les Verneuil, les d'Hérouville, etc.

Dès 1818, quand l'impossibilité d'un changement en faveur de la famille Bonaparte lui fut démontrée, Montcornet se fit tambouriner dans le faubourg Saint-Germain par quelques femmes de ses amies, offrant son cœur, sa main, son hôtel, sa fortune au prix d'une alliance quelconque avec une grande famille.

Après des efforts inouïs, la duchesse de Carigliano découvrit chaussure au pied du général, dans une des trois branches de la famille de Troisville, celle du vicomte, au service de la Russie depuis 1789, revenu d'émigration en 1815. Le vicomte, pauvre comme un cadet, avait épousé une princesse Sherbellof, riche d'environ un million; mais il s'était appauvri par deux fils et trois filles. Sa famille, ancienne et puissante, comptait un pair de France, le marquis de Troisville, chef du nom et des armes; deux députés ayant tous nombreuse lignée et occupés pour leur compte au budget, au ministère, à la cour, comme des poissons autour d'une croûte. Aussi, dès que Montcornet fut présenté par la maréchale, une des duchesses napoléoniennes les plus dévouées aux Bourbons, fut-il accueilli favorablement. Montcornet demanda, pour prix de sa fortune et d'une tendresse aveugle pour sa femme, d'être employé dans la Garde royale, d'être nommé marquis et pair de France; mais les trois branches de la famille Troisville lui promirent seulement leur appui.

— Vous savez ce que cela signifie, dit la maréchale à son ancien ami qui se plaignit du vague de cette promesse. On ne peut pas disposer du roi, nous ne pouvons que le faire vouloir....

Montcornet institua Virginie de Troisville son héritière au contrat. Complètement subjugué par sa femme comme la lettre de Blondet l'explique, il attendait encore un commencement de postérité; mais il avait été reçu par Louis XVIII qui lui donna le cordon de Saint-Louis, lui permit d'écarteler son ridicule écusson avec les armes des Troisville, en lui promettant le titre de marquis quand il aurait su mériter la pairie par son dévouement.

Quelques jours après cette audience, le duc de Berry fut assassiné, le pavillon Marsan l'emporta, le ministère Villèle prit le pouvoir, tous les fils tendus par les Troisville furent cassés, il fallut les rattacher à de nouveaux piquets ministériels.

— Attendons, dirent les Troisville à Montcornet qui

fut d'ailleurs abreuvé de politesses dans le faubourg Saint-
Germain.

Ceci peut expliquer comment le général ne revint aux
Aigues qu'en mai 1820.

Le bonheur, ineffable pour le fils d'un marchand du
faubourg Saint-Antoine, de posséder une femme jeune,
élégante, spirituelle, douce, une Troisville enfin qui lui
avait ouvert les portes de tous les salons du faubourg Saint-
Germain, les plaisirs de Paris à lui prodiguer, ces diverses
joies firent tellement oublier la scène avec le régisseur des
Aigues, que le général avait oublié tout de Gaubertin,
jusqu'au nom. En 1820, il conduisit la comtesse à sa terre
des Aigues, pour la lui montrer, il approuva les comptes
et les actes de Sibilet, sans y trop regarder, le bonheur
n'est pas chicanier. La comtesse, très heureuse de trouver
une charmante personne dans la femme de son régisseur,
lui fit des cadeaux; elle ordonna quelques changements
aux Aigues à un architecte venu de Paris. Elle se proposait,
ce qui rendit le général fou de joie, de venir passer six
mois par an dans ce magnifique séjour. Toutes les économies du général furent épuisées par les changements que
l'architecte eut ordre d'exécuter et par un délicieux mobilier envoyé de Paris. Les Aigues reçurent alors ce dernier
cachet qui les rendit un monument unique des diverses
élégances de cinq siècles.

En 1821, le général fut presque sommé d'arriver avant
le mois de mai par Sibilet. Il s'agissait d'affaires graves.
Le bail de neuf ans et de trente mille francs, passé en
1812 par Gaubertin avec un marchand de bois, finissait au
15 mai de cette année.

Ainsi d'abord, Sibilet, jaloux de sa probité, ne voulait
pas se mêler du renouvellement du bail. « Vous savez,
monsieur le comte, écrivait-il, que je ne bois pas de ce
vin-là. » Puis le marchand de bois prétendait à l'indemnité
partagée avec Gaubertin, et que Mlle Laguerre s'était
laissé arracher en haine des procès. Cette indemnité
se fondait sur la dévastation des bois par les paysans qui
traitaient la forêt des Aigues, comme s'ils y avaient droit
d'affouage. MM. Gravelot frères, marchands de bois
à Paris, se refusaient à payer le dernier terme, en offrant
de prouver, par experts, que les bois présentaient une
diminution d'un cinquième, et ils arguaient du mauvais
précédent établi par Mlle Laguerre.

« J'ai déjà, disait Sibilet dans sa lettre, assigné ces messieurs au tribunal de La-Ville-aux-Fayes, car ils ont élu

domicile, à raison de ce bail, chez mon ancien patron, maître Corbinet. Je redoute une condamnation. »

— Il s'agit de nos revenus, ma belle, dit le général en montrant la lettre à sa femme, voulez-vous venir plus tôt que l'année dernière aux Aigues ?

— Allez-y, je vous rejoindrai dès les premiers beaux jours, répondit la comtesse qui fut assez contente de rester seule à Paris.

Le général qui connaissait la plaie assassine par laquelle la fleur de ses revenus était dévorée, partit donc seul avec l'intention de prendre des mesures vigoureuses. Mais le général comptait, comme on va le voir, sans son Gaubertin.

CHAPITRE VIII

LES GRANDES RÉVOLUTIONS
D'UNE PETITE VALLÉE

— Eh! bien, maître Sibilet, disait le général à son régisseur le lendemain de son arrivée en lui donnant un surnom familier qui prouvait combien il appréciait les connaissances de l'ancien clerc, nous sommes donc, selon le mot ministériel, dans des circonstances graves ?

— Oui, monsieur le comte, répondit Sibilet qui suivit le général.

L'heureux propriétaire des Aigues se promenait devant la Régie, le long d'un espace où Mme Sibilet cultivait des fleurs, et au bout duquel commençait la vaste prairie arrosée par le magnifique canal que Blondet a décrit. De là, l'on apercevait dans le lointain le château des Aigues, de même que des Aigues on voyait le pavillon de la Régie, posé de profil.

— Mais, reprit le général, où sont les difficultés ? Je soutiendrai le procès avec les Gravelot, plaie d'argent n'est pas mortelle, et j'afficherai si bien le bail de ma forêt, que, par l'effet de la concurrence, j'en trouverai la véritable valeur...

— Les affaires ne vont pas ainsi, monsieur le comte, reprit Sibilet. Si vous n'avez pas de preneurs, que ferez-vous ?

— J'abattrai mes coupes moi-même, et je vendrai mon bois...

— Vous serez marchand de bois ? dit Sibilet qui vit faire un mouvement d'épaules au général, je le veux bien. Ne nous occupons pas de vos affaires ici. Voyons Paris ? Il vous y faudra louer un chantier, payer patente et des impositions, payer les droits de navigation, ceux d'octroi, faire les frais de débardage et de mise en pile, enfin avoir un agent comptable...

— C'est impraticable, dit vivement le général épouvanté. Mais pourquoi n'aurais-je pas de preneurs ?

— Monsieur le comte a des ennemis dans le pays...

— Et qui ?

— Monsieur Gaubertin, d'abord...

— Serait-ce le fripon que vous avez remplacé ?

— Pas si haut, monsieur le comte!... dit Sibilet, ma cuisinière peut nous entendre...

— Comment! je ne puis pas chez moi parler d'un misérable qui me volait ? répondit le général.

— Au nom de votre tranquillité, monsieur le comte, venez plus loin. Monsieur Gaubertin est maire de La-Ville-aux-Fayes...

— Ah! je lui fais bien mes compliments à La-Ville-aux-Fayes, voilà, mille tonnerres, une ville bien administrée!...

— Faites-moi l'honneur de m'écouter, monsieur le comte, et croyez qu'il s'agit des choses les plus sérieuses, de votre avenir, ici.

— J'écoute, allons nous asseoir sur ce banc.

— Monsieur le comte, quand vous avez renvoyé monsieur Gaubertin, il a fallu qu'il se fît un état, car il n'était pas riche...

— Il n'était pas riche, et il volait ici plus de vingt mille francs par an!

— Monsieur le comte, je n'ai pas la prétention de le justifier, reprit Sibilet, je voudrais voir prospérer les Aigues, ne fût-ce que pour démontrer l'improbité de Gaubertin; mais ne nous abusons pas, nous avons en lui le plus dangereux coquin qui soit dans toute la Bourgogne, et il s'est mis en état de vous nuire.

— Comment ? dit le général devenu soucieux.

— Tel que vous le voyez, Gaubertin est à la tête du tiers environ de l'approvisionnement de Paris. Agent général du commerce des bois, il dirige les exploitations en forêt, l'abattage, la garde, le flottage, le repêchage et la mise en trains. En rapports constants avec les ouvriers, il est le maître des prix. Il a mis trois ans à se créer cette position; mais il y est comme dans une forteresse. Devenu l'homme de tous les marchands, il n'en favorise pas un plus que l'autre; il a régularisé tous les travaux à leur profit, et leurs affaires sont beaucoup mieux et moins coûteusement faites que si chacun d'eux avait, comme autrefois, son comptable. Ainsi, par exemple, il a si bien écarté toutes les concurrences, qu'il est le maître absolu

des adjudications; la Couronne et l'Etat sont ses tribu-
taires. Les coupes de la Couronne et de l'Etat, qui se
vendent aux enchères, appartiennent aux marchands
de Gaubertin, personne aujourd'hui n'est assez fort
pour les leur disputer. L'année dernière, M. Mariotte
d'Auxerre, stimulé par le directeur des Domaines, a voulu
faire concurrence à Gaubertin; d'abord, Gaubertin lui a
fait payer l'Ordinaire ce qu'il valait; puis, quand il s'est
agi d'exploiter, les ouvriers Avonnais ont demandé de
tels prix, que M. Mariotte a été obligé d'en amener
d'Auxerre, et ceux de La-Ville-aux-Fayes les ont battus.
Il y a eu procès correctionnel sur le chef de coalition,
et sur le chef de rixe. Ce procès a coûté de l'argent à
M. Mariotte, qui, sans compter l'odieux d'avoir fait
condamner de pauvres gens, a payé tous les frais, puisque les perdants ne possédaient pas un rouge liard.
Un procès contre des indigents ne rapporte que de la
haine à qui vit près d'eux. Laissez-moi vous dire cette
maxime en passant, car vous aurez à lutter contre tous
les pauvres de ce canton-ci. Ce n'est pas tout! Tous calculs
faits, le pauvre père Mariotte, un brave homme, perd à
cette adjudication. Forcé de payer tout au comptant, il
vend à terme. Gaubertin livre des bois à des termes
inouïs pour le ruiner, et donne son bois à cinq pour cent
au-dessous du prix de revient, aussi son crédit a-t-il
reçu de fortes atteintes. Enfin, aujourd'hui M. Gaubertin poursuit encore et tracasse tant ce pauvre homme
qu'il va quitter, dit-on, non seulement Auxerre mais
encore le département, et il fait bien. De ce coup-là les
propriétaires ont été pour longtemps immolés aux marchands qui maintenant font les prix, comme à Paris les
marchands de meubles, à l'hôtel des Commissaires-pri-
seurs. Mais Gaubertin évite tant d'ennuis aux propriétaires qu'ils y gagnent.

— Et comment? dit le général.

— D'abord, toute simplification profite tôt ou tard à
tous les intéressés, répondit Sibilet. Puis, les propriétaires
ont de la sécurité pour leurs revenus. En matière d'exploitation rurale, c'est le principal, vous le verrez! Enfin,
M. Gaubertin est le père des ouvriers, il les paie bien
et les fait toujours travailler; or, comme leurs familles
habitent la campagne, les bois des marchands ou ceux
des propriétaires qui confient leurs intérêts à Gaubertin,
comme font MM. de Soulanges et de Ronquerolles, ne sont
point dévastés. On y ramasse le bois mort, et voilà tout.

— Ce drôle de Gaubertin n'a pas perdu son temps !...
s'écria le général.

— C'est un fier homme, reprit Sibilet. Il est, comme
il le dit, le régisseur de la plus belle moitié du département au lieu d'être le régisseur des Aigues. Il prend peu
de chose à tout le monde, et ce peu de chose sur deux
millions lui fait quarante ou cinquante mille francs par
an. « C'est, dit-il, les cheminées de Paris qui paient tout ! »
Voilà votre ennemi, général ! Aussi, mon avis serait-il de
capituler en vous réconciliant avec lui. Il est lié, vous
le savez, avec Soudry, le brigadier de la gendarmerie
à Soulanges, avec M. Rigou, notre maire de Blangy,
les gardes champêtres sont ses créatures, la répression
des délits qui vous grugent devient alors impossible.
Depuis deux ans surtout, vos bois sont perdus. Aussi
MM. Gravelot ont-ils de la chance pour le gain de
leur procès, car ils disent : « Aux termes du bail, la garde
des bois est à votre charge ; vous ne les gardez pas, vous
me faites un tort ; donnez-moi des dommages-intérêts. »
C'est assez juste, mais ce n'est pas une raison pour gagner
un procès.

— Il faut savoir accepter un procès et y perdre de
l'argent pour n'en plus avoir à l'avenir !... dit le général.

— Vous rendrez Gaubertin bien heureux, répondit
Sibilet.

— Comment ?

— Plaider contre les Gravelot, c'est vous battre corps
à corps avec Gaubertin qui les représente, reprit Sibilet ;
aussi ne désire-t-il rien tant que ce procès. Il l'a dit, il se
flatte de vous mener jusqu'en Cour de cassation.

— Ah ! le coquin !... le...

— Si vous voulez exploiter, dit Sibilet en retournant
le poignard dans la plaie, vous serez dans les mains des
ouvriers qui vous demanderont *le prix bourgeois*, au lieu
du *prix marchand*, et qui vous *couleront du plomb*, c'est-à-
dire qui vous mettront, comme ce brave Mariotte, dans
la situation de vendre à perte. Si vous cherchez un bail,
vous ne trouverez pas de preneurs, car ne vous attendez
pas à ce qu'on risque pour un particulier ce que le père
Mariotte a risqué pour la Couronne et pour l'État. Et,
encore, que le bonhomme aille donc parler de ses pertes
à l'Administration ! L'Administration est un monsieur
qui ressemble à votre serviteur quand il était au Cadastre,
un digne homme en redingote râpée qui lit le journal
devant une table. Que le traitement soit de douze cents

ou de douze mille francs, on n'en est pas plus tendre. Parlez donc de réductions, d'adoucissements au Fisc représenté par ce monsieur ?... il vous répond *turlututu*, en taillant sa plume. Vous êtes *hors la loi*, monsieur le comte.

— Que faire ? s'écria le général dont le sang bouillonnait et qui se mit à marcher à grands pas devant le banc.

— Monsieur le comte, répondit Sibilet brutalement, ce que je vais vous dire n'est pas dans mes intérêts, il faut vendre les Aigues et quitter le pays !

En entendant cette phrase, le général fit un bond sur lui-même, comme si quelque balle l'eût atteint, et il regarda Sibilet d'un air diplomatique.

— Un général de la Garde impériale lâcher pied devant de pareils drôles, et quand Mme la comtesse se plaît aux Aigues !... dit-il enfin, j'irais plutôt souffleter Gaubertin sur la place de La-Ville-aux-Fayes, jusqu'à ce qu'il se batte avec moi pour pouvoir le tuer comme un chien !

— Monsieur le comte, Gaubertin n'est pas si sot que de se commettre avec vous. D'ailleurs, on n'insulte pas impunément le maire d'une sous-préfecture aussi importante que La-Ville-aux-Fayes.

— Je le ferai destituer, les Troisville me soutiendront, il s'agit de mes revenus...

— Vous n'y réussiriez pas, Gaubertin a les bras bien longs ! et vous vous seriez créé des embarras d'où vous ne pourriez plus sortir...

— Et le procès ?... dit le général, il faut songer au présent.

— Monsieur le comte, je vous le ferai gagner, dit Sibilet d'un petit air entendu.

— Brave Sibilet, dit le général en donnant une poignée de main à son régisseur. Et comment ?

— Vous le gagnerez à la Cour de cassation, par la procédure. Selon moi, les Gravelot ont raison, mais il ne suffit pas d'être fondé en Droit et en Fait, il faut s'être mis en règle par la Forme, et ils ont négligé la Forme qui toujours emporte le Fond. Les Gravelot devaient vous mettre en demeure de mieux garder les bois. On ne demande pas une indemnité à fin de bail relativement à des dommages reçus pendant une exploitation de neuf ans, il se trouve un article du bail dont on peut exciper à cet égard. Vous perdrez à La-Ville-aux-Fayes, vous perdrez peut-être encore à la Cour ; mais vous gagnerez à

Paris. Vous aurez des expertises coûteuses, des frais ruineux. Tout en gagnant, vous dépenserez plus de douze à quinze mille francs ; mais vous gagnerez, si vous tenez à gagner. Ce procès ne vous conciliera pas les Gravelot, car il sera plus ruineux pour eux que pour vous, vous deviendrez leur bête noire, vous passerez pour processif, on vous calomniera ; mais vous gagnerez...

— Que faire ? répéta le général sur qui les argumentations de Sibilet produisaient l'effet des plus violents topiques.

Dans ce moment, en se souvenant des coups de cravache sanglés à Gaubertin, il aurait voulu se les être donnés à lui-même, et il montrait sur son visage en feu tous ses tourments à Sibilet.

— Que faire, monsieur le comte ?... Il n'y a qu'un moyen, transiger ; mais vous ne pouvez pas transiger par vous-même. Je dois avoir l'air de vous voler ! Or, quand toute notre fortune et notre consolation sont dans notre probité, nous ne pouvons guère, nous autres pauvres diables, accepter l'apparence de la friponnerie. On nous juge toujours sur les apparences. Gaubertin a, dans le temps, sauvé la vie à Mlle Laguerre, et il a eu l'air de la voler ; aussi l'a-t-elle récompensé de son dévouement en le couchant sur son testament pour un solitaire de dix mille francs que Mme Gaubertin porte en ferronnière.

Le général jeta sur Sibilet un second regard tout aussi diplomatique que le premier, mais le régisseur ne paraissait pas atteint par cette défiance enveloppée de bonhomie et de sourires.

— Mon improbité réjouirait tant M. Gaubertin, que je m'en ferais un protecteur, reprit Sibilet. Aussi m'écoutera-t-il de ses deux oreilles, quand je lui soumettrai cette proposition : « Je peux arracher à monsieur le comte vingt mille francs pour MM. Gravelot à la condition qu'ils les partageront avec moi. » Si nos adversaires consentent, je vous apporte dix mille francs, vous n'en perdez que dix mille, vous sauvez les apparences, et le procès est éteint.

— Tu es un brave homme, Sibilet, dit le général en lui prenant la main et la lui serrant. Si tu peux arranger l'avenir aussi bien que le présent, je te tiens pour la perle des régisseurs !...

— Quant à l'avenir, reprit le régisseur, vous ne mourrez pas de faim pour ne pas faire de coupes pendant deux

ou trois ans. Commencez par bien garder vos bois. D'ici
là, certes, il aura coulé de l'eau dans l'Avonne. Gaubertin
peut mourir, il peut se trouver assez riche pour se retirer ;
enfin, vous avez le temps de lui susciter un concurrent,
le gâteau est assez beau pour être partagé, vous chercherez
un autre Gaubertin à lui opposer.

— Sibilet, dit le vieux soldat émerveillé de ces diverses
solutions, je te donne mille écus si tu termines ainsi ; puis,
pour le surplus, nous y réfléchirons.

— Monseigneur le comte, dit Sibilet, avant tout, gardez vos bois. Allez voir dans quel état les paysans les ont
mis pendant vos deux ans d'absence... Que pouvais-je
faire ? je suis régisseur, je ne suis pas garde. Pour garder
les Aigues, il vous faut un garde-général à cheval et
trois gardes particuliers...

— Nous vous défendrons. C'est la guerre, eh ! bien,
nous la ferons ! Ça ne m'épouvante pas, dit Montcornet
en se frottant les mains.

— C'est la guerre des écus, dit Sibilet, et celle-là vous
semblera plus difficile que l'autre. On tue les hommes,
on ne tue pas les intérêts. Vous vous battrez avec votre
ennemi sur le champ de bataille où combattent tous les
propriétaires, *la réalisation !* Ce n'est rien que de produire,
il faut vendre, et pour vendre, il faut être en bonnes relations avec tout le monde.

— J'aurai les gens du pays pour moi...

— Et comment ?... demanda Sibilet.

— En leur faisant du bien.

— Faire du bien aux paysans de la vallée, aux petits
bourgeois de Soulanges ?... dit Sibilet en louchant hor-
riblement par l'effet de l'ironie qui flamba plus dans un
œil que dans l'autre. Monsieur le comte ne sait pas ce qu'il
entreprend, notre Seigneur Jésus-Christ y périrait une
seconde fois sur la croix !... Si vous voulez votre tranquillité, monsieur le comte, imitez feu Mlle Laguerre,
laissez-vous piller, ou faites peur aux gens. Le peuple,
les femmes et les enfants se gouvernent de même, par la
terreur. Ce fut là le grand secret de la Convention et de
l'Empereur.

— Ah ! çà, nous sommes donc dans la forêt de Bondy ?
s'écria Montcornet.

— Mon ami, vint dire Adeline à Sibilet, ton déjeuner
t'attend. Pardonnez-moi, monsieur le comte ; mais il n'a
rien pris depuis ce matin, et il est allé jusqu'à Ronquerolles
pour y livrer du grain.

— Allez! allez! Sibilet.

Le lendemain matin, levé bien avant le jour, l'ancien cuirassier revint par la porte d'Avonne, dans l'intention de causer avec son unique garde, et d'en sonder les dispositions.

Une portion de sept à huit cents arpents de la forêt des Aigues longeait l'Avonne, et pour conserver à la rivière sa majestueuse physionomie, on avait laissé de grands arbres en bordure, d'un côté comme de l'autre de ce canal, presque en droite ligne, pendant trois lieues. La maîtresse de Henri IV, à qui les Aigues avaient appartenu, folle de la chasse autant que le Béarnais, fit bâtir en 1593 un pont d'une seule arche et en dos d'âne, pour passer de cette partie de la forêt à celle beaucoup plus considérable, achetée pour elle et située sur la colline. La porte d'Avonne fut alors construite pour servir de rendez-vous de chasse, et l'on sait quelle magnificence les architectes déployaient pour ces édifices consacrés au plus grand plaisir de la Noblesse et de la Couronne. De là partaient six avenues dont la réunion formait une demi-lune. Au centre de cette demi-lune s'élevait un obélisque surmonté d'un soleil jadis doré, qui, d'un côté, présentait les armes de Navarre, et de l'autre celles de la comtesse de Moret. Une autre demi-lune, pratiquée au bord de l'Avonne, correspondait à celle du rendez-vous par une allée droite au bout de laquelle se voyait la croupe anguleuse de ce pont à la vénitienne.

Entre deux belles grilles, d'un caractère semblable à celui de la magnifique grille si malheureusement démolie à Paris et qui entourait le jardin de la place Royale, s'élevait un pavillon en briques, à chaînes de pierre taillée, comme celle du château, en pointes de diamant, à toit très aigu, dont les fenêtres offraient des encadrements en pierres taillées de la même manière. Ce vieux style, qui donnait au pavillon un caractère royal, ne va bien, dans les villes, qu'aux prisons; mais au milieu des bois il reçoit de l'entourage une splendeur particulière. Un massif formait un rideau derrière lequel le chenil, une ancienne fauconnerie, une faisanderie, et les logements des piqueurs tombaient en ruine, après avoir fait l'admiration de la Bourgogne.

En 1595, de ce splendide pavillon, partit une chasse royale, précédée de ces beaux chiens affectionnés par Paul Véronèse et par Rubens, où piaffaient les chevaux à grosse croupe bleuâtre et blanche et satinée qui n'existent

que dans l'œuvre prodigieuse de Wouwermans, suivie de
ces valets en grande livrée, animée par ces piqueurs à
bottes en chaudron et en culottes de peau jaune qui
meublent les Vandermeulen. L'obélisque élevé pour célé-
brer le séjour du Béarnais et sa chasse avec la belle comtesse de Moret en donnait la date au-dessous des armes
de Navarre. Cette jalouse maîtresse, dont le fils fut légi-
timé, ne voulut pas y voir figurer les armes de France, sa
condamnation.

Au moment où le général aperçut ce magnifique monument, la mousse verdissait les quatre pans du toit. Les
pierres des chaînes rongées par le temps paraissaient crier
à la profanation par mille bouches ouvertes. Les vitraux
de plomb disjoints laissaient tomber les verres octogones
des croisées qui semblaient éborgnées. Des giroflées
jaunes fleurissaient entre les balustres, des lierres glis-
saient leurs griffes blanches et poilues dans tous les trous.

Tout accusait cette ignoble incurie, le cachet mis par
les usufruitiers à tout ce qu'ils possèdent. Deux croisées
au premier étage étaient bouchées par du foin. Par une
fenêtre du rez-de-chaussée, on apercevait une pièce pleine
d'outils, de fagots; et par une autre, une vache, en montrant son mufle, apprenait que Courtecuisse, pour ne pas
faire le chemin qui séparait le pavillon de la faisanderie,
avait converti la grande salle du pavillon en étable, une
salle plafonnée en caissons, au fond desquels étaient
peintes les armoiries de tous les possesseurs des Aigues!...

De noirs et sales palis déshonoraient les abords du
pavillon en enfermant des cochons sous des toits en
planches, des poules, des canards dans de petits carrés
dont le fumier s'enlevait tous les six mois. Des guenilles
séchaient sur les ronces qui poussaient effrontément, çà
et là.

Au moment où le général arriva par l'avenue du pont,
Mme Courtecuisse récurait un poêlon dans lequel elle
venait de faire du café au lait. Le garde, assis sur une
chaise au soleil, regardait sa femme, comme un Sauvage
eût regardé la sienne. Quand il entendit le pas d'un cheval,
il tourna la tête, reconnut monsieur le comte, et se trouva
penaud.

— Eh! bien, Courtecuisse, mon garçon, dit le général
au vieux garde, je ne m'étonne pas que l'on coupe mes
bois avant MM. Gravelot, tu prends ta place pour un
canonicat!...

— Ma foi, monsieur le comte, j'ai passé tant de nuits

dans vos bois, que j'y ai attrapé une fraîcheur. Je souffre
tant ce matin, que ma femme nettoie le poêlon dans lequel
a chauffé mon cataplasme.

— Mon cher, lui dit le général, je ne connais d'autre
maladie que la faim à laquelle les cataplasmes de café au
lait soient bons. Ecoute, drôle. J'ai visité hier ma forêt et
celles de MM. de Ronquerolles et de Soulanges, les
leurs sont parfaitement gardées, et la mienne est dans un
état pitoyable.

— Ah! monsieur le comte, ils sont anciens dans le pays,
eux! on respecte leurs biens. Comment voulez-vous que
je me batte avec six communes ? J'aime encore mieux ma
vie que vos bois. Un homme qui voudrait garder vos
bois comme il faut attraperait pour gages une balle dans
la tête au coin de votre forêt...

— Lâche! reprit le général en domptant la fureur que
cette insolente réplique de Courtecuisse allumait en lui.
Cette nuit a été magnifique, mais elle me coûte cent écus
pour le présent, et mille francs en dommage dans l'avenir.
Vous vous en irez d'ici, mon cher, ou les choses vont
changer. A tout péché, miséricorde. Voici mes conditions.
Je vous abandonne le produit des amendes, et en outre
vous aurez trois francs par procès-verbal. Si je n'y trouve
pas mon compte, vous aurez le vôtre et sans pension ;
tandis que si vous me servez bien, si vous parvenez à
réprimer les dégâts, vous pouvez avoir cent écus de viager.
Faites vos réflexions. Voilà six chemins, dit-il en montrant les six allées, il faut n'en prendre qu'un, comme
moi qui n'ai pas craint les balles, tâchez de trouver le
bon !

Courtecuisse, petit homme de quarante-six ans, à figure
de pleine lune, se plaisait beaucoup à ne rien faire. Il
comptait vivre et mourir dans ce pavillon, devenu son
pavillon. Ses deux vaches étaient nourries par la forêt, il
avait son bois, il cultivait son jardin au lieu de courir
après les délinquants. Cette incurie allait à Gaubertin,
et Courtecuisse avait compris Gaubertin. Le garde ne
faisait donc la chasse aux fagoteurs que pour satisfaire
ses petites haines. Il poursuivait les filles rebelles à ses
volontés et les gens qu'il n'aimait point ; mais depuis longtemps il ne haïssait plus personne, aimé de tout le monde,
à cause de sa facilité.

Le couvert de Courtecuisse était toujours mis au
Grand-I-Vert, les fagoteuses ne lui résistaient plus, sa
femme et lui recevaient des cadeaux en nature de tous les

maraudeurs. On lui rentrait son bois, on façonnait sa
vigne. Enfin, il trouvait des serviteurs dans tous ses
délinquants. Presque rassuré par Gaubertin sur son avenir
et comptant sur deux arpents quand les Aigues se ven-
draient, il fut donc réveillé comme en sursaut par la sèche
parole du général qui dévoilait enfin, après quatre ans,
sa nature de bourgeois résolu de n'être plus trompé.

Courtecuisse prit sa casquette, sa carnassière, son fusil,
mit ses guêtres, sa bandoulière aux armes récentes des
Montcornet, et alla jusqu'à La-Ville-aux-Fayes de ce pas
insouciant sous lequel les gens de la campagne cachent
leurs réflexions les plus profondes, regardant les bois et
sifflotant ses chiens.

— Tu te plains du Tapissier, dit Gaubertin à Courtecuisse, et ta fortune est faite! Comment, l'imbécile te
donne trois francs par procès-verbal et les amendes! en
t'entendant avec des amis, tu peux en dresser tant que tu
voudras, une centaine! Avec mille francs, tu pourras acheter la Bâchelerie à Rigou, devenir bourgeois. Seulement
arrange-toi pour ne poursuivre que des gens nus comme
des œufs. On ne tond rien sur ce qui n'a pas de laine.
Prends ce que t'offre le Tapissier, et laisse-lui récolter des
frais, s'il les aime. Tous les goûts sont dans la nature. Le
père Mariotte, malgré mon avis, n'a-t-il pas mieux aimé
réaliser des pertes que des bénéfices ?...

Courtecuisse pénétré d'admiration pour Gaubertin,
revint tout brûlant du désir d'être enfin propriétaire, et
bourgeois comme les autres.

En rentrant chez lui, le général Montcornet vint conter
son expédition à Sibilet.

— Monsieur le comte a bien fait, reprit le régisseur
en se frottant les mains, mais il ne faut pas s'arrêter en si
beau chemin. Le garde champêtre qui laisse dévaster nos
prés, nos champs, devrait être chassé. Monsieur le comte
pourrait se faire facilement nommer maire de la commune
et prendre, à la place de Vaudoyer, un ancien soldat qui
eût le courage d'exécuter la consigne. Un grand propriétaire doit être maire chez lui. Voyez quelles difficultés
nous avons avec le maire actuel!...

Le maire de la commune de Blangy, ancien bénédictin
nommé Rigou, s'était marié, l'an Ier de la République,
avec la servante de l'ancien curé de Blangy. Malgré la
répugnance qu'un religieux marié devait inspirer à la Préfecture, on le maintenait maire depuis 1815, car lui seul
à Blangy se trouvait capable d'occuper ce poste. Mais, en

1817, l'Evêque ayant envoyé l'abbé Brossette pour desservir dans la paroisse de Blangy privée de curé depuis vingt-cinq ans, une violente dissidence se manifesta naturellement entre un apostat et le jeune ecclésiastique dont le caractère est déjà connu.

La guerre que, depuis ce temps, se faisaient la Mairie et le Presbytère, popularisa le magistrat, méprisé jusqu'alors. Rigou, que les paysans détestaient à cause de ses combinaisons usuraires, représenta tout à coup leurs intérêts politiques et financiers soi-disant menacés par la Restauration, et surtout par le clergé.

Après avoir roulé du *Café de la Paix* chez tous les fonctionnaires, *le Constitutionnel*, principal organe du libéralisme, revenait à Rigou le septième jour, car l'abonnement, pris au nom du père Socquard le limonadier, était supporté par vingt personnes. Rigou passait la feuille à Langlumé le meunier, qui la donnait en lambeaux à tous ceux qui savaient lire. Les premiers-Paris et les canards anti-religieux de la feuille libérale formèrent donc l'opinion publique de la vallée des Aigues. Aussi Rigou, de même que le *vénérable* abbé Grégoire, devint-il un héros. Pour lui, comme pour certains banquiers à Paris, la politique couvrit de la pourpre populaire des déprédations honteuses.

En ce moment, semblable à François Keller, le grand orateur, ce moine parjure était regardé comme un défenseur des droits du peuple, lui qui naguère ne se serait pas promené dans les champs, à la tombée de la nuit, de peur d'y trouver un piège où il serait mort d'accident. Persécuter un homme, en politique, ce n'est pas seulement le grandir, c'est encore en innocenter le passé. Le parti libéral, sous ce rapport, fut un grand faiseur de miracles. Son funeste journal, qui eut alors l'esprit d'être aussi plat, aussi calomniateur, aussi crédule, aussi niaisement perfide que tous les publics qui composent les masses populaires, a peut-être commis autant de ravages dans les intérêts privés que dans l'Eglise.

Rigou s'était flatté de trouver dans un général bonapartiste en disgrâce, dans un enfant du peuple élevé par la Révolution, un ennemi des Bourbons et des prêtres; mais le général, dans l'intérêt de ses ambitions secrètes, s'arrangea pour éviter la visite de M. et de Mme Rigou pendant ses premiers séjours aux Aigues.

Quand vous verrez de près la terrible figure de Rigou, le Loup-cervier de la vallée, vous comprendrez l'étendue de la seconde faute capitale que ses idées aristocratiques firent commettre au général et que la comtesse empira par une impertinence qui trouvera sa place dans l'histoire de Rigou.

Si Montcornet eût capté la bienveillance du maire, s'il en eût recherché l'amitié, peut-être l'influence de ce renégat aurait-elle paralysé celle de Gaubertin. Loin de là, trois procès, dont un déjà gagné par Rigou, pendaient au tribunal de La-Ville-aux-Fayes, entre le général et l'ex-moine. Jusqu'à ce jour, Montcornet avait été si fort occupé par ses intérêts de vanité, par son mariage, qu'il ne s'était plus souvenu de Rigou; aussitôt que le conseil de se substituer à Rigou lui fut donné par Sibilet, il demanda des chevaux de poste et alla faire une visite au Préfet.

Le Préfet, le comte Martial de la Roche-Hugon, était l'ami du général depuis 1804. Ce fut un mot dit à Montcornet par ce Conseiller-d'Etat, dans une conversation à Paris, qui détermina l'acquisition des Aigues. Le comte Martial, préfet sous Napoléon, resté préfet sous les Bourbons, flattait l'évêque pour se maintenir en place. Or, déjà Monseigneur avait plusieurs fois demandé le changement de Rigou. Martial, à qui l'état de la commune était bien connu, fut enchanté de la demande du général qui, dans l'espace d'un mois, eut sa nomination.

Par un hasard assez naturel, le général rencontra, pendant son séjour à la Préfecture où son ami logeait, un sous-officier de l'ex-Garde impériale à qui l'on chicanait sa pension de retraite. Déjà, dans une circonstance, le général avait protégé ce brave cavalier nommé Groison, qui s'en souvenait et qui lui conta ses douleurs, il se trouvait sans ressources. Montcornet promit à Groison de lui obtenir la pension due, et lui proposa la place de garde champêtre à Blangy, comme un moyen de s'acquitter en se dévouant à ses intérêts. L'installation du nouveau maire et du nouveau garde champêtre eut lieu simultanément, et le général donna, comme on le pense, de solides instructions à son soldat.

Vaudoyer, le garde champêtre destitué, paysan de Ronquerolles, n'était, comme la plupart des gardes champêtres, propre qu'à se promener, niaiser, se faire choyer par les pauvres qui ne demandent pas mieux que de corrompre cette autorité subalterne, la sentinelle avancée de la Propriété. Il connaissait le brigadier de Soulanges, car les brigadiers de gendarmerie, remplissant des fonctions quasi judiciaires dans l'instruction des procès criminels, ont des rapports avec les gardes champêtres, leurs espions naturels ; Soudry l'envoya donc à Gaubertin qui reçut très bien Vaudoyer son ancienne connaissance, et lui fit verser à boire, tout en écoutant le récit de ses malheurs.

— Mon cher ami, lui dit le maire de La-Ville-aux-Fayes qui savait parler à chacun son langage, ce qui t'arrive nous attend tous. Les nobles sont revenus, les gens titrés par l'Empereur font cause commune avec eux ; ils veulent tous écraser le peuple, rétablir les anciens droits, nous ôter nos biens ; mais nous sommes Bourguignons, il faut nous défendre, il faut renvoyer les *Arminacs* à Paris. Retourne à Blangy, tu seras garde-vente pour le compte de M. Polissard, l'adjudicataire des bois de Ronquerolles. Va, mon gars, je trouverai bien à t'occuper toute l'année. Mais songes-y ! C'est des bois à nous autres !... Pas un délit ou sinon confonds tout. Envoie les *faiseurs de bois* aux Aigues. Enfin, s'il y a des fagots à vendre, qu'on achète les nôtres, et jamais ceux des Aigues. Tu redeviendras garde champêtre, ça ne durera pas ! Le général se dégoûtera de vivre au milieu des voleurs ! Sais-tu que ce Tapissier-là m'a appelé voleur, moi fils du plus probe des républicains, moi le gendre de Mouchon, le fameux représentant du Peuple, mort sans un centime pour se faire enterrer.

Le général porta le traitement de *son* garde-champêtre à trois cents francs, et fit bâtir une mairie où il le logea ; puis il le maria à la fille d'un de ses métayers qui venait de mourir, et qui restait orpheline avec trois arpents de vigne. Groison s'attacha donc au général comme un chien à son maître. Cette fidélité légitime fut admise par toute la commune. Le garde champêtre fut craint, respecté, mais, comme un capitaine sur son vaisseau, quand son équipage ne l'aime pas ; aussi les paysans le traitèrent-ils en lépreux. Ce fonctionnaire, accueilli par le silence ou par une raillerie cachée sous la bonhomie, fut une sentinelle surveillée par d'autres sentinelles. Il ne pouvait rien contre le nombre. Les délinquants s'amusèrent à comploter des délits inconstatables, et la vieille moustache enragea de son impuissance. Groison trouva dans ses fonctions l'attrait d'une guerre de partisans, et le plaisir d'une chasse, la chasse aux délits. Accoutumé par la guerre à cette loyauté qui consiste en quelque sorte à jouer franc jeu, cet ennemi de la trahison prit en haine des gens perfides dans leurs combinaisons, adroits dans leurs vols

et qui faisaient souffrir son amour-propre. Il remarqua
bientôt que toutes les autres propriétés étaient respectées,
les délits se commettaient uniquement sur les terres des
Aigues ; il méprisa donc les paysans assez ingrats pour
piller un général de l'Empire, un homme essentiellement
bon, généreux, et il joignit bientôt la haine au mépris.
Mais il se multiplia vainement, il ne pouvait se montrer
partout, et les ennemis *délinquaient* partout à la fois. Groison fit sentir à son général la nécessité d'organiser la
défense au complet de guerre, en lui démontrant l'insuf-
fisance de son dévouement, et lui révélant les mauvaises
dispositions des habitants de la vallée.

— Il y a quelque chose là-dessous, mon général, lui
dit-il, ces gens-là sont trop hardis, ils ne craignent rien ;
ils ont l'air de compter sur le bon Dieu !

— Nous verrons, répondit le comte.

Mot fatal ! pour les grands politiques, le verbe *voir* n'a
pas de futur.

En ce moment, Montcornet devait résoudre une difficulté qui lui sembla plus pressante, il lui fallait un *alter ego*
qui le remplaçât à la Mairie pendant le temps de son séjour
à Paris. Forcé de trouver pour adjoint un homme sachant
lire et écrire, il ne vit dans toute la commune que Langlumé, le locataire de son moulin. Ce choix fut détestable.
Non seulement les intérêts du général-maire et de l'adjoint-
meunier étaient diamétralement opposés, mais encore
Langlumé brassait de louches affaires avec Rigou qui lui
prêtait l'argent nécessaire à son commerce ou à ses acquisitions. Le meunier achetait la tonte des prés du château
pour nourrir ses chevaux ; et, grâce à ses manœuvres,
Sibilet ne pouvait les vendre qu'à lui. Tous les prés de la
commune étaient livrés à de bons prix avant ceux des
Aigues ; et ceux des Aigues, restant les derniers, subis-
saient, quoique meilleurs, une dépréciation. Langlumé
fut donc un adjoint provisoire ; mais, en France, le provisoire est éternel, quoique le Français soit soupçonné
d'aimer le changement. Langlumé, conseillé par Rigou,
joua le dévouement auprès du général, il se trouvait donc
adjoint au moment où, par la toute-puissance de l'historien, ce drame commence.

En l'absence du maire, Rigou, nécessairement membre
du conseil de la commune, y régna donc et fit prendre
des résolutions contraires au général. Tantôt il y déter-
minait des dépenses profitables aux paysans seulement
et dont la plus forte part tombait à la charge des Aigues

qui, par leur étendue, payaient les deux tiers de l'impôt;
tantôt on y refusait des allocations utiles, comme un
supplément de traitement à l'abbé, la reconstruction du
presbytère, ou les gages *(sic)* d'un maître d'école.

— Si les paysans savaient lire et écrire, que devien-
drions-nous ?... dit Langlumé naïvement au général pour
justifier cette décision anti-libérale prise contre un frère
de la Doctrine chrétienne que l'abbé Brossette avait tenté
d'introduire à Blangy.

De retour à Paris, le général, enchanté de son vieux
Groison, se mit à la recherche de quelques anciens militaires de la Garde impériale avec lesquels il pût organiser
sa défense aux Aigues sur un pied formidable. A force
de chercher, de questionner des amis et des officiers en
demi-solde, il déterra Michaud, un ancien maréchal des
logis-chef aux cuirassiers de la Garde, un homme de ceux
que les troupiers appellent soldatesquement des *durs à
cuire*, surnom fourni par la cuisine du bivouac, où il s'est
plus d'une fois trouvé des haricots réfractaires. Michaud
tria parmi ses connaissances trois hommes capables d'être
ses collaborateurs et de faire des gardes sans peur et sans
reproche.

Le premier, nommé Steingel, Alsacien pur sang, était
fils naturel du général de ce nom, qui succomba lors des
premiers succès de Bonaparte, au début des campagnes
d'Italie. Grand et fort, il appartenait à ce genre de soldats
habitués comme les Russes à l'obéissance absolue et pas-
sive. Rien ne l'arrêtait dans l'exécution de ses devoirs, il
eût empoigné froidement un empereur ou le pape, si tel
avait été l'ordre. Il ignorait le péril. Légionnaire intrépide,
il n'avait pas reçu la moindre égratignure en seize ans de
guerre. Il couchait à la belle étoile ou dans son lit avec une
indifférence stoïque. Il disait seulement à toute aggrava-
tion de peine : « Il paraît que c'est aujourd'hui comme
ça ! »

Le second, nommé Vatel, enfant de troupe, caporal de
voltigeurs, gai comme un pinson, d'une conduite un peu
légère avec le beau sexe, sans aucun principe religieux,
brave jusqu'à la témérité, vous aurait fusillé son camarade
en riant. Sans avenir, ne sachant quel état prendre, il vit
une petite guerre amusante à faire dans les fonctions qui
lui furent proposées; et comme la Grande Armée et
l'Empereur remplaçaient pour lui la Religion, il jura de
servir envers et contre tous le brave Montcornet. C'était
une de ces natures essentiellement chicanières à qui, sans

ennemis, la vie semble fade, enfin la nature-avoué, la nature-agent de police. Aussi, sans la présence de l'huissier, aurait-il saisi la Tonsard et son fagot au milieu du Grand-I-Vert, en envoyant promener la loi sur l'inviolabilité du domicile.

Le troisième, nommé Gaillard, vieux soldat devenu sous-lieutenant, criblé de blessures, appartenait à la classe des soldats-laboureurs. En pensant au sort de l'Empereur, tout lui semblait indifférent; mais il allait aussi bien par insouciance que Vatel par passion. Chargé d'une fille naturelle, il trouva dans cette place un moyen d'existence, et il accepta comme il eût accepté du service dans un régiment.

En arrivant aux Aigues, où le général devança ses troupiers afin de renvoyer Courtecuisse, il fut stupéfait de l'impudente audace de son garde. Il existe une manière d'obéir qui comporte, chez l'esclave, la raillerie la plus sanglante du commandement. Tout, dans les choses humaines, peut arriver à l'absurde, et Courtecuisse en avait dépassé les limites.

Cent vingt-six procès-verbaux dressés contre les délinquants, la plupart d'accord avec Courtecuisse, et déférés au tribunal de paix jugeant correctionnellement à Soulanges, avaient donné lieu à soixante-neuf jugements en règle, levés, expédiés, en vertu desquels Brunet, enchanté d'une si bonne aubaine, avait fait les actes rigoureusement nécessaires pour arriver à ce qu'on nomme, en style judiciaire, des procès-verbaux de carence, extrémité misérable où cesse le pouvoir de la justice. C'est un acte par lequel l'huissier constate que la personne poursuivie ne possède rien, et se trouve dans la nudité de l'indigence. Or, là où il n'y a rien, le créancier, de même que le roi, perd ses droits... de poursuite. Ces indigents, choisis avec discernement, demeuraient dans cinq communes environnantes où l'huissier s'était transporté, dûment assisté de ses praticiens, Vermichel et Fourchon. M. Brunet avait transmis les pièces à Sibilet en les accompagnant d'un mémoire de frais de cinq mille francs, et le priant de demander de nouveaux ordres au comte de Montcornet.

Au moment où Sibilet, muni des dossiers, avait expliqué tranquillement au patron le résultat des ordres trop sommairement donnés à Courtecuisse, et contemplait d'un air tranquille une des plus violentes colères qu'un général de cavalerie française ait eue, Courtecuisse arriva pour rendre ses devoirs à son maître et lui demander environ onze

cents francs, somme à laquelle montaient les gratifications
promises. Le naturel prit alors le mors aux dents et
emporta le général qui ne se souvint plus de sa couronne
comtale ni de son grade, il redevint cuirassier et vomit des
injures dont il devait être honteux plus tard.

— Ah! quatre cents francs! quatre cent mille gifles!...
quatre cent mille coups de pieds au... Crois-tu que je ne
connaisse pas les couleurs!... Tourne-moi les talons ou
je t'aplatis!

A l'aspect du général devenu violet, et dès les premiers
mots, Courtecuisse s'était enfui comme une hirondelle.

— Monsieur le comte, disait Sibilet tout doucement,
vous avez tort.

— Moi, tort ?...

— Mon Dieu, monsieur le comte, prenez garde, vous
aurez un procès avec ce drôle...

— Je me moque bien des procès... Allez, que le gredin sorte à l'instant même, veillez à ce qu'il laisse tout ce
qui m'appartient, et faites le compte de ses gages.

Quatre heures après, la contrée tout entière babillait
à sa manière en racontant cette scène. Le général avait,
disait-on, assommé Courtecuisse, il lui refusait son dû,
il lui devait deux mille francs.

De nouveau, les propos les plus singuliers coururent
sur le compte du bourgeois des Aigues. On le disait fou.
Le lendemain, Brunet, qui avait instrumenté pour le
compte du général, lui apportait pour le compte de Courtecuisse une assignation devant le tribunal de paix. Ce
lion devait être piqué par mille mouches, son supplice
ne faisait que commencer.

L'installation d'un garde ne va pas sans quelques formalités, il doit prêter serment au tribunal de Première
Instance, il se passa donc quelques jours avant que les
trois gardes fussent revêtus de leur caractère officiel.
Quoique le général eût écrit à Michaud de venir avec sa
femme sans attendre que le pavillon de la porte d'Avonne
fût arrangé pour le recevoir, le futur garde-général fut
retenu par les soins de son mariage, par les parents de sa
femme venus à Paris, et il ne put arriver qu'après une
quinzaine de jours. Durant cette quinzaine prise par
l'accomplissement des formalités auxquelles on se prêta
d'assez mauvaise grâce à La-Ville-aux-Fayes, la forêt des
Aigues fut dévastée par les maraudeurs qui profitèrent
du temps pendant lequel elle ne fut gardée par personne.

Ce fut un grand événement dans la vallée, depuis

Couches jusqu'à La-Ville-aux-Fayes, que l'apparition de trois gardes habillés en drap vert, la couleur de l'Empereur, magnifiquement tenus, et dont les figures annonçaient un caractère solide, tous bien en jambes, agiles, capables de passer les nuits dans les bois.

Dans tout le canton, Groison fut le seul qui fêta les vétérans. Enchanté d'un tel renfort, il lâcha quelques paroles menaçantes contre les voleurs qui, dans peu de temps, devaient se trouver serrés de près et mis dans l'impossibilité de nuire. Ainsi, la proclamation d'usage ne manqua pas à cette guerre, vive et sourde à la fois.

Sibilet signala la gendarmerie de Soulanges au général, et surtout le brigadier Soudry comme entièrement et sournoisement hostile aux Aigues, il lui fit sentir de quelle utilité lui serait une brigade animée d'un bon esprit.

— Avec un bon brigadier et des gendarmes dévoués à vos intérêts, vous tiendrez le pays!... dit-il.

Le comte courut à la Préfecture où il obtint du général qui commandait la Division la mise à la retraite de Soudry et son remplacement par un nommé Viollet, excellent gendarme du chef-lieu que vantèrent le général et le préfet. Les gendarmes de la brigade de Soulanges, tous dirigés sur d'autres points du département par le colonel de la gendarmerie, ancien camarade de Montcornet, eurent pour successeurs des hommes choisis, à qui l'ordre fut donné secrètement de veiller à ce que les propriétés du comte de Montcornet ne reçussent désormais aucune atteinte, et à qui l'on recommanda surtout de ne pas se laisser gagner par les habitants de Soulanges.

Cette dernière révolution, accomplie avec une rapidité qui ne permit pas de la contrecarrer, jeta l'étonnement dans La-Ville-aux-Fayes et dans Soulanges. Soudry, qui se regarda comme destitué, se plaignit, et Gaubertin trouva le moyen de le faire nommer maire, afin de mettre la gendarmerie à ses ordres. On cria beaucoup à la tyrannie. Montcornet devint un objet de haine. Non seulement cinq ou six existences furent ainsi changées par lui, mais bien des vanités furent froissées. Les paysans, animés par des paroles échappées aux petits bourgeois de Soulanges, à ceux de La-Ville-aux-Fayes, à Rigou, à Langlumé, à M. Guerbet, le maître de poste de Couches, se crurent à la veille de perdre ce qu'ils appelaient leurs droits.

Le général éteignit le procès avec son ancien garde en payant tout ce qu'il réclamait.

Courtecuisse acheta pour deux mille francs un petit domaine enclavé sur des terres des Aigues à un débouché des *remises* par où passait le gibier. Rigou n'avait jamais voulu céder La Bâchelerie; mais il se fit un malicieux plaisir de la vendre à cinquante pour cent de bénéfice à Courtecuisse. Celui-ci devint ainsi l'une de ses nombreuses créatures, car il le tint par le surplus du prix, l'ex-garde n'ayant payé que mille francs.

Les trois gardes, Michaud et le garde champêtre, menèrent alors une vie de guérillas. Couchant dans les bois, ils les parcouraient sans cesse, ils en prenaient cette connaissance approfondie qui constitue la science du garde forestier, qui lui évite les pertes de temps, étudiant les issues, se familiarisant avec les essences et leurs gisements, habituant leurs oreilles aux chocs, aux différents bruits qui se font dans les bois. Enfin, ils observèrent les figures, passèrent en revue les différentes familles des divers villages du canton, et les individus qui les composaient, leurs mœurs, leur caractère, leurs moyens d'existence. Chose plus difficile qu'on ne pense! En voyant prendre des mesures si bien combinées, les paysans, qui vivaient des Aigues, opposèrent un mutisme complet, une soumission narquoise à cette intelligente police.

Dès l'abord, Michaud et Sibilet se déplurent mutuellement. Le franc et loyal militaire, l'honneur des sous-officiers de la Jeune-Garde, haïssait la brutalité mielleuse, l'air mécontent du régisseur, qu'il nomma tout d'abord *le Chinois*. Il remarqua bientôt les objections par lesquelles Sibilet s'opposait aux mesures radicalement utiles et les raisons par lesquelles il justifiait les choses d'une douteuse réussite. Au lieu de calmer le général, Sibilet, ainsi qu'on a dû le voir par ce récit succinct, l'excitait sans cesse et le poussait aux mesures de rigueur, tout en essayant de l'intimider par la multiplicité des ennuis, par l'étendue des petitesses, par des difficultés renaissantes et invincibles. Sans deviner le rôle d'espion et d'agent provocateur accepté par Sibilet, qui, dès son installation, se promit à lui-même de choisir, selon ses intérêts, un maître entre le général et Gaubertin, Michaud reconnut dans le régisseur une nature avide, mauvaise, aussi ne s'en expliquait-il point la probité. La profonde inimitié qui sépara ces deux hauts fonctionnaires plut d'ailleurs au général. La haine de Michaud le portait à surveiller le régisseur, espionnage auquel il ne serait pas descendu si le général le lui avait demandé. Sibilet caressa le garde général et le flatta bassement, sans pouvoir lui faire quitter une excessive politesse que le loyal militaire mit entre eux comme une barrière.

Maintenant, ces détails préliminaires étant connus, on comprendra parfaitement l'intérêt des ennemis du général et celui de la conversation qu'il eut avec ses deux ministres.

pendant de deux lieues environ, sans trouver un lieu quelconque... enfin, lorsque nous arrivons, la fatigue nous
empoignait une bonne...

Maintenant, je ne détaille pas : il suffira... était connu... en
comprimant, paralysant en l'instant des canons... de gre-
nailler, cela de la conservation qu'il eut avec son dernière...

CHAPITRE IX

DE LA MÉDIOCRATIE

— Eh! bien, Michaud, qu'y a-t-il de nouveau? demanda le général quand la comtesse eut quitté la salle à manger.

— Mon général, si vous m'en croyez, nous ne parlerons pas d'affaires ici, les murs ont des oreilles, et je veux avoir la certitude que ce que nous dirons ne tombera que dans les nôtres.

— Eh! bien, répondit le général, allons en nous promenant jusqu'à la Régie par le sentier qui partage la prairie, nous serons certains de ne pas être écoutés...

Quelques instants après, le général traversait la prairie, accompagné de Sibilet et Michaud, pendant que la comtesse allait, entre l'abbé Brossette et Blondet, vers la porte d'Avonne. Michaud raconta la scène qui s'était passée au Grand-I-Vert.

— Vatel a eu tort, dit Sibilet.

— On le lui a bien prouvé, reprit Michaud, en l'aveuglant; mais ceci n'est rien. Vous savez, mon général, notre projet de saisir les bestiaux de tous nos délinquants condamnés; eh! bien, nous ne pourrons jamais y arriver. Brunet, tout comme son confrère Plissoud, ne nous prêtera jamais un loyal concours; ils sauront toujours prévenir les gens de la saisie projetée. Vermichel, le praticien de Brunet, est venu chercher le père Fourchon au Grand-I-Vert, et Marie Tonsard, la bonne amie de Bonnébault, est allée donner l'alarme à Couches. J'étais sous le pont d'Avonne à pêcher en guettant un drôle qui médite un mauvais coup, et j'ai entendu Marie Tonsard criant la nouvelle à Bonnébault, qui, voyant la fille à Tonsard fatiguée d'avoir couru, l'a relayée en s'élançant à Couches. Enfin, les dégâts recommencent.

— Un grand coup d'autorité devient de jour en jour plus nécessaire, dit Sibilet.

— Que vous disais-je ? s'écria le général. Il faut réclamer l'exécution des jugements qui portent des condamnations à la prison, qui prononcent la contrainte par corps pour les dommages-intérêts et pour les frais qui me sont dus.

— Ces gens-là regardent la loi comme impuissante, et se disent les uns aux autres qu'on n'osera pas les arrêter, répliqua Sibilet. Ils s'imaginent vous faire peur ! Ils ont des complices à La-Ville-aux-Fayes, car le Procureur du roi semble avoir oublié les condamnations.

— Je crois, dit Michaud en voyant le général pensif, qu'en dépensant beaucoup d'argent, vous pouvez encore sauver vos propriétés.

— Il faut mieux dépenser de l'argent que de sévir, répondit Sibilet.

— Quel est donc votre moyen ? demanda le général à son garde général.

— Il est bien simple, dit Michaud ; il s'agit d'entourer votre forêt de murs, comme votre parc, et nous serons tranquilles, le moindre délit devient un crime et mène en Cour d'Assises.

— A neuf francs la toise superficielle, rien que pour les matériaux, monsieur le comte dépenserait le tiers du capital des Aigues..., dit Sibilet en riant.

— Allons ! dit Montcornet, je pars à l'instant, je vais voir le Procureur général.

— Le Procureur général, répliqua doucement Sibilet, sera peut-être de l'avis de son Procureur du roi, car une pareille négligence annonce un accord entre eux.

— Eh ! bien, il faut le savoir, s'écria Montcornet. S'il s'agit de faire sauter juges, ministère public, tout jusqu'au Procureur général, j'irai trouver alors le Garde des Sceaux et même le Roi.

Sur un signe énergique que lui fit Michaud, le général dit à Sibilet, en se retournant, un : « Adieu, mon cher ! » que le régisseur comprit.

— Monsieur le comte est-il d'avis, comme Maire, dit le régisseur en saluant, d'exécuter les mesures nécessaires pour réprimer les abus du glanage ? La moisson va commencer, et s'il faut faire publier les arrêtés sur les certificats d'indigence, et sur l'interdiction du glanage aux indigents des communes voisines, nous n'avons pas de temps à perdre.

— Faites, entendez-vous avec Groison ! dit le comte.

Avec de pareilles gens, ajouta-t-il, il faut exécuter stricte-
ment la loi.

Ainsi dans un moment Montcornet donna gain de
cause au système que lui proposait Sibilet depuis quinze
jours et auquel il se refusait, mais qu'il trouva bon dans
le feu de la colère causée par l'accident de Vatel.

Quand Sibilet fut à cent pas, le comte dit tout bas à
son garde :

— Eh ! bien, mon cher Michaud, qu'y a-t-il ?

— Vous avez un ennemi chez vous, général, et vous
lui confiez des projets que vous ne devriez pas dire à
votre bonnet de police.

— Je partage tes soupçons, mon cher ami, répliqua
Montcornet ; mais je ne commettrai pas deux fois la même
faute. Pour remplacer Sibilet, j'attends que tu sois au
fait de la Régie, et que Vatel puisse te succéder. Cependant, qu'ai-je à reprocher à Sibilet ? Il est ponctuel,
probe, il n'a pas détourné cent francs depuis cinq ans.
Il a le plus détestable caractère du monde, et voilà tout ;
autrement, quel serait son plan ?

— Général, dit gravement Michaud, je le saurai, car
il en a bien certainement un ; et, si vous le permettez, un
sac de mille francs le fera dire à ce drôle de Fourchon,
quoique, depuis ce matin, je soupçonne le père Fourchon
de manger à tous les râteliers. On veut vous forcer à
vendre les Aigues, ce vieux fripon de cordier me l'a dit.
Sachez-le ! Depuis Couches jusqu'à La-Ville-aux-Fayes,
il n'est pas de paysan, de petit bourgeois, de fermier, de
cabaretier, qui n'ait son argent prêt pour le jour de la
curée. Fourchon m'a confié que Tonsard, son gendre, a
déjà jeté son dévolu... L'opinion que vous vendrez les
Aigues règne dans la vallée, comme un poison dans l'air.
Peut-être le pavillon de la Régie et quelques terres à
l'alentour, est-il le prix dont est payé l'espionnage de
Sibilet ? Il ne se dit rien entre nous qui ne se sache à
La-Ville-aux-Fayes. Sibilet est parent à votre ennemi,
Gaubertin. Ce qui vient de vous échapper sur le Procureur général sera rapporté peut-être à ce magistrat avant
que vous ne soyez à la Préfecture. Vous ne connaissez
pas les gens de ce canton-ci !

— Je ne les connais pas ?... c'est de la canaille, et
lâcher pied devant de pareils gredins ?... s'écria le général,
ah ! plutôt cent fois brûler moi-même les Aigues !...

— Ne les brûlons pas, et adoptons un plan de conduite
qui déjoue les ruses de ces Lilliputiens. A les entendre

dans leurs menaces, on est décidé à tout contre vous ;
aussi, mon général, puisque vous parlez d'incendie, assu-
rez tous vos bâtiments et toutes vos fermes !

— Ah ! sais-tu, Michaud, ce qu'ils veulent dire avec
leur Tapissier ? Hier, en allant le long de la Thune, j'entendais les petits gars disant : « Voilà le Tapissier !... » et
ils se sauvaient.

— Ce serait à Sibilet à vous répondre, il serait dans
son rôle, car il aime à vous voir en colère, répondit
Michaud d'un air navré ; mais puisque vous me le demandez..., eh ! bien, c'est le surnom que ces brigands-là vous
ont donné, mon général.

— A cause de quoi ?...

— Mais, mon général, à cause de... votre père...

— Ah ! les mâtins !... s'écria le comte devenu blême.
Oui, Michaud, mon père était marchand de meubles,
ébéniste, la comtesse n'en sait rien... Oh ! que jamais...
Et après tout, j'ai fait valser des reines et des impéra-
trices !... je lui dirai tout ce soir ! s'écria-t-il après une
pause.

— Ils prétendent que vous êtes un lâche, reprit
Michaud.

— Ah !

— Ils demandent comment vous avez pu vous sauver
à Essling, là où presque tous les camarades ont péri...

Cette accusation fit sourire le général.

— Michaud, je vais à la Préfecture ! s'écria-t-il avec
une sorte de rage, quand ce ne serait que pour y faire
préparer les polices d'assurance. Annonce mon départ à
Mme la comtesse. Ah ! ils veulent la guerre, ils l'auront,
et je vais m'amuser à les tracasser, moi, les bourgeois de
Soulanges et leurs paysans... Nous sommes en pays
ennemi, de la prudence ! Recommande aux gardes de se
tenir dans les termes de la loi. Ce pauvre Vatel, aie soin
de lui. La comtesse est effrayée, il faut lui tout cacher ;
autrement, elle ne reviendrait plus ici !...

Le général ni même Michaud n'étaient dans le secret
de leur péril. Michaud, trop nouvellement venu dans
cette vallée de Bourgogne, ignorait la puissance de l'ennemi, tout en envoyant l'action. Le général, lui, croyait
à la force de la loi.

La loi, telle que le législateur la fabrique aujourd'hui,
n'a pas toute la vertu qu'on lui suppose. Elle ne frappe
pas également le pays, elle se modifie dans ses applica-
tions au point de démentir son principe. Ce fait se déclare

plus ou moins patemment à toutes les époques. Quel serait l'historien assez ignorant pour prétendre que les Arrêtés du pouvoir le plus énergique ont eu cours dans toute la France ? que les réquisitions en hommes, en denrées, en argent, frappées par la Convention, ont été faites en Provence, au fond de la Normandie, sur la lisière de la Bretagne, comme elles se sont accomplies dans les grands centres de vie sociale ? Quel philosophe oserait nier qu'une tête tombe aujourd'hui dans tel département, tandis que dans le département voisin une autre tête est conservée, quoique coupable d'un crime identiquement le même, et souvent plus horrible ? On veut l'égalité dans la vie, et l'inégalité règne dans la loi, dans la peine de mort !...

Dès qu'une ville se trouve au-dessous d'un certain chiffre de population, les moyens administratifs ne sont plus les mêmes. Il est environ cent villes en France où les lois jouent dans toute leur vigueur, où l'intelligence des citoyens s'élève jusqu'au problème d'intérêt général ou d'avenir que la loi veut résoudre; mais, dans le reste de la France, où l'on ne comprend que les jouissances immédiates, l'on s'y soustrait à tout ce qui peut les atteindre. Aussi, dans la moitié de la France environ, rencontre-t-on une force d'inertie qui déjoue toute action légale, administrative et gouvernementale. Entendons-nous ! Cette résistance ne regarde point les choses essentielles à la vie politique. La rentrée des impôts, le recrutement, la punition des grands crimes ont lieu certainement; mais, en dehors de certaines nécessités reconnues, toutes les dispositions législatives qui touchent aux mœurs, aux intérêts, à certains abus sont complètement abolies par un *mauvais gré* général. Et, au moment où cette Scène se publie, il est facile de reconnaître cette résistance, contre laquelle s'est jadis heurté Louis XIV en Bretagne, en voyant les faits déplorables que cause la loi sur la chasse. On sacrifiera, par an, la vie de vingt ou trente hommes peut-être pour sauver celle de quelques bêtes.

En France, pour vingt millions d'êtres, la loi n'est qu'un papier blanc affiché sur la porte de l'Eglise ou à la Mairie. De là, le mot *les papiers* employé par Mouche comme expression de l'Autorité. Beaucoup de maires de canton (il ne s'agit pas encore des maires de simples communes) font des sacs à raisin ou à graines avec les numéros du *Bulletin des Lois*. Quant aux simples maires de communes, on serait effrayé du nombre de ceux qui ne savent

ni lire ni écrire, et de la manière dont sont tenus les actes
de l'Etat civil. La gravité de cette situation, parfaitement
connue des administrateurs sérieux, diminuera sans
doute; mais ce que la centralisation contre laquelle on
déclame tant, comme on déclame en France contre tout
ce qui est grand, utile et fort, n'atteindra jamais; mais la
puissance contre laquelle elle se brisera toujours, est celle
contre laquelle allait se heurter le général et qu'il faut
nommer la *Médiocratie*.

On a beaucoup crié contre la tyrannie des nobles, on
crie aujourd'hui contre celle des financiers, contre les
abus du pouvoir qui ne sont peut-être que les inévitables
meurtrissures du joug social appelé Contrat par Rousseau,
Constitution par ceux-ci, Charte par ceux-là, ici Czar, là
Roi, Parlement en Angleterre; mais le nivellement commencé par 1789 et repris en 1830 a préparé la louche
domination de la bourgeoisie, et lui a livré la France.
Un fait, malheureusement trop commun aujourd'hui,
l'asservissement d'un canton, d'une petite ville, d'une
sous-préfecture par une famille; enfin, le tableau de la
puissance qu'avait su conquérir Gaubertin en pleine
Restauration, accusera mieux ce mal social que toutes les
affirmations dogmatiques. Bien des localités opprimées
s'y reconnaîtront, bien des gens sourdement écrasés trouveront ici ce petit Ci-Gît public qui parfois console d'un
grand malheur privé.

Au moment où le général s'imaginait recommencer une
lutte qui n'avait jamais eu de trêve, son ancien régisseur
avait complété les mailles du réseau dans lequel il tenait
l'arrondissement de La-Ville-aux-Fayes tout entier. Pour
éviter des longueurs, il est nécessaire de présenter succinctement les rameaux généalogiques par lesquels Gaubertin embrassait le pays comme un boa tourné sur un
arbre gigantesque avec tant d'art, que le voyageur croit y
voir un effet naturel de la végétation asiatique.

En 1793, il existait trois frères du nom de Mouchon
dans la vallée de l'Avonne. Depuis 1793, on commençait
à substituer le nom de vallée de l'Avonne à celui de vallée
des Aigues, en haine de l'ancienne seigneurie.

L'aîné, régisseur des biens de la famille Ronquerolles,
devint député du département à la Convention. A l'imitation de son ami Gaubertin, l'accusateur public qui
sauva les Soulanges, il sauva les biens et la vie des Ronquerolles. Il eut deux filles, l'une mariée à l'avocat Gendrin, l'autre à Gaubertin fils, et il mourut en 1804.

Le second obtint gratis, par la protection de son aîné, le poste de Couches. Il eut pour seule et unique héritière une fille, mariée à un riche fermier du pays appelé Guerbet. Il mourut en 1817.

Le dernier des Mouchon, s'étant fait prêtre, curé de La-Ville-aux-Fayes avant la Révolution, curé depuis le rétablissement du culte catholique, se trouvait encore curé de cette petite capitale. Il ne voulut pas prêter le serment, se cacha pendant longtemps aux Aigues, dans la Chartreuse, sous la protection secrète des Gaubertin père et fils. Alors âgé de soixante-sept ans, il jouissait de l'estime et de l'affection générales, à cause de la concordance de son caractère avec celui des habitants. Parcimonieux jusqu'à l'avarice, il passait pour être fort riche, et sa fortune présumée consolidait le respect dont il était environné. Monseigneur l'évêque faisait le plus grand cas de l'abbé Mouchon, qu'on appelait le vénérable curé de La-Ville-aux-Fayes ; et ce qui, non moins que sa fortune, rendait Mouchon cher aux habitants, était la certitude, qu'on eut à plusieurs reprises, de son refus d'aller occuper une cure superbe à la préfecture où Monseigneur le désirait.

En ce moment, Gaubertin, maire de La-Ville-aux-Fayes, rencontrait un appui solide en M. Gendrin, son beau-frère, le président du tribunal de Première Instance. Gaubertin fils, l'avoué le plus occupé du tribunal et d'une renommée proverbiale dans l'arrondissement, parlait déjà de vendre son étude après cinq ans d'exercice. Il voulait s'en tenir à l'exercice de sa profession d'avocat, afin de pouvoir succéder à son oncle Gendrin, quand celui-ci prendrait sa retraite. Le fils unique du président Gendrin était conservateur des hypothèques.

Soudry fils, qui depuis deux ans occupait le principal siège du ministère public, était un séide de Gaubertin. La fine Mme Soudry n'avait pas manqué de solidifier la position du fils de son mari par un immense avenir, en le mariant à la fille unique de Rigou. La double fortune de l'ancien moine et celle des Soudry qui devait revenir au Procureur du roi, faisaient de ce jeune homme l'un des personnages les plus riches et les plus considérables du département.

Le sous-préfet de La-Ville-aux-Fayes, M. des Lupeaulx, neveu du secrétaire général d'un des plus importants ministères, était le mari désigné de Mlle Elise Gaubertin, la plus jeune fille du maire, dont la dot, comme celle de l'aînée, se montait à deux cent mille francs, *sans*

les espérances ! Ce fonctionnaire fit de l'esprit sans le savoir
en tombant amoureux d'Elise, à son arrivée à La-Ville-
aux-Fayes en 1819. Sans ses prétentions, qui parurent
sortables, depuis longtemps on l'aurait contraint à demander son changement ; mais il appartenait en espérance à la
famille Gaubertin, dont le chef voyait dans cette alliance
beaucoup moins le neveu que l'oncle. Aussi l'oncle, dans
l'intérêt de son neveu, mettait-il toute son influence au
service de Gaubertin.

Ainsi, l'Eglise, la Magistrature sous sa double forme,
amovible et inamovible, la Municipalité, l'Administration,
les quatre pieds du pouvoir marchaient au gré du Maire.

Voici comment cette puissance s'était fortifiée au-dessus et au-dessous de la sphère où elle agissait.

Le département auquel appartenait La-Ville-aux-Fayes
est un de ceux dont la population lui donne le droit de
nommer six députés. L'arrondissement de La-Ville-aux-
Fayes, depuis la création d'un Centre-Gauche à la
Chambre, avait fait son député de Leclercq, banquier de
l'entrepôt des vins, gendre de Gaubertin, devenu Régent
de la Banque. Le nombre d'électeurs que cette riche vallée
fournissait au Grand-Collège, était assez considérable pour
que l'élection de M. de Ronquerolles, protecteur acquis
à la famille Mouchon, fût toujours assurée, ne fût-ce que
par transaction. Les électeurs de La-Ville-aux-Fayes
prêtaient leur appui au préfet, à la condition de maintenir
le marquis de Ronquerolles député du Grand-Collège.
Aussi Gaubertin, qui le premier eut l'idée de cet arran-
gement électoral, était-il vu de bon œil à la Préfecture, à
laquelle il sauvait bien des déboires. Le préfet faisait élire
trois ministériels purs, avec deux députés Centre-Gauche.
Ces deux députés étant le marquis de Ronquerolles,
beau-frère du comte de Sérisy, et un régent de la Banque,
effrayaient peu le cabinet. Aussi les élections de ce département passaient-elles au ministère de l'Intérieur pour
être excellentes.

Le comte de Soulanges, pair de France, désigné pour
être maréchal, fidèle aux Bourbons, savait ses bois et ses
propriétés bien administrés et bien gardés par le notaire
Lupin, par Soudry, il pouvait être regardé comme un
protecteur par Gendrin qu'il avait fait nommer succes-
sivement juge et président, aidé d'ailleurs, en ceci, par
M. de Ronquerolles.

MM. Leclercq et de Ronquerolles siégeaient au
Centre-Gauche, plus près de la Gauche que du Centre,

situation politique pleine d'avantages pour ceux qui regardent la conscience politique comme un vêtement.

Le frère de M. Leclercq avait obtenu la recette particulière de La-Ville-aux-Fayes.

Au-delà de cette capitale de la vallée d'Avonne, le banquier, député de l'arrondissement, venait d'acquérir une magnifique terre de trente mille francs de rentes, avec parc et château, position qui lui permettait d'influencer tout un canton.

Ainsi, dans les régions supérieures de l'Etat, dans les deux Chambres et au principal Ministère, Gaubertin comptait sur une protection aussi puissante qu'active, et il ne l'avait encore ni sollicitée pour des riens, ni fatiguée par trop de demandes sérieuses.

Le conseiller Gendrin, nommé Président de Chambre, était le grand faiseur de la Cour royale. Le Premier Président, l'un des trois députés ministériels, orateur nécessaire au Centre, laissait, pendant la moitié de l'année, la conduite de sa Cour au Président Gendrin. Enfin, le conseiller de préfecture, cousin de Sarcus, nommé Sarcus-le-Riche, était le bras droit du préfet, député lui-même. Sans les raisons de famille qui liaient Gaubertin et le jeune des Lupeaulx, un frère de Mme Sarcus eût été *désiré* pour sous-préfet par l'arrondissement de La-Ville-aux-Fayes. Mme Sarcus, la femme du conseiller de préfecture, était une Vallat de Soulanges, famille alliée aux Gaubertin; elle passait pour avoir distingué le notaire Lupin dans sa jeunesse. Quoiqu'elle eût quarante-cinq ans et un fils élève ingénieur, Lupin n'allait jamais à la Préfecture sans lui présenter ses hommages et déjeuner ou dîner avec elle.

Le neveu de Guerbet, le maître de poste, dont le père était, comme on l'a vu, percepteur de Soulanges, occupait la place importante de juge d'instruction au tribunal de La-Ville-aux-Fayes. Le troisième juge, fils de maître Corbinet, notaire, appartenait nécessairement corps et âme au tout-puissant maire. Enfin le jeune Vigor, fils du lieutenant de la gendarmerie, était le juge suppléant. Sibilet père, greffier du tribunal dès l'origine, avait marié sa sœur à M. Vigor, Lieutenant de la gendarmerie de La-Ville-aux-Fayes. Ce bonhomme, père de six enfants, était le cousin du père Gaubertin, par sa femme, une Gaubertin-Vallat.

Depuis dix-huit mois, les efforts réunis des deux députés, de M. de Soulanges, du président Gaubertin,

avaient fait créer une place de commissaire de police à
La-Ville-aux-Fayes, en faveur du second fils du greffier.

La fille aînée de Sibilet avait épousé M. Hervé instituteur, dont l'établissement venait d'être transformé en
collège, à raison de ce mariage, et depuis un an La-Ville-
aux-Fayes jouissait d'un proviseur.

Le Sibilet, principal-clerc de maître Corbinet, attendait
des Gaubertin, des Soudry, des Leclercq, les garanties
nécessaires à l'acquisition de l'étude de son patron.

Le dernier fils du greffier était employé dans les
Domaines, avec promesse de succéder au receveur de
l'Enregistrement dès qu'il aurait atteint le temps du service voulu pour prendre sa retraite.

Enfin, la dernière fille de Sibilet, âgée de seize ans, était
fiancée au capitaine Corbinet, frère du notaire, à qui l'on
avait obtenu la place de directeur de la poste aux lettres.

La poste aux chevaux de La-Ville-aux-Fayes appartenait à M. Vigor l'aîné, beau-frère du banquier Leclercq,
et il commandait la garde nationale.

Une vieille demoiselle Gaubertin-Vallat, sœur de la
greffière, tenait le bureau de papier timbré.

Ainsi, de quelque côté qu'on se tournât dans La-
Ville-aux-Fayes, on rencontrait un membre de cette coalition invisible, dont le chef avoué, reconnu par tous, grands
et petits, était le Maire de la ville, l'Agent Général du
commerce des bois, Gaubertin !...

Si de la sous-préfecture on descendait dans la vallée
de l'Avonne, Gaubertin y dominait à Soulanges par les
Soudry, par Lupin, adjoint au maire, régisseur de la terre
de Soulanges et toujours en correspondance avec le
comte, par Sarcus, le juge de paix, par Guerbet le percepteur, par Gourdon le médecin, qui avait épousé une
Gendrin-Vatebled. Il gouvernait Blangy par Rigou,
Couches par le maître de poste, maire absolu dans sa
commune. A la manière dont l'ambitieux maire de La-
Ville-aux-Fayes rayonnait dans la vallée de l'Avonne, on
peut deviner comment il influait dans le reste de l'arrondissement.

Le chef de la maison Leclercq était un chapeau mis sur
la députation. Le banquier avait consenti, dès l'origine,
à laisser nommer Gaubertin à sa place, dès qu'il aurait
obtenu la Recette générale du département. Soudry, le
Procureur du roi, devait passer Avocat Général à la Cour
royale, et le riche juge d'instruction Guerbet attendait
un siège de conseiller. Ainsi, l'occupation de ces places,

loin d'être oppressive, garantissait de l'avancement aux jeunes ambitieux de la ville.

L'influence de Gaubertin était si sérieuse, si grande, que les fonds, les économies, l'argent caché des Rigou, des Soudry, des Gendrin, des Guerbet, des Lupin, de Sarcus-le-Riche lui-même obéissaient à ses prescriptions. La-Ville-aux-Fayes croyait d'ailleurs en son Maire. La capacité de Gaubertin n'était pas moins prônée que sa probité, que son obligeance ; il appartenait à ses parents, à ses administrés tout entier, mais à charge de revanche. Son conseil municipal l'adorait. Aussi tout le département blâmait-il M. Mariotte d'Auxerre d'avoir contrarié ce brave M. Gaubertin. Sans se douter de leur force, aucun cas de la montrer ne s'étant déclaré, les bourgeois de La-Ville-aux-Fayes se vantaient seulement de ne pas avoir d'étrangers chez eux, et ils se croyaient excellents patriotes. Rien n'échappait donc à cette intelligente tyrannie, inaperçue d'ailleurs, et qui paraissait à chacun le triomphe de la localité. Ainsi, dès que l'Opposition libérale déclara la guerre aux Bourbons de la branche aînée, Gaubertin, qui ne savait où placer un fils naturel, ignoré de sa femme et nommé Bournier, tenu depuis longtemps à Paris, sous la surveillance de Leclercq, le voyant devenu prote d'une imprimerie, fit créer en sa faveur un brevet d'imprimeur à résidence de La-Ville-aux-Fayes. A l'instigation de son protecteur, ce garçon entreprit un journal ayant pour titre le *Courrier de l'Avonne*, paraissant trois fois par semaine, et qui commença par enlever le bénéfice des annonces légales au journal de la Préfecture. Cette feuille départementale, tout acquise au Ministère en général, mais appartenant au Centre-Gauche en particulier, et qui devint précieuse au commerce pour la publication des mercuriales de la Bourgogne, fut entièrement dévouée aux intérêts du triumvirat Rigou, Gaubertin et Soudry. A la tête d'un assez bel établissement où il réalisait déjà des bénéfices, Bournier faisait la cour à la fille de Maréchal l'avoué. Ce mariage paraissait probable.

Le seul étranger à la grande famille avonnaise était l'ingénieur ordinaire des Ponts et Chaussées ; aussi réclamait-on avec instance son changement en faveur de M. Sarcus, le fils de Sarcus-le-Riche, et tout annonçait que ce défaut dans le filet serait réparé sous peu de temps.

Cette ligue formidable qui monopolisait tous les services publics et particuliers, qui suçait le pays, qui s'attachait au pouvoir comme un *remora* sous un navire, échappait à tous les regards, le général Montcornet ne la soupçonnait pas. La Préfecture s'applaudissait de la prospérité de l'arrondissement de La-Ville-aux-Fayes dont on disait au ministère de l'Intérieur : « Voilà une sous-préfecture modèle! tout y va comme sur des roulettes! Nous serions bien heureux, si tous les arrondissements ressemblaient à celui-là! » L'esprit de famille s'y doublait de l'esprit de localité. Là, comme dans beaucoup de petites villes et même de préfectures, un fonctionnaire étranger au pays devenait impossible, il eût été forcé de quitter l'arrondissement dans l'année. Quand le despotique cousinage bourgeois fait une victime, elle est si bien entortillée et bâillonnée, qu'elle n'ose se plaindre; elle est enveloppée de glu, de cire, comme un colimaçon introduit dans une ruche. Cette tyrannie invisible, insaisissable, a pour auxiliaires des raisons puissantes : le désir d'être au milieu de sa famille, de surveiller ses propriétés, l'appui mutuel qu'on se prête, les garanties que trouve l'administration en voyant son agent sous les yeux de ses concitoyens et de ses proches. Aussi le népotisme est-il pratiqué dans la sphère élevée du département, comme dans la petite ville de province. Qu'arrive-t-il ? Le pays, la localité triomphent sur des questions d'intérêt général, Paris est souvent écrasé, la vérité des faits est travestie. Enfin, une fois les grandes utilités publiques satisfaites, il est clair que les lois, au lieu d'agir sur les masses, en reçoivent l'empreinte, les populations se les adaptent au lieu de s'y adapter. Quiconque a voyagé dans le Midi, dans l'Ouest de la France, en Alsace, autrement que pour y coucher à l'auberge, voir les monuments ou le paysage, doit reconnaître la vérité de ces observations. Ces effets du népotisme bourgeois sont aujourd'hui des faits isolés; mais l'esprit des lois actuelles tend à les augmenter. Cette plate domination peut causer de grands maux, comme le démontreront quelques événements du drame qui se jouait alors dans la vallée des Aigues.

Le système, renversé plus imprudemment qu'on ne le croit, le système monarchique et le système impérial remédiaient à cet abus, par des existences consacrées, par des classifications, par des contrepoids qu'on a si sottement définis *des privilèges*. Il n'existe pas de privilèges du moment où tout le monde est admis à grimper au mât de cocagne du pouvoir. Ne vaudrait-il pas mieux d'ailleurs des privilèges avoués, connus, que des privilèges ainsi surpris, établis par la ruse, en fraude de l'esprit

qu'on veut faire public, qui reprennent l'œuvre du despo-
tisme en sous-œuvre et un cran plus bas qu'autrefois ?
N'aurait-on renversé de nobles tyrans dévoués à leur
pays, que pour créer d'égoïstes tyranneaux ? Le pouvoir
sera-t-il dans les caves au lieu de régner à sa place naturelle ? On doit y songer, car l'esprit de localité, tel qu'il
vient d'être dessiné, gagnera la Chambre.

L'ami de Montcornet, le comte de la Roche-Hugon,
avait été destitué peu de temps après la dernière visite
du général. Cette destitution jeta cet homme d'État dans
l'opposition libérale, où il devint un des coryphées du
Côté gauche. Son successeur, heureusement pour Montcornet, était un gendre du marquis de Troisville, le comte
de Castéran, qui reçut Montcornet comme un parent,
et lui dit gracieusement de conserver ses habitudes à la
Préfecture. Après avoir écouté les plaintes du général, le
comte de Castéran pria l'évêque, le Procureur général,
le colonel de la gendarmerie, le conseiller Sarcus, et le
général commandant la Division à déjeuner pour le lendemain.

Le Procureur général, le baron Bourlac, si célèbre par
les procès de Mme de La Chanterie et Rifoël, était un
de ces hommes acquis à tous les gouvernements, que leur
dévouement au pouvoir, quel qu'il soit, rend précieux.
Après avoir dû son élévation à son fanatisme pour l'Empereur, il dut la conservation de son poste à son caractère
inflexible et à la conscience de métier qu'il portait dans
l'accomplissement de ses devoirs. Le Procureur général
qui jadis poursuivait avec acharnement les restes de la
chouannerie, poursuivit les bonapartistes avec un acharnement égal. Mais les années, les tempêtes avaient adouci
sa rudesse ; il était devenu, comme tous les vieux diables,
charmant de manières et de formes.

Le comte de Montcornet expliqua sa position, les
craintes de son garde général, parla de la nécessité de
faire des exemples et de soutenir la cause de la propriété.

Ces hauts fonctionnaires écoutèrent gravement, sans
répondre autre chose que des banalités comme : « Certainement, il faut que force reste à la loi. — Votre cause
est celle de tous les propriétaires. — Nous y veillerons ;
mais la prudence est nécessaire dans les circonstances où
nous nous trouvons. — Une monarchie doit faire plus
pour le peuple que le peuple ne ferait pour lui-même, s'il
était, comme en 1793, le souverain. — Le peuple souffre,
nous nous devons autant à lui qu'à vous ! »

L'implacable Procureur général exposa tout doucement des considérations sérieuses et bienveillantes sur la situation des basses classes, qui eussent prouvé à nos futurs utopistes que les fonctionnaires de l'ordre élevé savaient déjà les difficultés du problème à résoudre par la société moderne.

Il n'est pas inutile de dire ici qu'à cette époque de la Restauration, des collisions sanglantes avaient eu lieu, sur plusieurs points du royaume, précisément à cause du pillage des bois et des droits abusifs que les paysans de quelques communes s'étaient arrogés. Le ministère, la cour n'aimaient ni ces sortes d'émeutes, ni le sang que faisait couler la répression, heureuse ou malheureuse. Tout en sentant la nécessité de sévir, on traitait les administrateurs de maladroits quand ils avaient comprimé les paysans, et ils étaient destitués s'ils faiblissaient; aussi les préfets biaisaient-ils avec ces accidents déplorables.

Dès le début de la conversation, Sarcus-le-Riche avait fait au Procureur général et au Préfet un signe que Montcornet ne vit pas et qui détermina l'allure de la conversation. Le Procureur général connaissait la situation des Aigues par son subordonné Soudry, qui lui avait fait craindre des résistances de la part des Bourguignons de l'Avonne.

— Je prévois une lutte terrible, avait dit le Procureur du roi de La-Ville-aux-Fayes à son chef qu'il était venu voir exprès. On nous tuera des gendarmes, je le sais par mes espions. Nous aurons un méchant procès. Le Jury ne nous soutiendra pas quand il se verra sous le coup de la haine des familles de vingt ou trente accusés, il ne nous accordera pas la tête des meurtriers ni les années de bagne que nous demanderons pour les complices. A peine obtiendrez-vous, en plaidant vous-même, quelques années de prison pour les plus coupables. Il vaut mieux fermer les yeux que les ouvrir quand, en les ouvrant, nous sommes certains d'exciter une collision qui coûtera du sang, et peut-être six mille francs de frais à l'Etat, sans compter l'entretien de ces gens-là au bagne. C'est cher pour un triomphe, qui, certes, exposera la faiblesse de la Justice à tous les regards.

Incapable de soupçonner l'influence du népotisme, Montcornet ne parla donc pas de Gaubertin, dont la main attisait le foyer de ces renaissantes difficultés. Après le déjeuner, le Procureur général prit le comte de Montcornet par le bras et l'emmena dans le cabinet du Préfet.

Au sortir de cette conférence, le général Montcornet, sagement conseillé par le Procureur général, écrivit à la comtesse qu'il partait pour Paris et qu'il ne serait de retour que dans une semaine. On verra, par l'exécution des mesures que dicta le baron Bourlac, combien ses avis étaient sages, et si les Aigues pouvaient échapper *au mauvais gré*, ce devait être en se conformant à la politique que ce magistrat venait de conseiller secrètement au comte de Montcornet.

Quelques esprits, avides d'intérêt avant tout, accuseront ces explications de longueur. Mais il est utile de faire observer ici que, d'abord, l'historien des mœurs obéit à des lois plus dures que celles qui régissent l'historien des faits ; il doit rendre tout probable, même le vrai ; tandis que, dans le domaine de l'histoire proprement dite, l'impossible est justifié par la raison qu'il est advenu. Les vicissitudes de la vie sociale ou privée sont engendrées par un monde de petites causes qui tiennent à tout. Le savant est obligé de déblayer les masses d'une avalanche, sous laquelle ont péri des villages, pour vous montrer les cailloux détachés d'une cime qui ont déterminé la formation de cette montagne de neige. S'il ne s'agissait ici que d'un suicide, il y en a cinq cents par an, dans Paris ; ce mélodrame est devenu vulgaire, et chacun peut en trouver lui-même les raisons ; mais à qui ferait-on croire que le suicide de la Propriété soit jamais arrivé par un temps où la fortune semble plus précieuse que la Vie ? *De re vestra agitur*, disait un fabuliste, il s'agit ici des affaires de tous ceux qui possèdent quelque chose.

Enfin, songez que cette ligue de tout un canton et d'une petite ville contre un vieux général échappé malgré son courage aux dangers de mille combats, s'est dressée en plus d'un département contre des hommes qui voulaient y faire le bien. Cette coalition menace incessamment l'homme de génie, le grand politique, le grand agronome, tous les novateurs !

Cette dernière explication, politique pour ainsi dire, et qui rend aux personnages du drame leur vraie physionomie, au plus petit détail sa gravité, jettera de vives lumières sur cette Scène, où sont en jeu tous les intérêts sociaux des campagnes.

CHAPITRE X

MÉLANCOLIE D'UNE FEMME HEUREUSE

Au moment où le général montait en calèche pour aller à la Préfecture, la comtesse arrivait à la porte d'Avonne, où, depuis dix-huit mois, le ménage de Michaud et d'Olympe était définitivement installé.

Quelqu'un qui se serait rappelé le pavillon comme il est décrit plus haut, l'aurait cru rebâti. D'abord, les briques tombées ou mordues par le temps, le ciment qui manquait dans les joints, avaient été remplacés. L'ardoise nettoyée rendait au faîte sa gaieté, en rendant à l'architecture l'effet des balustres découpés en blanc sur ce fond bleuâtre. Les abords désobstrués et sablés étaient soignés par l'homme chargé d'entretenir les allées du parc. Les encadrements des croisées, les corniches, enfin toute la pierre travaillée ayant été restaurée, l'extérieur de ce monument avait repris son ancien lustre. La basse-cour, les écuries, l'étable reportées dans les bâtiments de la Faisanderie et cachées par des massifs, au lieu d'attrister le regard par leurs inconvénients, mêlaient au continuel bruissement particulier aux forêts ces murmures, ces roucoulements, ces battements d'ailes, l'un des plus délicieux accompagnements de la continuelle mélodie que chante la Nature. Ce lieu tenait donc à la fois au genre inculte des forêts peu pratiquées et à l'élégance d'un parc anglais. L'entourage du pavillon en accord avec son extérieur, offrait au regard je ne sais quoi de noble, de digne et d'aimable; de même que le bonheur et les soins d'une jeune femme donnaient à l'intérieur une physionomie bien différente de celle que la brutale insouciance de Courtecuisse y imprimait naguère. En ce moment, la saison faisait valoir toutes ces splendeurs naturelles. Les parfums de quelques corbeilles de fleurs se mariaient à la sauvage senteur des bois. Quelques prairies du parc, récemment fauchées à l'entour, répandaient l'odeur des foins coupés.

Lorsque la comtesse et ses deux hôtes atteignirent au bout d'une des allées sinueuses qui débouchaient au pavillon, ils entrevirent Mme Michaud assise en dehors, à sa porte, travaillant à une layette. Cette femme, ainsi posée, ainsi occupée, ajoutait au paysage un intérêt humain qui le complétait et qui dans la réalité est si touchant, que certains peintres ont par erreur essayé de le transporter dans leurs tableaux. Ces artistes oublient que l'*esprit* d'un pays, quand il est bien rendu par eux, est si grandiose qu'il écrase l'homme, tandis que le cadre d'une semblable scène est, dans la nature, toujours en proportion avec le personnage. Quand le Poussin, le Raphaël de la France, a fait du paysage un accessoire dans ses *Bergers d'Arcadie*, il avait bien deviné que l'homme devient petit et misérable, lorsque dans une toile la nature est le principal. Là, c'était août dans toute sa gloire, une moisson attendue, un tableau plein d'émotions simples et fortes. Là, se rencontrait réalisé le rêve de beaucoup d'hommes dont la vie inconstante et mélangée de bon et de mauvais par de violentes secousses, leur a fait désirer le repos.

Disons en quelques phrases le roman de ce ménage. Justin Michaud n'avait pas répondu très chaudement aux avances de l'illustre colonel des cuirassiers, quand Montcornet lui proposa la garde des Aigues : il pensait alors à reprendre du service; mais au milieu des pourparlers et des propositions qui le conduisirent à l'hôtel Montcornet, il y vit la première femme de Madame. Cette jeune fille, confiée à la comtesse par d'honnêtes fermiers des environs d'Alençon, avait quelques espérances de fortune, vingt ou trente mille francs, tous les héritages venus. Comme beaucoup de cultivateurs qui se sont mariés jeunes et dont les ancêtres vivent, le père et la mère se trouvant dans la gêne et ne pouvant donner aucune éducation à leur fille aînée, l'avaient placée auprès de la jeune comtesse. Mme de Montcornet fit apprendre la couture, les modes à Mlle Olympe Chazet, ordonna de la servir à part, et fut récompensée de ces égards par un de ces attachements absolus, si nécessaires aux Parisiennes. Olympe Chazet, jolie Normande, d'un blond à tons dorés, légèrement grasse, d'une figure animée par un œil spirituel et remarquable par un nez de marquise, fin et courbé, par un air virginal malgré sa taille cambrée à l'espagnole, offrait toutes les distinctions qu'une jeune fille née immédiatement au-dessus du peuple peut gagner dans le rapprochement que sa maîtresse avait permis. Convenablement mise, d'un maintien et d'une tournure décente, elle s'exprimait bien. Michaud fut donc facilement pris, surtout en apprenant que la fortune de sa belle serait assez considérable un jour. Les difficultés vinrent de la comtesse, qui ne voulait pas se séparer d'une fille si précieuse; mais lorsque Montcornet eut expliqué sa situation aux Aigues, le mariage n'éprouva plus de retards que par la nécessité de consulter les parents, dont le consentement fut promptement donné.

Michaud, à l'exemple de son général, regarda sa jeune femme comme un être supérieur auquel il fallait obéir militairement, sans arrière-pensée. Il trouva dans cette quiétude et dans sa vie occupée au-dehors, les éléments du bonheur que souhaitent les soldats en quittant leur métier : assez de travail pour ce que le corps en exige, assez de fatigues pour pouvoir goûter les charmes du repos. Malgré son intrépidité connue, Michaud n'avait jamais reçu de blessure grave, il n'éprouvait aucune de ces douleurs qui doivent aigrir l'humeur des vétérans; comme tous les êtres réellement forts, il avait l'humeur égale; sa femme l'aima donc absolument. Depuis leur arrivée au pavillon, cet heureux ménage savourait les douceurs de sa lune de miel, en harmonie avec la Nature, avec l'art dont les créations l'entouraient, circonstance assez rare! Les choses autour de nous ne concordent pas toujours à la situation de nos âmes.

En ce moment, c'était si joli, que la comtesse arrêta Blondet et l'abbé Brossette, car ils pouvaient voir la jolie Mme Michaud sans être vus par elle.

— Quand je me promène, je viens toujours dans cette partie du parc, dit-elle tout bas. Je me plais à contempler le pavillon et ses deux tourtereaux, comme on aime à voir un beau site.

Et elle s'appuya significativement sur le bras d'Emile Blondet pour lui faire partager des sentiments d'une finesse qu'on ne saurait exprimer, mais que les femmes devineront.

— Je voudrais être portier aux Aigues, répondit Blondet en souriant. Eh! bien, qu'avez-vous ? reprit-il en voyant une expression de tristesse amenée par ces mots sur les traits de la comtesse.

— Rien.

— C'est toujours quand les femmes ont quelque pensée importante qu'elles disent hypocritement : Je n'ai rien.

— Mais nous pouvons être en proie à des idées qui vous semblent légères et qui, pour nous, sont terribles. Moi aussi, j'envie le sort d'Olympe...

— Dieu vous entende! dit l'abbé Brossette en souriant pour ôter à ce mot toute sa gravité.

Mme de Montcornet devint inquiète en apercevant dans la pose et sur le visage d'Olympe une expression de crainte et de tristesse. A la manière dont une femme tire son fil à chaque point, une autre femme en surprend les pensées. En effet, quoique vêtue d'une jolie robe rose, la tête nue et soigneusement coiffée en cheveux, la femme du garde général ne roulait pas des pensées en accord avec sa mise, avec cette belle journée, avec son ouvrage. Son beau front, son regard perdu par instant sur le sable ou dans les feuillages qu'elle ne voyait point, offraient d'autant plus naïvement l'expression d'une anxiété profonde, qu'elle ne se savait pas observée.

— Et je l'enviais!... Qui peut assombrir ses idées?... dit la comtesse au curé.

— Madame, répondit tout bas l'abbé Brossette, expliquez donc comment, au milieu des félicités parfaites, l'homme est toujours saisi de pressentiments vagues mais sinistres?...

— Curé, répondit Blondet en souriant, vous vous permettez des réponses d'évêque!... *Rien n'est volé, tout se paie!* a dit Napoléon.

— Une telle maxime dite par cette bouche impériale prend des proportions égales à celles de la Société, répliqua l'abbé.

— Eh! bien, Olympe, qu'as-tu, ma fille? dit la comtesse en s'avançant vers son ancienne domestique. Tu sembles rêveuse, triste. Y aurait-il une bouderie dans le ménage?...

Mme Michaud, en se levant, avait déjà changé de visage.

— Mon enfant, dit Emile avec un accent paternel, je voudrais bien savoir qui peut assombrir notre front, quand nous sommes dans ce pavillon, presque aussi bien logés que le comte d'Artois aux Tuileries. Vous avez ici l'air d'un nid de rossignols dans un fourré! N'avons-nous pas pour mari le plus brave garçon de la Jeune-Garde, un bel homme et qui nous aime à en perdre la tête ? Si j'avais connu les avantages que Montcornet vous accorde ici, j'aurais quitté mon état de *tartinier* pour devenir garde général, moi !

— Ce n'est pas la place d'un homme qui a votre talent, monsieur, répondit Olympe en souriant à Blondet comme à une personne de connaissance.

— Qu'as-tu donc, ma chère petite ? dit la comtesse.

— Mais, madame, j'ai peur...

— Peur ! de quoi ? demanda vivement la comtesse à qui ce mot rappela Mouche et Fourchon.

— Peur des loups ? dit Emile en faisant à Mme Michaud un signe qu'elle ne comprit pas.

— Non, monsieur, des paysans. Moi qui suis née dans le Perche, où il y a bien quelques méchantes gens, je ne crois pas qu'il y en ait autant et de si méchants que dans ce pays-ci. Je n'ai pas l'air de me mêler des affaires de Michaud ; mais il se défie assez des paysans pour s'armer, même en plein jour, s'il traverse la forêt. Il dit à ses hommes d'être toujours sur le qui-vive. Il passe de temps en temps par ici des figures qui n'annoncent rien de bon. L'autre jour, j'étais le long du mur, à la source du petit ruisseau sablé qui vient du bois, et qui passe, à cinq cents pas d'ici, dans le parc par une grille, et qu'on nomme la Source-d'Argent, à cause des paillettes qu'on dit y avoir été semées par Bouret... Vous savez, madame ?... Eh ! bien, j'ai entendu deux femmes qui lavaient leur linge, à l'endroit où le ruisseau traverse l'allée de Couches, elles ne me savaient pas là. De là l'on voit notre pavillon, ces deux vieilles se le sont montré. « En a-t-on dépensé de l'argent, disait l'une, pour celui qui a remplacé le bonhomme Courtecuisse ? — Ne faut-il pas bien payer un homme qui se charge de tourmenter le pauvre monde comme ça, répondit l'autre. — Il ne le tourmentera pas longtemps, a répondu la première, il faudra que ça finisse. Après tout, nous avons le droit de faire du bois. Défunt Mme des Aigues nous laissait fagoter. Il y a de ça trente ans, ainsi c'est établi. — Nous verrons comment les choses se passeront l'hiver prochain, reprit la seconde. Mon homme a bien juré par ses grands dieux que toute la gendarmerie de la terre ne nous empêcherait pas d'aller au bois, qu'il y irait lui-même, et que tant pis !... — Parbleu ! faut-il que nous mourions de froid et que nous ne cuisions point notre pain ? a demandé la première. Ils ne manquent de rien, eux autres. La petite femme de ce gueux de Michaud sera soignée, allez !... » Enfin, madame, elles ont dit des hor-

reurs de moi, de vous, de Monsieur le comte... Elles ont
fini par dire qu'on brûlerait d'abord les fermes, et puis le
château...

— Bah! dit Emile, propos de laveuses! On volait le
général, et on ne le volera plus. Ces gens-là sont furieux,
voilà tout! Songez donc que le gouvernement est toujours
le plus fort partout, même en Bourgogne. En cas de mutinerie, on ferait venir, s'il le fallait, tout un régiment de
cavalerie.

Le curé fit, en arrière de la comtesse, des signes à
Mme Michaud pour lui dire de taire ses craintes qui
sans doute étaient un effet de la seconde vue que donne la
passion vraie. Exclusivement occupée d'un seul être, l'âme
finit par embrasser le monde moral qui l'entoure et y voit
les éléments de l'avenir. Dans son amour, une femme
éprouve les pressentiments qui, plus tard, éclairent sa
maternité. De là, certaines mélancolies, certaines tris-
tesses inexplicables qui surprennent les hommes, tous
divertis d'une pareille concentration par les grands soins
de la vie, par leur activité continuelle. Tout amour vrai
devient, chez la femme, une contemplation active plus
ou moins lucide, plus ou moins profonde selon les caractères.

— Allons, mon enfant, montre ton pavillon à monsieur Emile, dit la comtesse devenue si pensive qu'elle
oublia la Péchina pour qui cependant elle était venue.

L'intérieur du pavillon restauré se trouvait en harmonie
avec son splendide extérieur. Au rez-de-chaussée, en y
rétablissant les divisions primitives, l'architecte envoyé
de Paris avec des ouvriers, grief vivement reproché par
les gens de La-Ville-aux-Fayes au bourgeois des Aigues,
avait ménagé quatre pièces. D'abord, une antichambre
au fond de laquelle tournait un vieil escalier de bois à
balustre, et derrière laquelle s'étendait une cuisine; puis,
de chaque côté de l'antichambre, une salle à manger et le
salon plafonné d'armoiries, boisé tout en chêne devenu
noir. Cet artiste, choisi par Mme de Montcornet pour
la restauration des Aigues, eut soin de mettre en harmonie le mobilier de ce salon avec les décors anciens. A cette
époque, la mode ne donnait pas encore des valeurs exa-
gérées aux débris des siècles passés. Les fauteuils en noyer
sculpté, les chaises à dos élevés et garnies en tapisserie,
les consoles, les horloges, les hautes-lices, les tables, les
lustres enfouis chez les revendeurs d'Auxerre et de La-
Ville-aux-Fayes étaient de cinquante pour cent meilleur

marché que les meubles de pacotille du faubourg Saint-Antoine. L'architecte avait donc acheté deux ou trois charretées de vieilleries bien choisies qui, réunies à ce qui fut mis hors de service au château, firent du salon de la porte d'Avonne une espèce de création artistique. Quant à la salle à manger, il la peignit en couleur de bois, il y tendit des papiers dits écossais, et Mme Michaud y mit aux croisées des rideaux de percale blanche à bordure verte, des chaises en acajou garnies en drap vert, deux énormes buffets et une table en acajou. Cette pièce, ornée de gravures militaires, était chauffée par un poêle en faïence, de chaque côté duquel se voyaient des fusils de chasse. Ces magnificences si peu coûteuses avaient été présentées dans toute la vallée comme le dernier mot du luxe asiatique. Chose étrange, elles excitèrent la convoitise de Gaubertin qui, tout en se promettant de mettre les Aigues en pièces, se réserva dès lors, *in petto*, ce pavillon splendide.

Au premier étage, trois chambres composaient l'habitation du ménage. On apercevait aux fenêtres des rideaux de mousseline qui rappelaient à un Parisien les dispositions et les fantaisies particulières aux existences bourgeoises. Là, madame Michaud, livrée à elle-même, avait voulu des papiers satinés. Sur la cheminée de sa chambre, meublée de ce meuble vulgaire en acajou et en velours d'Utrecht, du lit à bateau et à colonnes avec la couronne d'où descendaient des rideaux de mousseline brodée, se voyait une pendule en albâtre entre deux flambeaux couverts d'une gaze et accompagnés de deux vases de fleurs artificielles sous leur cage de verre, le présent conjugal du maréchal des logis. Au-dessus, sous le toit, les chambres de la cuisinière, du domestique et de la Péchina s'étaient ressenties de cette restauration.

— Olympe, ma fille, tu ne me dis pas tout ? demanda la comtesse en entrant dans la chambre de Mme Michaud et laissant sur l'escalier Emile et le curé qui descendirent en entendant la porte se fermer.

Mme Michaud, que l'abbé Brossette avait interloquée, livra, pour se dispenser de parler de ses craintes beaucoup plus vives qu'elle ne le disait, un secret qui rappela l'objet de sa visite à la comtesse.

— J'aime Michaud, madame, vous le savez ; eh! bien, seriez-vous contente de voir près de vous, chez vous, une rivale ?...

— Une rivale ?...

— Oui, madame, cette moricaude que vous m'avez donnée à garder, aime Michaud sans le savoir, pauvre petite !... La conduite de cette enfant, longtemps un mystère pour moi, s'est éclaircie depuis quelques jours...

— A treize ans !...

— Oui, madame... Et vous avouerez qu'une femme grosse de trois mois, qui nourrira son enfant elle-même, peut avoir des craintes ; mais pour ne pas vous les dire devant ces messieurs, je vous ai parlé de sottises sans importance, ajouta finement la généreuse femme du garde général.

Mme Michaud ne redoutait guère Geneviève Niseron, et depuis quelques jours elle éprouvait des frayeurs mortelles que par méchanceté les paysans se plaisaient à nourrir, après les avoir inspirées.

— Et, à quoi t'es-tu aperçue de... ?

— A rien et à tout ! répondit Olympe en regardant la comtesse. Cette pauvre petite est à m'obéir d'une lenteur de tortue, et d'une vivacité de lézard à la moindre chose que demande Justin. Elle tremble comme une feuille au son de la voix de mon mari, elle a le visage d'une sainte qui monte au ciel quand elle le regarde, mais elle ne se doute pas de l'amour, elle ne sait pas qu'elle aime.

— Pauvre enfant ! dit la comtesse avec un sourire et un accent pleins de naïveté.

— Ainsi, reprit Mme Michaud après avoir répété le sourire de son ancienne maîtresse, Geneviève est sombre quand Justin est dehors ; et, si je lui demande à quoi elle pense, elle me répond en me disant qu'elle a peur de M. Rigou, des bêtises !... Elle croit que tout le monde a envie d'elle, qui ressemble à l'intérieur d'un tuyau de cheminée. Lorsque Justin bat les bois la nuit, l'enfant est inquiète autant que moi. Si j'ouvre la fenêtre en écoutant le trot du cheval de mon mari, je vois une lueur chez la Péchina, comme on la nomme, qui me prouve qu'elle veille, qu'elle l'attend ; enfin, elle ne se couche, comme moi, que lorsqu'il est rentré.

— Treize ans ! dit la comtesse, la malheureuse !...

— Malheureuse ?... reprit Olympe, non. Cette passion d'enfant la sauvera.

— De quoi ? demanda Mme de Montcornet.

— Du sort qui attend ici presque toutes les filles de son âge. Depuis que je l'ai décrassée, elle est devenue moins laide, elle a quelque chose de bizarre, de sauvage qui saisit les hommes... Elle est si changée que madame ne la reconnaîtra pas. Le fils de cet infâme cabaretier du Grand-I-Vert, Nicolas, le plus mauvais drôle de la commune, en veut à cette petite, il la poursuit comme un gibier. S'il n'est guère croyable qu'un homme, riche comme l'est M. Rigou et qui change de servante tous les trois ans, ait pu persécuter dès l'âge de douze ans un laideron, il paraît certain que Nicolas Tonsard court après la Péchina, Justin me l'a dit. Ce serait affreux, car les gens de ce pays-ci vivent vraiment comme des bêtes; mais Justin, nos deux domestiques et moi, nous veillons sur la petite, ainsi soyez tranquille, madame; elle ne sort jamais seule, qu'en plein jour, et encore pour aller d'ici à la porte de Couches. Si, par hasard, elle tombait dans une embûche, son sentiment pour Justin lui donnerait la force et l'esprit de résister, comme les femmes qui ont une préférence résistent à un homme haï.

— C'est pour elle que je suis venue ici, reprit la comtesse; je ne savais pas combien il était utile pour toi que j'y vinsse; car, mon enfant, elle embellira, cette fille!...

— Oh! madame, reprit Olympe en souriant, je suis sûre de Justin. Quel homme! quel cœur!... Si vous saviez quelle reconnaissance profonde il a pour son général, à qui, dit-il, il doit son bonheur. Il n'a que trop de dévouement, il risquerait sa vie comme à la guerre et il oublie que maintenant il peut se trouver père de famille.

— Allons! je te regrettais, dit la comtesse en jetant à Olympe un regard qui la fit rougir; mais je ne regrette plus rien, je te vois heureuse. Quelle sublime et noble chose que l'amour dans le mariage! ajouta-t-elle.

Virginie de Troisville resta songeuse, et Mme Michaud respecta ce silence.

— Voyons! cette petite est probe? demanda la comtesse en se réveillant comme d'un rêve.

— Autant que moi, madame, répondit Mme Michaud.

— Discrète?...

— Comme une tombe.

— Reconnaissante?...

— Ah! madame, elle a des retours d'humilité pour moi qui dénotent une nature angélique; elle vient me baiser les mains; elle me dit des mots à renverser. « Peut-on mourir d'amour? me demandait-elle avant-hier. — Pourquoi me fais-tu cette question? lui ai-je dit. — C'est pour savoir si c'est une maladie!... »

— Elle a dit cela?... s'écria la comtesse.

— Si je me rappelais tous ses mots, je vous en dirais

bien d'autres, répondit Olympe, elle a l'air d'en savoir
plus que moi...

— Crois-tu, mon enfant, qu'elle puisse te remplacer
près de moi, car je ne puis me passer d'une Olympe, dit
la comtesse en souriant avec une sorte de tristesse.

— Pas encore, madame, elle est trop jeune; mais dans
deux ans, oui... Puis, s'il était nécessaire qu'elle s'en allât
d'ici, je vous en préviendrais. Son éducation est à faire,
elle ne sait rien du monde. Le grand-père de Geneviève,
le père Niseron, est un de ces hommes qui se laisseraient
couper le cou plutôt que de mentir, il mourrait de faim
auprès d'un dépôt; cela tient à ses opinions, et sa petite-
fille est élevée dans ces sentiments-là... La Péchina se
croirait votre égale, car le bonhomme a fait d'elle, comme
il le dit, une républicaine; de même que le père Fourchon
fait de Mouche un bohémien. Moi, je ris de ces écarts;
mais vous, vous pourriez vous en fâcher; elle ne vous
révère que comme sa bienfaitrice, et non comme une
supérieure. Que voulez-vous, c'est sauvage à la façon des
hirondelles... Le sang de la mère est aussi pour quelque
chose dans tout cela...

— Qu'était donc sa mère ?

— Madame ne connaît pas cette histoire-là, dit
Olympe. Eh! bien, le fils du vieux sacristain de Blangy,
un garçon superbe, à ce que m'ont dit les gens du pays, a
été pris par la grande réquisition. Ce Niseron ne se trouvait encore que simple canonnier en 1809, dans un
corps d'armée qui, du fond de l'Illyrie et de la Dalmatie, a
eu l'ordre d'accourir par la Hongrie pour couper la
retraite à l'armée autrichienne, dans le cas où l'empereur
gagnerait la bataille de Wagram. C'est Michaud qui m'a
raconté la Dalmatie, il y est allé. Niseron, en sa qualité
de bel homme, avait conquis à Zara le cœur d'une Monténégrine, une fille de la montagne à qui la garnison française ne déplaisait pas. Perdue dans l'esprit de ses com-
patriotes, l'habitation de la ville était impossible à cette
fille après le départ des Français. Zèna Kropoli, dite inju-
rieusement la Française, a donc suivi le régiment d'artillerie, elle est revenue en France après la paix.
Auguste Niseron sollicitait la permission d'épouser la
Monténégrine, alors grosse de Geneviève; mais la pauvre
femme est morte à Vincennes des suites de l'accouchement,
en janvier 1810. Les papiers indispensables pour qu'un
mariage soit bon sont arrivés quelques jours après,
Auguste Niseron a donc écrit à son père de venir chercher

l'enfant avec une nourrice du pays et de s'en charger ; il a eu bien raison, car il a été tué d'un éclat d'obus à Montereau. Inscrite sous le nom de Geneviève et baptisée à Soulanges, cette petite Dalmate a été l'objet de la protection de Mlle Laguerre que cette histoire a touchée beaucoup, car il semble que ce soit dans le destin de cette petite d'être adoptée par les maîtres des Aigues. Dans le temps, le père Niseron a reçu du château la layette et des secours en argent.

En ce moment, de la fenêtre devant laquelle la comtesse et Olympe se tenaient, elles virent Michaud abordant l'abbé Brossette et Blondet qui se promenaient en causant dans le vaste espace circulaire sablé qui répétait dans le parc la demi-lune extérieure.

— Où donc est-elle ? dit la comtesse, tu me donnes une furieuse envie de la voir...

— Elle est allée porter du lait à Mlle Gaillard, à la porte de Couches ; elle doit être à deux pas d'ici, car voilà plus d'une heure qu'elle est partie...

— Eh ! bien, je vais avec ces messieurs au-devant d'elle, dit Mme de Montcornet en descendant.

Au moment où la comtesse dépliait son ombrelle, Michaud s'avança pour lui dire que le général la laissait veuve probablement pour deux jours.

— Monsieur Michaud, dit vivement la comtesse, ne me trompez pas, il se passe quelque chose de grave ici. Votre femme a peur, et s'il y a beaucoup de gens qui ressemblent au père Fourchon, ce pays doit être inhabitable...

— Si c'était cela, madame, répondit Michaud en riant, nous ne serions pas sur nos jambes, car il est bien facile de se défaire de nous autres. Les paysans piaillent, voilà tout. Mais quant à passer de la criaillerie au fait, du délit au crime, ils tiennent trop à la vie, à l'air des champs... Olympe vous aura rapporté des propos qui l'ont effrayée, mais elle est dans un état à s'effrayer d'un rêve, ajouta-t-il en prenant le bras de sa femme et le pesant sur le sien de manière à lui dire de se taire désormais.

— Cornevin ! Juliette ! cria Mme Michaud qui vit bientôt la tête de sa vieille cuisinière à la croisée, je vais à deux pas, veillez au pavillon.

Deux chiens énormes qui se mirent à hurler montrèrent que l'effectif de la garnison de la porte d'Avonne était assez considérable. En entendant les chiens, Cornevin, un vieux Percheron, le père nourricier d'Olympe, sortit du massif et fit voir une de ces têtes comme il ne s'en fabrique que dans le Perche. Cornevin avait dû chouanner en 1793 et 1799.

Tout le monde accompagna la comtesse dans celle des six allées de la forêt qui menait directement à la porte de Couches, et que traversait la Source-d'Argent. Mme de Montcornet allait en avant, avec Blondet. Le curé, Michaud et sa femme se parlaient à voix basse de la révélation qui venait d'être faite à madame de l'état du pays.

— Peut-être est-ce providentiel, disait le curé, car si madame le veut, nous arriverons, à force de bienfaits et de douceur, à changer ces gens-là...

A six cents pas environ du pavillon, au-dessous du ruisseau, la comtesse aperçut dans l'allée une cruche rouge cassée et du lait répandu.

— Qu'est-il arrivé à la petite ?... dit-elle en appelant Michaud et sa femme qui retournaient au pavillon.

— Un malheur comme à Perrette, lui répondit Emile Blondet.

— Non, la pauvre enfant a été surprise et poursuivie, car la cruche a été jetée sur le côté, dit l'abbé Brossette en examinant le terrain.

— Oh! c'est bien là le pied de la Péchina, dit Michaud. L'empreinte des pieds tournés vivement révèle une sorte de terreur subite. La petite s'est élancée violemment du côté du pavillon en voulant y retourner.

Tout le monde suivit les traces montrées du doigt par le garde général qui marchait en les observant, et qui s'arrêta dans le milieu de l'allée, à cent pas de la cruche cassée, à l'endroit où cessaient les marques des pieds de la Péchina.

— Là, reprit-il, elle s'est dirigée vers l'Avonne, peut-être était-elle cernée du côté du pavillon.

— Mais, s'écria Mme Michaud, il y a plus d'une heure qu'elle est absente.

Une même terreur se peignit sur toutes les figures. Le curé courut vers le pavillon en examinant l'état du chemin, pendant que Michaud, mû par la même pensée, remonta l'allée vers Couches.

— Oh! mon Dieu, elle est tombée là, dit Michaud en revenant de l'endroit où cessaient les empreintes vers le Ruisseau-d'Argent, à celui où elles cessaient également au milieu de l'allée en montrant une place... Tenez ?...

Tout le monde vit en effet sur le sable de l'allée la trace d'un corps étendu.

— Les empreintes qui vont vers le bois sont celles de pieds chaussés de semelles en tricot..., dit le curé.

— C'est des pieds de femme, dit la comtesse.

— Et, là-bas, à l'endroit de la cruche cassée, les empreintes sont celles des pieds d'un homme, ajouta Michaud.

— Je ne vois pas trace de deux pieds différents, dit le curé, qui suivit jusqu'au bois la trace des chaussures de femme.

— Elle aura, certes, été prise et emportée dans le bois, s'écria Michaud.

— Si c'est un pied de femme, ce serait inexplicable, s'écria Blondet.

— Ce sera quelque plaisanterie de ce monstre de Nicolas, dit Michaud, depuis quelques jours, il guette la Péchina. Ce matin, je me suis tenu pendant deux heures sous le pont d'Avonne pour surprendre mon drôle, qu'une femme aura peut-être aidé dans son entreprise.

— C'est affreux! dit la comtesse.

— Ils croient plaisanter, ajouta le curé d'un ton amer et triste.

— Oh! la Péchina ne se laissera pas arrêter, dit le garde général, elle est capable d'avoir traversé l'Avonne à la nage... Je vais visiter les bords de la rivière. Toi, ma chère Olympe, retourne au pavillon, et vous, messieurs, ainsi que madame, promenez-vous dans l'allée vers Couches.

— Quel pays!... dit la comtesse.

— Il y a de mauvais garnements partout, reprit Blondet.

— Est-il vrai, monsieur le curé, demanda Mme de Montcornet, que j'aie sauvé cette petite des griffes de Rigou ?

— Toutes les jeunes filles au-dessous de quinze ans que vous voudrez recueillir au château seront arrachées à ce monstre, répondit l'abbé Brossette. En essayant d'attirer cette enfant chez lui, dès l'âge de douze ans, madame, l'apostat voulait satisfaire à la fois et son libertinage et sa vengeance. En prenant le père Niseron pour sacristain, j'ai pu faire comprendre à ce bonhomme les intentions de Rigou, qui lui parlait de réparer les torts de son oncle, mon prédécesseur à la cure. C'est un des griefs de l'ancien maire contre moi, sa haine en est accrue... Le père Niseron a déclaré solennellement à Rigou qu'il le tuerait, s'il arrivait malheur à Geneviève, et il l'a rendu responsable de toute atteinte à l'honneur de cette enfant. Je ne serais pas éloigné de voir dans la poursuite de Nicolas Tonsard quelque infernale combinaison de cet homme, qui se croit tout permis ici.

— Il ne craint donc pas la justice ?... dit Blondet.

— D'abord, il est le beau-père du Procureur du roi, répondit le curé qui fit une pause. Puis vous ne soupçonnez pas, reprit-il, l'insouciance profonde de la police cantonale et du Parquet à l'égard de ces gens-là. Pourvu que les paysans ne brûlent pas les fermes, qu'ils n'assassinent pas, qu'ils n'empoisonnent pas, et qu'ils paient leurs contributions, on les laisse faire ce qu'ils veulent entre eux ; et, comme ils sont sans principes religieux, il se passe des choses affreuses. De l'autre côté du bassin de l'Avonne, les vieillards impotents tremblent de rester à la maison, car alors on ne leur donne plus à manger ; aussi vont-ils aux champs tant que leurs jambes peuvent les porter ; s'ils se couchent, ils savent très bien que c'est pour mourir, faute de nourriture. M. Sarcus, le juge de paix, dit que si l'on faisait le procès de tous les criminels, l'État se ruinerait en frais de justice.

— Mais il y voit clair, ce magistrat, s'écria Blondet.

— Monseigneur connaissait bien la situation de cette vallée et surtout l'état de cette commune, dit en continuant le curé. La religion peut seule réparer tant de maux ; la loi, telle qu'elle est, me semble impuissante.

Le curé fut interrompu par des cris partant du bois, et la comtesse, précédée d'Emile et de l'abbé, s'y enfonça courageusement en courant dans la direction indiquée par les cris.

CHAPITRE XI

L'OARISTYS, XXVIIe ÉGLOGUE
DE THÉOCRITE

PEU GOÛTÉE EN COUR D'ASSISES

La sagacité de sauvage, que son nouveau métier avait développée chez Michaud, jointe à la connaissance des passions et des intérêts de la commune de Blangy, venait d'expliquer en partie une troisième idylle dans le genre grec que les villageois pauvres comme les Tonsard, et les quadragénaires riches comme Rigou, traduisent selon le mot classique, *librement*, au fond des campagnes.

Nicolas, second fils de Tonsard, avait amené, lors du tirage, un fort mauvais numéro. Deux ans auparavant, grâce à l'intervention de Soudry, de Gaubertin, de Sarcus-le-Riche, son frère aîné fut réformé comme impropre au service militaire, à cause d'une prétendue maladie dans les muscles du bras droit ; mais comme depuis Jean-Louis avait manié les instruments les plus aratoires avec une facilité très remarquée, il se fit une sorte de rumeur à cet égard dans le canton. Soudry, Rigou, Gaubertin, les protecteurs de cette famille, avertirent le cabaretier qu'il ne fallait pas essayer de soustraire le grand et fort Nicolas à la loi du recrutement. Néanmoins, le maire de La-Ville-aux-Fayes et Rigou sentaient si vivement la nécessité d'obliger les hommes hardis et capables de mal faire, si habilement dirigés par eux contre les Aigues, que Rigou donna quelque espérance à Tonsard et à son fils. Ce moine défroqué, chez qui Catherine, excessivement dévouée à son frère, allait de temps en temps, conseilla de s'adresser à la comtesse et au général.

— Il ne sera peut-être pas fâché de vous rendre ce service pour vous amadouer, et ce sera tout autant de pris sur l'ennemi, dit à Catherine le terrible beau-père du Procureur du roi. Si le Tapissier vous refuse, eh ! bien, nous verrons.

Dans les prévisions de Rigou, le refus du général devait

augmenter par un fait nouveau les torts du grand propriétaire envers les paysans, et valoir à la coalition un nouveau motif de reconnaissance de la part des Tonsard,
dans le cas où son esprit retors fournirait à l'ancien
maire un moyen de libérer Nicolas.

Nicolas, qui devait passer sous peu de jours au conseil
de révision, fondait peu d'espoir sur la protection du
général, à raison des griefs des Aigues contre la famille
Tonsard. Sa passion, ou si vous voulez son entêtement,
son caprice pour la Péchina furent tellement excités à
l'idée de ce départ qui ne lui laissait plus le temps de la
séduire, qu'il voulut essayer de la violence. Le mépris
que cette enfant témoignait à son persécuteur, outre une
résistance pleine d'énergie, avait allumé chez l'un des
Lovelaces de la vallée, une haine dont la fureur égalait
celle de son désir. Depuis trois jours il guettait la Péchina ;
de son côté la pauvre enfant se savait guettée. Il existait
entre Nicolas et sa proie la même entente qu'entre le
chasseur et le gibier. Quand la Péchina s'avançait de
quelques pas au-delà de la grille, elle apercevait la tête de
Nicolas dans une des allées parallèles aux murs du parc,
ou sur le pont d'Avonne. Elle aurait bien pu se soustraire
à cette odieuse poursuite en s'adressant à son grand-père ;
mais toutes les filles, même les plus naïves, par une
étrange peur, instinctive peut-être, tremblent, en ces
sortes d'aventures, de se confier à leurs protecteurs naturels.

Geneviève avait entendu le père Niseron faisant le
serment de tuer un homme, quel qu'il fût, qui *toucherait*
à sa petite-fille, tel fut son mot. Le vieillard croyait cette
enfant gardée par l'auréole blanche que soixante-dix ans
de probité lui valaient. La perspective de drames terribles
épouvante assez les imaginations ardentes des jeunes filles,
sans qu'il soit besoin de plonger au fond de leurs cœurs
pour en rapporter les nombreuses et curieuses raisons qui
leur mettent alors le cachet du silence sur les lèvres.

Au moment d'aller porter le lait que Mme Michaud
envoyait à la fille de Gaillard, le garde de la porte de
Couches dont la vache avait fait un veau, la Péchina ne
se hasarda point, sans procéder à une enquête, comme
une chatte qui s'aventure hors de sa maison. Elle ne vit pas
trace de Nicolas, elle écouta le silence, comme dit le poète,
et n'entendant rien, elle pensa qu'à cette heure, le drôle
était à l'ouvrage. Les paysans commençaient à couper
leurs seigles, car ils moissonnent les premiers leurs parcelles, afin de pouvoir gagner les fortes journées données

aux moissonneurs. Mais Nicolas n'était pas homme à pleurer la paye de deux jours, d'autant plus qu'il quittait le pays après la foire de Soulanges, et que, devenir soldat, c'est pour le paysan, entrer dans une nouvelle vie.

Quand la Péchina, sa cruche sur la tête, parvint à la moitié de son chemin, Nicolas dégringola comme un chat sauvage du haut d'un orme où il s'était caché dans le feuillage, et tomba comme la foudre aux pieds de la Péchina, qui jeta sa cruche et se fia, pour gagner le pavillon, à son agilité. A cent pas de là, Catherine Tonsard, qui faisait le guet, déboucha du bois, et heurta si violemment la Péchina qu'elle la jeta par terre. La violence du coup étourdit l'enfant; Catherine la releva, la prit dans ses bras et l'emmena dans le bois, au milieu d'une petite prairie où bouillonne la source du Ruisseau-d'Argent.

Catherine, grande et forte, en tout point semblable aux filles que les sculpteurs et les peintres prennent, comme jadis la République, pour modèles de la Liberté, charmait la jeunesse de la vallée d'Avonne par ce même sein volumineux, ces mêmes jambes musculeuses, cette même taille à la fois robuste et flexible, ces bras charnus, cet œil allumé d'une paillette de feu, par l'air fier, les cheveux tordus à grosses poignées, le front masculin, la bouche rouge, aux lèvres retroussées, par un sourire quasi féroce, qu'Eugène Delacroix, David d'Angers ont tous deux admirablement saisi et représenté. Image du Peuple, l'ardente et brusque Catherine vomissait des insurrections par ses yeux d'un jaune clair, pénétrants et d'une insolence soldatesque. Elle tenait de son père une violence telle que toute la famille, excepté Tonsard, la craignait dans le cabaret.

— Eh bien, comment te trouves-tu, ma vieille ? dit Catherine à la Péchina.

Catherine avait assis à dessein sa victime sur un tertre d'une faible élévation, auprès de la source où elle lui fit reprendre ses sens avec une affusion d'eau froide.

— Où suis-je ?... demanda-t-elle en levant ses beaux yeux noirs par où vous eussiez dit qu'il passait un rayon de soleil.

— Ah! sans moi, reprit Catherine, tu serais morte...

— Merci, dit la petite encore tout étourdie. Que m'est-il donc arrivé ?

— Tu as buté contre une racine et tu t'es étalée à quatre pas, lancée comme une balle... Ah! courais-tu!... Tu courais comme une perdue.

— C'est ton frère qui est la cause de cet accident, dit la petite en se rappelant d'avoir vu Nicolas.

— Mon frère ? je ne l'ai pas aperçu, dit Catherine. Et qu'est-ce qu'il t'a donc fait, mon pauvre Nicolas, pour que tu en aies peur comme d'un loup-garou ? N'est-il pas plus beau que ton M. Michaud ?

— Oh! dit superbement la Péchina.

— Va, ma petite, tu te prépares des malheurs, en aimant ceux qui nous persécutent ? Pourquoi n'es-tu donc pas de notre côté ?

— Pourquoi ne mettez-vous jamais les pieds à l'église ? et pourquoi volez-vous nuit et jour ? demanda l'enfant.

— Te laisserais-tu donc prendre aux raisons des bourgeois ?... répondit Catherine dédaigneusement et sans soupçonner l'attachement de la Péchina. Les bourgeois nous aiment, eux, comme ils aiment la cuisine, il leur faut de nouvelles platées tous les jours. Où donc as-tu vu des bourgeois qui nous épousent, nous autres paysannes ? Vois donc si Sarcus-le-Riche laisse son fils libre de se marier avec la belle Gatienne Giboulard d'Auxerre, qui pourtant est la fille d'un riche menuisier!... Tu n'es jamais allée au Tivoli de Soulanges. chez Socquard, viens-y ? tu les verras là, les bourgeois! tu concevras alors qu'ils valent à peine l'argent qu'on leur soutire quand nous les attrapons! Viens donc cette année à la Foire ?

— On dit que c'est bien beau, la foire à Soulanges! s'écria naïvement la Péchina.

— Je vas te dire ce que c'est, en deux mots, reprit Catherine. On y est reluquée quand on est belle. A quoi cela sert-il donc d'être jolie comme tu l'es, si ce n'est pas pour être admirée par les hommes ? Ah! quand j'ai entendu dire pour la première fois : « Quel beau brin de fille », tout mon sang est devenu du feu. C'était chez Socquard, en pleine danse; mon grand-père, qui jouait de la clarinette, en a souri. Tivoli m'a paru grand et beau comme le ciel; mais c'est que, ma fille, c'est éclairé tout en quinquets à glaces, on peut se croire en paradis. Les messieurs de Soulanges, d'Auxerre et de La-Ville-aux-Fayes sont tous là. Depuis cette soirée, j'ai toujours aimé l'endroit où cette phrase a sonné dans mes oreilles, comme une musique militaire. On donnerait son éternité pour entendre dire cela de soi, mon enfant, par l'homme qu'on aime!...

— Mais, oui, peut-être, répondit la Péchina d'un air pensif.

— Viens-y donc écouter cette bénédiction de l'homme, elle ne te manquera pas! s'écria Catherine. Dam! il y a de la chance, quand on est brave comme toi, de rencontrer un beau sort!... Le fils à M. Lupin, Amaury qu'a des habits à boutons d'or, serait capable de te demander en mariage! Ce n'est pas tout, va! Si tu savais ce qu'on trouve là contre le chagrin. Tiens, le vin cuit de Socquard vous ferait oublier le plus grand des malheurs. Figure-toi que ça vous donne des rêves! On se sent plus légère... Tu n'as jamais bu de vin cuit!... Eh! bien, tu ne connais pas la vie!

Ce privilège, acquis aux grandes personnes de se gargariser de temps en temps avec un verre de vin cuit, excite à un si haut degré la curiosité des enfants au-dessous de douze ans, que Geneviève avait une fois trempé ses lèvres dans un petit verre de vin cuit, ordonné par le médecin à son grand-père malade. Cette épreuve avait laissé dans le souvenir de la pauvre enfant une sorte de magie qui peut expliquer l'attention que Catherine obtint, et sur laquelle comptait cette atroce fille, pour réaliser le plan dont une partie avait déjà réussi. Sans doute, elle voulait faire arriver la victime, étourdie par sa chute, à cette ivresse morale, si dangereuse sur des filles qui vivent aux champs et dont l'imagination, privée de pâture, n'en est que plus ardente, aussitôt qu'elle trouve à s'exercer. Le vin cuit, qu'elle tenait en réserve, devait achever de faire perdre la tête à sa victime.

— Qu'y a-t-il donc là-dedans ? demanda la Péchina.

— Toutes sortes de choses!... répondit Catherine en regardant de côté pour voir si son frère arrivait, d'abord des *machins* qui viennent des Indes, de la cannelle, des herbes qui vous changent, par enchantement. Enfin, vous croyez tenir ce que vous aimez! ça vous rend heureuse! On se voit riche, on se moque de tout!

— J'aurais peur, dit la Péchina, de boire du vin cuit à la danse!

— De quoi ? reprit Catherine, il n'y a pas le moindre danger, songe donc à tout ce monde qui est là. Tous les bourgeois nous regardent! Ah! c'est de ces jours qui font supporter bien des misères! Voir ça et mourir, on serait contente.

— Si M. et Mme Michaud voulaient y venir!... répondit la Péchina l'œil en feu.

— Mais ton grand-père Niseron, tu ne l'as pas abandonné, ce pauvre cher homme, et il serait bien flatté de

te voir adorée comme une reine... Est-ce que tu préfères
ces *Arminacs* de Michaud et autres à ton grand-père et
aux Bourguignons! ça n'est pas bien de renier son pays.
Et puis, après, qu'est-ce que les Michaud auraient donc à
dire si ton grand-père t'emmenait à la fête de Soulanges ?...
Oh! si tu savais ce que c'est que de régner sur un homme,
d'être sa folie, et de pouvoir lui dire : « Va là! » comme
je le dis à Godain, et qu'il y va! « Fais cela! » et il le fait!
Et tu es *atournée*, vois-tu, ma petite, à démonter la tête à
un bourgeois comme le fils à M. Lupin. Dire que
M. Amaury s'est amouraché de ma sœur Marie, parce
qu'elle est blonde, et qu'il a quasiment peur de moi...
Mais toi, depuis que ces gens du pavillon t'ont requin-
quée, tu as l'air d'une impératrice.

Tout en faisant oublier adroitement Nicolas, pour dis-
siper la défiance dans cette âme naïve, Catherine y distil-
lait superfinement l'ambroisie des compliments. Sans le
savoir, elle avait attaqué la plaie secrète de ce cœur. La
Péchina, sans être autre chose qu'une pauvre petite paysanne, offrait le spectacle d'une effrayante précocité,
comme beaucoup de créatures destinées à finir prématu-
rément, ainsi qu'elles ont fleuri. Produit bizarre du sang
monténégrin et du sang bourguignon, conçue et portée
à travers les fatigues de la guerre, elle s'était sans doute
ressentie de ces circonstances. Mince, fluette, brune
comme une feuille de tabac, petite, elle possédait une
force incroyable, mais cachée aux yeux des paysans, à qui
les mystères des organisations nerveuses sont inconnus.
On n'admet pas les nerfs dans le système médical des
campagnes.

A treize ans, Geneviève avait atteint toute sa crois-
sance quoiqu'elle eût à peine la taille d'un enfant de son
âge. Sa figure devait-elle à son origine ou au soleil de la
Bourgogne ce teint de topaze à la fois sombre et brillant,
sombre par la couleur, brillant par le grain du tissu, qui
donne à une petite fille un air vieux ? La science médicale
nous blâmerait peut-être de l'affirmer. Cette vieillesse
anticipée du masque était rachetée par la vivacité, par
l'éclat, par la richesse de lumière qui faisaient des yeux de
la Péchina deux étoiles. Comme à tous ces yeux pleins de
soleil, et qui veulent peut-être des abris puissants, les
paupières étaient armées de cils d'une longueur presque
démesurée. Les cheveux, d'un noir bleu, fins et longs,
abondants, couronnaient de leurs grosses nattes un front
coupé comme celui de la Junon antique. Ce magnifique

diadème de cheveux, ces grands yeux arméniens, ce front céleste écrasaient la figure. Le nez, quoique fin de forme à sa naissance et d'une courbe élégante, se terminait par des espèces de naseaux chevalins et aplatis. La passion retroussait parfois ces narines et la physionomie prenait alors une expression furieuse. De même que le nez, tout le bas de la figure semblait inachevé, comme si la glaise eût manqué dans les doigts du divin sculpteur. Entre la lèvre inférieure et le menton, l'espace était si court, qu'en prenant la Péchina par le menton on devait lui froisser les lèvres ; mais les dents ne permettaient pas de faire attention à ce défaut. Vous eussiez prêté des âmes à ces petits os fins, brillants, vernis, bien coupés, transparents, et que laissait facilement voir une bouche trop fendue, accentuée par des sinuosités qui donnaient aux lèvres de la ressemblance avec les bizarres torsions du corail. La lumière passait si facilement à travers la conque des oreilles qu'elle semblait rose en plein soleil. Le teint, quoique roussi, révélait une merveilleuse finesse de chair. Si, comme l'a dit Buffon, l'amour est dans le toucher, la douceur de cette peau devait être active et pénétrante comme la robe de Nessus. La poitrine, de même que le corps, effrayait par sa maigreur ; mais le pied, les mains d'une petitesse provocante, accusaient une puissance nerveuse supérieure, une organisation vivace.

Ce mélange d'imperfections diaboliques et de beautés divines, harmonieux malgré tant de discordances, car il tendait à l'unité par une fierté sauvage ; puis ce défi d'une âme puissante à un faible corps écrit dans les yeux, tout rendait cette enfant inoubliable. La nature avait voulu faire de ce petit être une femme, les circonstances de la conception lui prêtèrent la figure et le corps d'un garçon. A voir cette fille étrange, un poète lui aurait donné l'Yémen pour patrie, elle tenait de l'Afrite et du Génie des contes arabes. La physionomie de la Péchina ne mentait pas. Elle avait l'âme de son regard de feu, l'esprit de ses lèvres brillantées par ses dents prestigieuses, la pensée de son front sublime, la fureur de ses narines toujours prêtes à hennir. Aussi l'amour, comme on le conçoit dans les sables brûlants, dans les déserts, agitait-il ce cœur âgé de vingt ans, en dépit des treize ans de l'enfant du Monténégro, qui, semblable à cette cime neigeuse, ne devait ni porter les fleurs du printemps ni se parer des grâces de la jeunesse.

Les observateurs comprendront alors que la Péchina, chez qui la passion sortait par tous les pores, réveillât en des natures perverses la fantaisie endormie par l'abus ; de même qu'à table l'eau vient à la bouche à l'aspect de ces fruits contournés, brouis, tachés de noir que les gourmands connaissent par expérience, et sous la peau desquels la nature se plaît à mettre des saveurs et des parfums de choix. Pourquoi Nicolas, ce manouvrier vulgaire, pourchassait-il cette créature digne d'un poète, quand tous les gens de cette vallée en avaient pitié comme d'une difformité maladive ? Pourquoi Rigou, le vieillard, éprouvait-il pour elle une passion de jeune homme ? Qui des deux était jeune ou vieillard ? Le jeune paysan était-il aussi blasé que le vieillard ? Comment les deux extrêmes de la vie se réunissaient-ils dans un commun et sinistre caprice ? La force qui finit ressemble-t-elle à la force qui commence ? Les dérèglements de l'homme sont des abîmes gardés par des sphinx, ils commencent et se terminent presque tous par des questions sans réponse.

On doit concevoir maintenant cette exclamation : « *Piccina !...* » échappée à la comtesse, quand sur le chemin elle vit Geneviève, l'année précédente, ébahie à l'aspect d'une calèche et d'une femme mise comme Mme de Montcornet. Cette fille presque avortée, d'une énergie monténégrine, aimait le grand, le beau, le noble garde général ; mais comme les enfants de cet âge savent aimer quand elles aiment, c'est-à-dire avec la rage d'un désir enfantin, avec les forces de la jeunesse, avec le dévouement qui chez les vraies vierges enfantent de divines poésies. Catherine venait donc de passer ses grossières mains sur les cordes les plus sensibles de cette harpe, toutes montées à casser. Danser sous les yeux de Michaud, aller à la fête de Soulanges, y briller, s'inscrire dans le souvenir de ce maître adoré ?... Quelles idées ! les lancer dans cette tête volcanique, n'était-ce pas jeter des charbons allumés sur de la paille exposée au soleil d'août ?

— Non, Catherine, répondit la Péchina, je suis laide, chétive, mon lot est de rester dans mon coin, seule au monde.

— Les hommes aiment les *chétiotes*, reprit Catherine. Tu me vois bien, moi ? dit-elle en montrant ses beaux bras, je plais à Godain qui est une vraie *guernouille*, je plais à ce petit Charles qui accompagne le comte, mais le fils Lupin a peur de moi. Je te le répète. C'est les petits hommes qui m'aiment et qui disent à La-Ville-aux-Fayes

ou à Soulanges : « Le beau brin de fille ! » Eh ! bien, toi, tu
plairas aux beaux hommes...

— Ah ! Catherine, si c'est vrai, cela !... s'écria la Péchina ravie.

— Mais enfin c'est si vrai que Nicolas, le plus bel
homme du canton, est fou de toi ; il en rêve, il en perd
l'esprit, et il est aimé de toutes les filles... C'est un fier
gars ! Si tu mets une robe blanche et des rubans jaunes, tu
seras la plus belle chez Socquard, le jour de Notre-Dame,
à la face de tout le beau monde de La-Ville-aux-Fayes.
Voyons, veux-tu ?... Tiens, je coupais de l'herbe, là, pour
nos vaches, j'ai dans une fiole un peu de vin cuit que
m'a donné Socquard ce matin, dit-elle en voyant dans
les yeux de la Péchina cette expression délirante que
connaissent toutes les femmes, je suis bonne enfant, nous
allons le partager... tu croiras être aimée...

Pendant cette conversation, en choisissant les places
où il n'y avait que de l'herbe pour y poser ses pieds, Nicolas s'était glissé, sans faire de bruit, jusqu'au tronc d'un
gros chêne qui se trouvait à quelques pas du tertre où
sa sœur avait assis la Péchina. Catherine, qui de moment
en moment jetait les yeux autour d'elle, finit par apercevoir
son frère en allant prendre la fiole au vin cuit.

— Tiens, commence, dit-elle à la petite.

— Ça me brûle ! s'écria Geneviève en rendant la
gourde à Catherine, après en avoir bu deux gorgées.

— Bête ! tiens, répondit Catherine en vidant le flacon
d'un trait, v'là comme ça passe ! c'est un rayon de soleil
qui vous luit dans l'estomac !

— Et moi qui devrais avoir porté mon lait à Mlle Gaillard ?... s'écria la Péchina ; Nicolas m'a fait une peur !...

— Tu n'aimes donc pas Nicolas ?

— Non, répondit la Péchina, qu'a-t-il à me poursuivre ?
Il ne manque pas de créatures de bonne volonté.

— Mais s'il te préfère à toutes les filles de la vallée, ma
petite...

— J'en suis fâchée pour lui, dit-elle.

— On voit bien que tu ne le connais pas, reprit Catherine.

Avec une rapidité foudroyante, Catherine Tonsard, en
disant cette horrible phrase, saisit la Péchina par la taille,
la renversa sur l'herbe, la priva de toute sa force en la
mettant à plat, et la maintint dans cette dangereuse position. En apercevant son odieux persécuteur, l'enfant se
mit à crier à pleins poumons, et envoya Nicolas à cinq pas
de là, d'un coup de pied donné dans le ventre ; puis elle

se renversa sur elle-même comme un acrobate avec une
dextérité qui trompa les calculs de Catherine et se releva
pour fuir. Catherine, restée à terre, étendit la main, prit
la Péchina par le pied, la fit tomber tout de son long, la
face contre terre; et cette chute affreuse arrêta les cris
incessants de la courageuse Monténégrine. Nicolas, qui,
malgré la violence du coup, s'était remis, revint furieux et
voulut saisir sa victime. Dans ce danger, quoique étourdie par le vin, l'enfant saisit Nicolas à la gorge et la lui
serra par une étreinte de fer.

— Elle m'étrangle! au secours, Catherine! cria Nicolas
d'une voix qui passait péniblement par le larynx.

La Péchina jetait aussi des cris perçants, Catherine
essaya de les étouffer en mettant sa main sur la bouche
de l'enfant, qui la mordit au sang. Ce fut alors que Blondet,
la comtesse et le curé se montrèrent sur la lisière du bois.

— Voilà les bourgeois des Aigues, dit Catherine.

— Veux-tu vivre? dit Nicolas Tonsard à l'enfant
d'une voix rauque.

— Après? dit la Péchina.

— Dis-leur que nous jouions, et je te pardonne, reprit
Nicolas d'un air sombre.

— Mâtine! le diras-tu?... répéta Catherine dont le
regard fut encore plus terrible que la menace meurtrière
de Nicolas.

— Oui, si vous me laissez tranquille, répliqua l'enfant.
D'ailleurs, je ne sortirai plus sans mes ciseaux!

— Tu te tairas, ou je te flanquerai dans l'Avonne, dit
la féroce Catherine.

— Vous êtes des monstres!... cria le curé, vous méri-
teriez d'être arrêtés et envoyés en cour d'assises...

— Ah çà, que faites-vous dans vos salons, vous autres?
demanda Nicolas en regardant la comtesse et Blondet qui
frémirent. Vous jouez, n'est-ce pas? Eh! bien, les champs
sont à nous, on ne peut pas toujours travailler, nous
jouions!... Demandez à ma sœur et à la Péchina?

— Comment vous battez-vous donc, si c'est comme
cela que vous jouez?... s'écria Blondet.

Nicolas jeta sur Blondet un regard d'assassin.

— Parle donc, dit Catherine en prenant la Péchina
par l'avant-bras et en le lui serrant à y laisser un brace-
let bleu, n'est-ce pas que nous nous amusions?...

— Oui, madame, nous nous amusions, dit l'enfant
épuisée par le déploiement de ses forces et qui s'affaissa
sur elle-même comme si elle allait s'évanouir.

— Vous l'entendez, madame, dit effrontément Catherine en lançant à la comtesse un de ces regards de femme à femme qui valent des coups de poignard.

Elle prit le bras de son frère, et tous deux ils s'en allèrent, sans s'abuser sur les idées qu'ils avaient inspirées à ces trois personnages. Nicolas se retourna deux fois, et deux fois il rencontra le regard de Blondet qui toisait ce grand drôle, haut de cinq pieds huit pouces, d'une coloration vigoureuse, à cheveux noirs, crépus, large des épaules, et dont la physionomie assez douce offrait sur les lèvres et autour de la bouche des traits où se devinait la cruauté particulière aux voluptueux et aux fainéants. Catherine balançait sa jupe blanche à raies bleues avec une sorte de coquetterie perverse.

— Caïn et sa femme! dit Blondet au curé.

— Vous ne savez pas à quel point vous rencontrez juste, répliqua l'abbé Brossette.

— Ah! monsieur le curé, que feront-ils de moi? dit la Péchina quand le frère et la sœur furent à une distance où sa voix ne pouvait être entendue.

La comtesse, devenue blanche comme son mouchoir, éprouvait un saisissement tel, qu'elle n'entendait ni Blondet ni le curé, ni la Péchina.

— C'est à faire fuir un paradis terrestre... dit-elle enfin. Mais, avant tout, sauvons cette enfant de leurs griffes.

— Vous aviez raison, cette enfant est tout un poème, un poème vivant! dit tout bas Blondet à la comtesse.

En ce moment, la Monténégrine se trouvait dans l'état où le corps et l'âme fument, pour ainsi dire, après l'incendie d'une colère où toutes les forces intellectuelles et physiques ont lancé leur somme de force. C'est une splendeur inouïe, suprême, qui ne jaillit que sous la pression d'un fanatisme, la résistance ou la victoire, celle de l'amour ou celle du martyre. Partie avec une robe à filets alternativement bruns et jaunes, avec une collerette qu'elle plissait elle-même en se levant de bonne heure, l'enfant ne s'était pas encore aperçue du désordre de sa robe souillée de terre, de sa collerette chiffonnée. En sentant ses cheveux déroulés, elle chercha son peigne. Ce fut dans ce premier mouvement de trouble que Michaud, également attiré par les cris, se rendit sur le lieu de la scène. En voyant son Dieu, la Péchina retrouva toute son énergie.

— Il ne m'a pas touchée, monsieur Michaud! s'écrit-elle.

Ce cri, le regard et le mouvement qui en furent un

éloquent commentaire en dirent en un instant à Blondet
et au curé, plus que Mme Michaud n'en avait dit à la
comtesse sur la passion de cette étrange fille pour le garde
général qui ne s'en apercevait pas.

— Le misérable! s'écria Michaud.

Et par ce geste involontaire, impuissant, qui échappe
aux fous comme aux sages, il menaça Nicolas dont la
haute stature faisait ombre dans le bois où il s'engageait
avec sa sœur.

— Vous ne jouiez donc pas ? dit l'abbé Brossette en
jetant un fin regard à la Péchina.

— Ne la tourmentez pas, dit la comtesse, et rentrons.

La Péchina, quoique brisée, puisa dans sa passion assez
de force pour marcher; son maître adoré la regardait!
La comtesse suivait Michaud dans un de ces sentiers
connus seulement des braconniers et des gardes, où l'on
ne peut pas aller deux de front, mais qui menait droit à la
porte d'Avonne.

— Michaud, dit-elle au milieu du bois, il faut trouver
un moyen de débarrasser le pays de ce méchant garne-
ment, car cette enfant est sans doute menacée de mort.

— D'abord, répondit Michaud, Geneviève ne quittera
pas le pavillon, ma femme prendra chez elle le neveu de
Vatel, qui fait les allées du parc, nous le remplacerons par
un garçon du pays de ma femme, car il ne faut plus mettre
aux Aigues que des gens de qui nous soyons sûrs. Avec
Gounod chez nous, et Cornevin le vieux père nourricier,
les vaches seront bien gardées...

— Je dirai à monsieur de vous indemniser de ce sur-
croît de dépense, reprit la comtesse; mais ceci ne nous
défait pas de Nicolas ? Comment y arriverons-nous ?

— Le moyen est tout simple et tout trouvé, répondit
Michaud. Nicolas doit passer dans quelques jours au
conseil de révision; au lieu de solliciter sa réforme, mon
général, sur la protection de qui les Tonsard comptent,
n'a qu'à le bien recommander au prône.

— J'irai, s'il le faut, dit la comtesse, voir moi-même
mon cousin de Castéran, notre préfet, mais d'ici là, je
tremble... Ces paroles furent échangées au bout du sentier
qui débouchait au rond-point. En arrivant à la crête du
fossé, la comtesse ne put s'empêcher de jeter un cri;
Michaud s'avança pour la soutenir croyant qu'elle s'était
blessée à quelque épine sèche; mais il tressaillit du spectacle qui s'offrit à ses regards.

Marie et Bonnébault, assis sur le talus du fossé, paraissaient causer, et s'étaient sans doute cachés là pour écouter. Evidemment, ils avaient quitté leur place dans le bois en entendant venir du monde et reconnaissant des voix bourgeoises.

Après six ans de service dans la cavalerie, Bonnébault, grand garçon sec, était revenu depuis quelques mois à Couches avec un congé définitif qu'il dut à sa mauvaise conduite; il aurait gâté les meilleurs soldats par son exemple. Il portait des moustaches et une virgule, particularité qui, jointe au prestige de la tenue que les soldats contractent au régime de la caserne, avait rendu Bonnébault la coqueluche des filles de la vallée. Il tenait, comme les militaires, ses cheveux de derrière très courts, frisait ceux du dessus de la tête, retroussait les faces d'un air coquet, et mettait crânement de côté son bonnet de police. Enfin, comparé aux paysans presque tous en haillons comme Mouche et Fourchon, il paraissait superbe en pantalon de toile, en bottes et en petite veste courte. Ces effets achetés lors de sa libération se ressentaient de la réforme et de la vie des champs; mais le coq de la vallée en possédait de meilleurs pour les jours de fête. Il vivait, disons-le, des libéralités de ses bonnes amies qui suffisaient à peine aux dissipations, aux libations, aux perditions de tout genre qu'entraînait la fréquentation du *Café de la Paix*.

Malgré sa figure, ronde, plate, assez gracieuse au premier aspect, ce drôle offrait je ne sais quoi de sinistre. Il était bigle, c'est-à-dire qu'un de ses yeux ne suivait pas les mouvements de l'autre; il ne louchait pas, mais ses yeux n'étaient pas toujours ensemble, pour emprunter à la peinture un de ses termes. Ce défaut, quoique léger, donnait à son regard une expression ténébreuse, inquiétante, en ce qu'elle s'accordait avec un mouvement dans le front et dans les sourcils qui révélait une sorte de lâcheté de caractère, une disposition à l'avilissement.

Il en est de la lâcheté comme du courage : il y en a de plusieurs sortes. Bonnébault, qui se serait battu comme le plus brave soldat, était faible devant ses vices et ses fantaisies. Paresseux comme un lézard, actif seulement pour ce qui lui plaisait, sans délicatesse aucune, à la fois fier et bas, capable de tout et nonchalant, le bonheur de ce *casseur d'assiettes et de cœurs*, pour se servir d'une expression soldatesque, consistait à mal faire ou à faire du dégât. Au sein des campagnes, ce caractère est d'un aussi mauvais exemple qu'au régiment. Bonnébault voulait, comme

Tonsard et comme Fourchon, bien vivre et ne rien faire.
Aussi avait-il *tiré son plan*, pour employer un mot du dictionnaire Vermichel et Fourchon, Tout en exploitant sa
tournure avec un croissant succès, et son talent au billard
avec des chances diverses, il se flattait, en sa qualité d'habitué du *Café de la Paix*, d'épouser un jour Mlle Aglaé Socquard, fille unique du père Socquard, propriétaire de cet
établissement, qui, toute proportion gardée, était à Soulanges, ainsi qu'on le verra bientôt, ce qu'est le *Ranelagh*
au bois de Boulogne. Embrasser la carrière de limonadier,
devenir entrepreneur de bal public, ce beau sort paraissait
être en effet le bâton de maréchal d'un fainéant. Ces
mœurs, cette vie et ce caractère étaient si salement écrits
sur la physionomie de ce *viveur* de bas étage, que la
comtesse laissa échapper une exclamation à l'aspect de ce
couple, qui lui fit une impression aussi vive que si elle eût
vu deux serpents.

Marie, folle de Bonnébault, eût volé pour lui. Cette
moustache, cette *desinvoltura* de trompette, cet air faraud
lui allaient au cœur, comme l'allure, les façons, les
manières d'un de Marsay plaisent à une jolie Parisienne.
Chaque sphère sociale a sa distinction! La jalouse Marie
rebutait Amaury, cet autre fat de petite ville, elle voulait
être Mme Bonnébault!

— Ohé! les autres! ohé! venez-vous?... crièrent de
loin Catherine et Nicolas en apercevant Marie et Bonnébault.

Ce cri suraigu retentit dans les bois comme un appel de
Sauvages.

En voyant ces deux êtres, Michaud frémit, car il se
repentit vivement d'avoir parlé. Si Bonnébault et Marie
Tonsard avaient écouté la conversation, il ne pouvait en
résulter que des malheurs. Ce fait, minime en apparence,
dans la situation irritante où se trouvaient les Aigues vis-à-
vis des paysans, devait avoir une influence décisive
comme dans les batailles la victoire ou la défaite
dépendent d'un ruisseau qu'un pâtre saute à pieds joints
et où s'arrête l'artillerie.

Après avoir salué galamment la comtesse, Bonnébault
prit le bras de Marie d'un air conquérant et s'en alla
triomphalement.

— C'est le *La-clé-des-cœurs* de la vallée, dit Michaud
tout bas à la comtesse en se servant du mot de bivouac
qui veut dire don Juan. C'est un homme bien dangereux.
Quand il a perdu vingt francs au billard, on lui ferait

assassiner Rigou!... L'œil lui tourne aussi bien à un crime qu'à une joie.

— J'en ai trop vu pour aujourd'hui, répliqua la comtesse en prenant le bras d'Emile, revenons, messieurs!

Elle salua mélancoliquement Mme Michaud en voyant la Péchina rentrée au pavillon. La tristesse d'Olympe avait gagné la comtesse.

— Comment, madame, dit l'abbé Brossette, est-ce que la difficulté de faire le bien ici vous détournerait de le tenter ? Voici cinq ans que je couche sur un grabat, que j'habite un presbytère sans meubles, que je dis la messe sans fidèles pour l'entendre, que je prêche sans auditeurs, que je suis desservant sans casuel ni supplément de traitement, que je vis avec les six cents francs de l'Etat, sans rien demander à Monseigneur, et j'en donne le tiers en charités. Enfin, je ne désespère pas! Si vous saviez ce que sont mes hivers, ici, vous comprendriez toute la valeur de ce mot! Je ne me chauffe qu'à l'idée de sauver cette vallée, de la reconquérir à Dieu! Il ne s'agit pas de nous, madame, mais de l'avenir. Si nous sommes institués pour dire aux pauvres : « Sachez être pauvres! », c'est-à-dire « souffrez, résignez-vous et travaillez! » nous devons dire aux riches : « Sachez être riches! » c'est-à-dire intelligents dans la bienfaisance, pieux et dignes de la place que Dieu vous assigne! Eh! bien, madame, vous n'êtes que les dépositaires du pouvoir que donne la fortune, et, si vous n'obéissez pas à ses charges, vous ne la transmettrez pas à vos enfants comme vous l'avez reçue! Vous dépouillez votre postérité. Si vous continuez l'égoïsme de la cantatrice qui, certes, a causé par sa nonchalance le mal dont l'étendue vous effraie, vous reverrez les échafauds où sont morts vos prédécesseurs pour les fautes de leurs pères. Faire le bien obscurément, dans un coin de terre, comme Rigou, par exemple, y fait le mal!... Ah! voilà des prières en actions qui plaisent à Dieu!... Si, dans chaque commune, trois êtres voulaient le bien, la France, notre beau pays, serait sauvée de l'abîme où nous courons : une irréligieuse indifférence à tout ce qui n'est pas nous!... Changez d'abord, changez vos mœurs, et vous changerez alors vos lois!...

Quoique profondément émue en entendant cet élan de charité vraiment catholique, la comtesse répondit par le fatal : *Nous verrons!* des riches qui contient assez de promesses pour qu'ils puissent se débarrasser d'un appel à leur bourse, et qui leur permet plus tard de rester les bras croisés devant tout malheur, sous prétexte qu'il est accompli.

En entendant ce mot, l'abbé Brossette salua Mme de Montcornet et prit une allée qui menait directement à la porte de Blangy.

— Le festin de Balthasar sera donc le symbole éternel des derniers jours d'une caste, d'une oligarchie, d'une domination!... se dit-il quand il fut à dix pas. Mon Dieu! si votre volonté sainte est de déchaîner les pauvres comme un torrent pour transformer les sociétés, je comprends que vous aveugliez les riches!...

CHAPITRE XII

COMME QUOI LE CABARET
EST LA SALLE DE CONSEIL DU PEUPLE

En criant à tue-tête, la vieille Tonsard avait attiré quelques personnes de Blangy, curieuses de savoir ce qui se passait au *Grand-I-Vert*, car la distance entre le village et le cabaret n'est pas plus considérable qu'entre le cabaret et la porte de Blangy. L'un des curieux fut précisément le bonhomme Niseron, le grand-père de la Péchina, qui après avoir sonné le second *Angelus*, retournait façonner quelques chaînées de vigne, son dernier morceau de terre.

Voûté par le travail, le visage blanc, les cheveux d'argent, ce vieux vigneron, à lui seul toute la probité de la commune, avait été pendant la Révolution président du club des Jacobins à La-Ville-aux-Fayes, et juré près du tribunal révolutionnaire au District. Jean-François Niseron, fabriqué du même bois dont furent faits les Apôtres, offrait jadis le portrait, toujours pareil sous tous les pinceaux, de ce saint Pierre en qui les peintres ont tous figuré le front quadrangulaire du Peuple, la forte chevelure naturellement frisée du Travailleur, les muscles du Prolétaire, le teint du Pêcheur, ce nez puissant, cette bouche à demi railleuse qui nargue le malheur, enfin l'encolure du Fort qui coupe des fagots dans le bois voisin pour faire le dîner, pendant que les doctrinaires de la chose discourent.

Tel fut, à quarante ans, ce noble homme, dur comme le fer, pur comme l'or. Avocat du peuple, il crut à ce que devrait être une république, en entendant gronder ce nom, encore plus formidable peut-être que l'idée. Il crut à la république de Jean-Jacques Rousseau, à la fraternité des hommes, à l'échange des beaux sentiments, à la proclamation du mérite, au choix sans brigues, enfin à tout ce que la médiocre étendue d'un arrondissement, comme Sparte, rend possible, et que les proportions d'un empire rendent chimérique. Il signa ses idées de son sang, son fils unique partit pour la frontière; il fit plus, il les signa de ses intérêts, dernier sacrifice de l'égoïsme. Neveu, seul héritier du curé de Blangy, ce tout-puissant tribun de la campagne pouvait en reprendre l'héritage à la belle Arsène, la jolie servante du défunt; il respecta les volontés du testateur et accepta la misère, qui, pour lui, vint aussi promptement que la décadence pour sa république.

Jamais un denier, une branche d'arbre appartenant à autrui ne passa dans les mains de ce sublime républicain, qui rendrait la république acceptable s'il pouvait faire école. Il refusa d'acheter des biens nationaux, il déniait à la république le droit de confiscation. En réponse aux demandes du comité de Salut Public, il voulait que la vertu des citoyens fît pour la sainte patrie les miracles que les tripoteurs de pouvoir voulaient opérer à prix d'or. Cet homme antique reprocha publiquement à Gaubertin père ses trahisons secrètes, ses complaisances et ses déprédations. Il gourmanda le vertueux Mouchon, ce représentant du peuple dont la vertu fut, tout bonnement, de l'incapacité, comme chez tant d'autres qui, gorgés des ressources politiques les plus immenses que jamais peuple ait livrées, n'en tirèrent pas tant de grandeur pour la France que Richelieu sut en trouver dans la faiblesse de son roi. Aussi le citoyen Niseron devint-il un reproche vivant pour trop de monde. On l'accabla bientôt sous l'avalanche de l'oubli, sous ce mot terrible : « Il n'est content de rien ! » Le mot de ceux qui se sont repus pendant la sédition.

Cet autre paysan du Danube regagna son toit à Blangy, regarda choir une à une ses illusions, vit sa république finir en queue d'empereur, et tomba dans une complète misère, sous les yeux de Rigou, qui sut hypocritement l'y réduire. Savez-vous pourquoi ? Jamais Jean-François Niseron ne voulut rien accepter de Rigou. Des refus réitérés apprirent au détenteur de la succession en quelle mésestime profonde le tenait le neveu du curé. Enfin ce mépris glacial venait d'être couronné par la menace terrible dont avait parlé l'abbé Brossette à la comtesse.

Des douze années de la République française, le vieillard s'était fait une histoire à lui, pleine uniquement des traits grandioses qui donneront à ce temps héroïque l'immortalité. Les infamies, les massacres, les spoliations, ce

bonhomme voulait les ignorer ; il ne voyait que les dévouements, le *Vengeur*, les dons à la patrie, l'élan du peuple
aux frontières, et il continuait son rêve pour s'y endormir.
La Révolution a eu beaucoup de poètes semblables au
père Niseron qui chantèrent leurs poèmes aux armées,
secrètement ou au grand jour, par des actes ensevelis sous
les vagues de cet ouragan, et comme sous l'Empire, des
blessés oubliés criaient : vive l'Empereur ! avant de mourir. Ce sublime appartient en propre à la France. L'abbé
Brossette avait respecté cette inoffensive conviction. Le
vieillard s'était attaché naïvement au curé pour ce seul mot
dit par le prêtre : « Le Christianisme est la vraie république. » Et le vieux républicain portait la croix, et il
revêtait la robe mi-partie de rouge et de noir, et il était
digne, sérieux à l'église, et il vivait des triples fonctions
dont l'avait investi l'abbé Brossette qui voulut donner à
ce brave homme, non pas de quoi vivre, mais de quoi ne
pas mourir de faim.

Ce vieillard, l'Aristide de Blangy, parlait peu, comme
toutes les nobles dupes qui s'enveloppent dans le manteau de la résignation : mais il ne manquait jamais à blâ-
mer le mal ; aussi les paysans le craignaient-ils comme les
voleurs craignent la police. Il ne venait pas six fois dans
l'année au *Grand-I-Vert*, quoiqu'on l'y fêtât toujours.
Le vieillard maudissait le peu de charité des riches, leur
égoïsme le révoltait, et par cette fibre il paraissait toujours tenir aux paysans. Aussi, disait-on : « Le père Niseron n'aime pas les riches, il est des nôtres ! »

Pour couronne civique, cette belle vie obtenait dans
toute la vallée ces mots : « Le brave père Niseron ! il n'y a
pas de plus honnête homme ! » Pris souvent pour arbitre
souverain dans certaines contestations, il réalisait ce mot
magnifique : *l'ancien du village !*

Ce vieillard, extrêmement propre, quoique dénué, portait toujours des culottes, de gros bas drapés, des souliers
ferrés, l'habit quasi français à grands boutons, conservé
par les vieux paysans, et le chapeau de feutre à larges
bords ; mais les jours ordinaires, il avait une veste de
drap bleu si rapetassée qu'elle ressemblait à une tapisserie. La fierté de l'homme qui se sait libre et digne de la
liberté donnait à sa physionomie, à sa démarche le *je ne
sais quoi* du noble ; il portait enfin un vêtement et non des
haillons !

— Eh ! que se passe-t-il d'extraordinaire, la vieille, je
vous entendais du clocher ?... demanda-t-il.

On raconta l'attentat de Vatel au vieillard, mais en parlant tous ensemble, selon l'habitude des gens de la campagne.

— Si vous n'avez pas coupé l'arbre, Vatel a tort ; mais si vous avez coupé l'arbre, vous avez commis deux méchantes actions, dit le père Niseron.

— Prenez donc un verre de vin, dit Tonsard en offrant un verre plein au bonhomme.

— Partons-nous ? demanda Vermichel à l'huissier.

— Oui, nous nous passerons du père Fourchon en prenant l'adjoint de Couches, répondit Brunet. Va devant, j'ai un acte à remettre au château, le père Rigou a gagné son second procès, je leur signifie le jugement.

Et monsieur Brunet, lesté de deux petits verres d'eau-de-vie, remonta sur sa jument grise, après avoir dit bonjour au père Niseron, car tout le monde dans la vallée tenait à l'estime de ce vieillard.

Aucune science, pas même la statistique, ne peut rendre compte de la rapidité plus que télégraphique avec laquelle les nouvelles se propagent dans les campagnes, ni comment elles franchissent les espèces de steppes incultes qui sont en France une accusation contre les administrateurs et les capitaux. Il est acquis à l'histoire contemporaine que le plus célèbre des banquiers, après avoir crevé ses chevaux entre Waterloo et Paris (on sait pourquoi ! il gagna tout ce que perdit l'Empereur, une royauté), ne devança la fatale nouvelle que de quelques heures. Donc une heure après la lutte entre la vieille Tonsard et Vatel, plusieurs autres habitués du *Grand-I-Vert* s'y trouvaient réunis.

Le premier venu fut Courtecuisse, en qui vous eussiez difficilement reconnu le jovial garde-chasse, le chanoine rubicond à qui sa femme faisait son café au lait le matin, comme on l'a vu dans le récit des événements antérieurs. Vieilli, maigri, hâve, il offrait à tous les yeux une leçon terrible qui n'éclairait personne.

— Il a voulu monter plus haut que l'échelle, disait-on à ceux qui plaignaient l'ex-garde-chasse en accusant Rigou. Il a voulu devenir bourgeois !

En effet Courtecuisse en achetant le domaine de la Bâchelerie, avait voulu *passer* bourgeois, il s'en était vanté. Sa femme allait ramassant des fumiers ! Elle et Courtecuisse se levaient avant le jour, piochaient leur jardin richement fumé, lui faisaient rapporter plusieurs moissons, sans parvenir à payer autre chose que les intérêts

dus à Rigou pour le restant du prix. Leur fille en service
à Auxerre leur envoyait ses gages ; mais malgré tant d'efforts, malgré ce secours, ils se voyaient au terme du rem-
boursement sans un rouge liard. Mme Courtecuisse, qui
jadis se permettait de temps en temps une bouteille de
vin cuit et des rôties, ne buvait plus que de l'eau. Courtecuisse n'osait pas entrer, la plupart du temps, au *Grand-I-
Vert* de peur d'y laisser trois sous. Destitué de son pouvoir, il avait perdu ses franches lippées au cabaret, et il
criait, comme tous les niais, à l'ingratitude. Enfin, à l'ins-
tar de presque tous les paysans mordus par le démon de
la propriété, devant des fatigues croissantes, la nourriture
décroissait.

— Courtecuisse a bâti trop de murs, disait-on en
enviant sa position ; pour faire des espaliers, il fallait
attendre qu'il fût le maître.

Le bonhomme avait amendé, fertilisé les trois arpents
de terre vendus par Rigou, le jardin attenant à la maison
commençait à produire, et il craignait d'être exproprié !
Vêtu comme Fourchon, lui, qui jadis portait des souliers
et des guêtres de chasseur, allait les pieds dans des sabots,
et il accusait les bourgeois des Aigues d'avoir causé sa
misère ! Ce souci rongeur donnait à ce gros petit homme,
à sa figure autrefois rieuse, un air sombre et abruti qui
le faisait ressembler à un malade dévoré par un poison ou
par une affection chronique.

— Qu'avez-vous donc, monsieur Courtecuisse ? vous
a-t-on coupé la langue ? demanda Tonsard en trouvant le
bonhomme silencieux après lui avoir conté la bataille qui
venait d'avoir lieu.

— Ce serait dommage, reprit la Tonsard, il n'a pas à
se plaindre de la sage-femme qui lui a tranché le filet, elle
a fait là une belle opération.

— Ça gèle *la grelote* que de chercher des idées pour
finir avec M. Rigou, répondit mélancoliquement ce vieillard vieilli.

— Bah ! dit la vieille Tonsard, vous avez une jolie fille,
elle a dix-sept ans ; si elle est sage, vous vous arrangerez
facilement avec ce vieux fagoteur-là...

— Nous l'avons envoyée à Auxerre chez Mme Mariotte
la mère, il y a deux ans, pour la préserver de tout malheur,
dit-il, et j'aime mieux crever que de...

— Est-il bête, dit Tonsard, voyez mes filles ? sont-elles
mortes ? Celui qui ne dirait pas qu'elles sont sages comme
des images, aurait à répondre à mon fusil !

— Ce serait dur d'en venir là! s'écria Courtecuisse en hochant la tête, j'aimerais mieux qu'on me payât pour tirer sur un de ces *Arminacs!*

— Ah! il vaut mieux sauver son père que de laisser moisir sa vertu! répliqua le cabaretier.

Tonsard sentit un coup sec que le père Niseron lui frappa sur l'épaule.

— Ce n'est pas bien ce que tu dis là!... fit le vieillard. Un père est le gardien de l'honneur dans sa famille. Si quelqu'un touchait à Geneviève, il tomberait sous ma hache de 1793, et je me rendrais en prison. C'est en vous conduisant ainsi, que vous faites mépriser le peuple et qu'on nous accuse de ne pas être dignes de la liberté! Le peuple doit donner aux riches l'exemple des vertus civiques et de l'honneur. Vous vous vendez à Rigou pour de l'or, tous tant que vous êtes! Quand vous ne lui livrez pas vos filles, vous lui livrez vos vertus! C'est mal!

— Voyez donc où en est Courtebotte? dit Tonsard.

— Vois où j'en suis! répondit le père Niseron, je dors tranquille; il n'y a pas d'épines dans mon oreiller.

— Laisse-le dire, Tonsard, cria la femme dans l'oreille de son mari, tu sais bien *que c'est son idée* à ce pauvre cher homme...

Bonnébault et Marie, Catherine et son frère arrivèrent à ce moment dans une exaspération commencée par l'in-succès de Nicolas et que la confidence du projet conçu par Michaud avait portée à son comble. Aussi lorsque Nicolas entra dans le cabaret de son père, lâcha-t-il une effrayante apostrophe contre le ménage Michaud et les Aigues.

— Voilà la moisson, eh! bien, je ne partirai pas sans avoir allumé ma pipe à leurs meules! s'écria-t-il en frappant un grand coup de poing sur la table devant laquelle il s'assit.

— Faut pas *japper* comme ça devant le monde, lui dit Godain en lui montrant le père Niseron.

— S'il parlait, je lui tordrais le cou, comme à un poulet, répondit Catherine, il a fait son temps, ce vieil halle-boteur de mauvaises raisons! On le dit vertueux, c'est son tempérament, voilà tout.

Etrange et curieux spectacle que celui de toutes les têtes levées de ces gens groupés dans ce taudis à la porte duquel se tenait en sentinelle la vieille Tonsard, pour assurer aux buveurs le secret sur leurs paroles!

De toutes ces figures, Godain, le poursuivant de Catherine, offrait peut-être la plus effrayante, quoique la moins accentuée. Godain, l'avare sans or, le plus cruel de tous les avares ; car avant celui qui couve son argent, ne faut-il pas mettre celui qui en cherche ? l'un regarde en dedans de lui-même, l'autre regarde en avant avec une fixité terrible ; ce Godain vous eût représenté le type des plus nombreuses physionomies paysannes. Ce manouvrier, petit homme réformé comme n'ayant pas la taille exigée pour le service militaire, naturellement sec, encore desséché par le travail et par la stupide sobriété sous laquelle expirent dans la campagne les travailleurs acharnés comme Courtecuisse, montrait une figure, grosse comme le poing, qui tirait son jour de deux yeux jaunes tigrés de filets verts à points bruns, par lesquels la soif du bien à tout prix s'abreuvait de concupiscence, mais sans chaleur, car le désir d'abord bouillant s'était figé comme une lave. Aussi sa peau se collait-elle aux tempes brunes comme celles d'une momie. Sa barbe grêle piquait à travers ses rides comme le chaume dans les sillons. Godain ne suait jamais, il résorbait sa substance. Ses mains velues et crochues, nerveuses, infatigables, semblaient être en vieux bois. Quoique âgé de vingt-sept ans à peine, on lui voyait déjà des cheveux blancs dans une chevelure d'un noir-rouge. Il portait une blouse à travers la fente de laquelle se dessinait en noir une chemise de forte toile qu'il devait garder plus d'un mois et blanchir lui-même dans la Thune. Ses sabots étaient raccommodés avec du vieux fer. L'étoffe de son pantalon ne se reconnaissait plus sous le nombre infini des raccommodages et des pièces. Enfin, il gardait sur la tête une effroyable casquette, évidemment ramassée à La-Ville-aux-Fayes, au seuil de quelque maison bourgeoise. Assez clairvoyant pour évaluer les éléments de fortune enfouis dans Catherine, il voulait succéder à Tonsard au *Grand-I-Vert ;* il employait donc toute sa ruse, toute sa puissance à la capturer, il lui proposait la richesse, il lui promettait la licence dont avait joui la Tonsard ; enfin il promettait à son futur beau-père une rente énorme, cinq cents francs par an de son cabaret, jusqu'au paiement, en se fiant sur un entretien qu'il avait eu avec monsieur Brunet pour payer en papiers timbrés ! Garçon taillandier à l'ordinaire, ce gnôme travaillait chez le charron tant que l'ouvrage abondait ; mais il se louait pour les corvées chèrement rétribuées. Quoiqu'il possédât environ dix-huit cents francs placés chez Gaubertin à l'insu de toute la contrée, il vivait comme un malheureux, logeant dans un grenier chez son maître et glanant à la moisson. Il portait, cousu dans le haut de son pantalon des dimanches, le billet de Gaubertin, renouvelé chaque année et grossi des intérêts et de ses économies.

— Eh! qué que ça me fait, s'écria Nicolas en répondant à la prudente observation de Godain, s'il faut que je sois soldat, j'aime mieux que le son du panier boive mon sang tout d'un coup que de le donner goutte à goutte... Et je délivrerai le pays d'un de ces *Arminacs* que le diable a lâchés sur nous...

Et il raconta le prétendu complot ourdi par Michaud contre lui.

— Où veux-tu que la France prenne des soldats ?... dit gravement le blanc vieillard en se levant et se plaçant devant Nicolas pendant le silence profond qui accueillit cette horrible menace.

— On fait son temps et l'on revient! dit Bonnébault en refrisant sa moustache.

En voyant les plus mauvais sujets du pays réunis, le vieux Niseron secoua la tête et quitta le cabaret, après avoir offert un liard à madame Tonsard pour son verre de vin. Quand le bonhomme eut mis le pied sur les marches, le mouvement de satisfaction qui se fit dans cette assemblée de buveurs aurait dit à quelqu'un qui les eût vus que tous ces gens étaient débarrassés de la vivante image de leur conscience.

— Eh! bien, qué que tu dis de tout ça ?... Hé! Courte-botte ?... demanda Vaudoyer entré tout à coup et à qui Tonsard avait raconté la tentative de Vatel.

Courtecuisse, à qui presque tout le monde donnait ce sobriquet, fit claquer sa langue contre son palais en reposant son verre sur la table.

— Vatel est en faute, répondit-il. A la place de la mère, je me meurtrirais les côtes, je me mettrais au lit, je me dirais malade et j'*assinerais* le Tapissier et son garde pour leur demander vingt écus de réparation; monsieur Sarcus les accorderait...

— Dans tous les cas, le Tapissier les donnerait pour éviter le tapage que ça peut faire, dit Godain.

Vaudoyer, l'ancien garde champêtre, homme de cinq pieds six pouces, à figure grêlée par la petite vérole, et creusée en casse-noisette, gardait le silence d'un air dubitatif.

— Eh! bien, demanda Tonsard alléché par les soixante francs, qu'est-ce qui te chiffonne, grand serin ? On m'aura cassé pour vingt écus de ma mère, une manière d'en tirer

parti! Nous ferons du tapage pour trois cents francs, et
monsieur Gourdon pourra bien leur aller dire aux Aigues
que la mère a la cuisse déhanchée...

— Et on la lui déhancherait... reprit la cabaretière, ça
se fait à Paris.

— J'ai trop entendu parler des gens du roi pour croire
que les choses iraient à votre gré, dit enfin Vaudoyer qui
souvent avait assisté la Justice et l'ex-brigadier Soudry.
Tant qu'à Soulanges, ça irait encore, monsieur Soudry
représente le gouvernement et il ne veut pas de bien au
Tapissier; mais le Tapissier et Vatel, si vous les attaquez,
auront la malice de se défendre, et ils diront : la femme
était en faute, elle avait un arbre, autrement elle aurait
laissé visiter son fagot sur le chemin, elle n'aurait pas fui;
s'il lui est arrivé malheur, elle ne peut s'en prendre qu'à
son délit. Non, ce n'est pas une affaire sûre...

— Le bourgeois s'est-il défendu quand je l'ai fait *assiner?* dit Courtecuisse, il m'a payé.

— Si vous voulez, je vas aller à Soulanges, dit Bonnébault, je consulterai monsieur Gourdon, le greffier, et
vous saurez ce soir *s'il y a gras.*

— Tu ne demandes que des prétextes pour virer
autour de cette grosse dinde de fille à Socquard, lui
répondit Marie Tonsard en lui donnant une tape sur
l'épaule à lui faire sonner les poumons.

En ce moment, la voix du père Fourchon qui chantait
un vieux noël bourguignon se fit entendre, accompagné
par Mouche en fausset.

— Ah! ils se sont pansés! cria la vieille Tonsard à sa
belle-fille, ton père est rouge comme un gril, et le petit
bresille comme un sarment.

— Salut! cria le vieillard, vous êtes beaucoup de
gredins ici!... Salut! dit-il à sa petite-fille qu'il surprit
embrassant Bonnébault, *salut Marie, pleine de vices, que
Satan soit avec toi, sois joyeuse entre toutes les femmes,* etc.
Salut la compagnie! Vous êtes pincés! Vous pouvez dire
adieu à vos gerbes! Il y a des nouvelles! Je vous l'ai dit
que le bourgeois vous materait, eh! bien, il va vous fouetter avec la loi!... Ah! v'là ce que c'est que de lutter contre
les bourgeois! les bourgeois ont fait tant de lois, qu'ils en
ont pour toutes les finesses...

Un hoquet terrible donna soudain un autre cours aux
idées de l'honorable orateur.

— Si Vermichel était là, je lui soufflerais dans la gueule,
il aurait une idée de ce que c'est que le vin d'Alicante!

Qué vin! si j'étais pas Bourguignon, je voudrais être Espagnol! un vin de Dieu! je crois bien que le pape dit sa messe avec! Cré vin!... Je suis jeune!... Dis donc, Courtebotte, si ta femme était là... je la trouverais jeune! Décidément le vin d'Espagne enfonce le vin cuit!... Faut faire une révolution rien que pour vider les caves!...

— Mais quelle nouvelle, papa ?... dit Tonsard.

— Y aura pas de moisson pour vous autres, le Tapissier va vous interdire le glanage.

— Interdire le glanage!... cria tout le cabaret d'une seule voix dominée par les faussets des quatre femmes.

— Oui, dit Mouche, il va prendre un arrêté, le faire publier par Groison, le faire afficher dans le canton, et il n'y aura que ceux qui auront des certificats d'indigence qui glaneront.

— Et saisissez bien ceci!... dit Fourchon, les fricoteurs des autres communes ne seront pas reçus.

— De quoi, de quoi ? dit Bonnébault. Ma grand-mère, ni moi, ni ta mère à toi Godain, nous ne pourrons pas glaner par ici ?... En voilà des farces d'autorités! je les embête! Ah! ça, c'est donc un déchaîné des enfers, que ce général de maire?...

— Glaneras-tu, tout de même, toi Godain? dit Tonsard au garçon charron qui parlait d'un peu près à Catherine.

— Moi, je n'ai rien, je suis indigent, répondit-il, je demanderai un certificat...

— Qu'est-ce qu'on a donc donné à mon père pour sa loutre, mon bibi ?... disait la belle cabaretière à Mouche.

Quoique succombant sous une digestion pénible et l'œil troublé par deux bouteilles de vin, Mouche assis sur les genoux de la Tonsard, pencha la tête sur le cou de sa tante et lui répondit finement à l'oreille : « Je ne sais pas, mais il a de l'or!... Si vous voulez me crânement nourrir pendant un mois, peut-être bien que je découvrirais sa cachette, il en a *eune!* »

— Le père a de l'or!... dit la Tonsard à l'oreille de son mari qui dominait de sa voix le tumulte occasionné par la vive discussion à laquelle participaient tous les buveurs.

— Chut! v'là Groison qui passe, cria la vieille.

Un silence profond régna dans le cabaret. Lorsque Groison fut à une distance convenable, la vieille Tonsard fit un signe, et la discussion recommença sur la question de savoir si l'on glanerait, comme par le passé, sans certificat d'indigence.

— Faudra bien que vous obéissiez, dit le vieux Fourchon, car le Tapissier est allé voir *el Parfait* et lui demander des troupes pour maintenir l'ordre. On vous tuera comme des chiens... que nous sommes ! s'écria le vieillard qui essayait de vaincre l'engourdissement produit sur sa langue par le vin d'Espagne.

Cette autre annonce de Fourchon, quelque folle qu'elle fût, rendit tous les buveurs pensifs ; ils croyaient le gouvernement capable de les massacrer sans pitié.

— Il y a eu des troubles comme ça aux environs de Toulouse où j'étais en garnison, dit Bonnébault, nous avons marché, les paysans ont été sabrés, arrêtés... ça faisait rire de les voir voulant résister à la troupe ! Il y en a eu dix envoyés aux fers par la Justice, onze en prison, tout a été confondu, quoi !... Le soldat est le soldat, vous êtes des *péquins*, on a le droit de vous sabrer, et hue !...

— Eh ! bien, dit Tonsard, qu'avez-vous donc, vous autres, à vous effarer comme des cabris ? Peut-on prendre quelque chose à ma mère, à mes filles ? On aura de la prison ?... Eh ! bien, on en mangera, le Tapissier n'y mettra pas tout le pays. D'ailleurs, ils seront mieux nourris chez le roi que chez eux, les prisonniers, et on les chauffe en hiver.

— Vous êtes des godiches ! beugla le père Fourchon. Vaut mieux gruger le bourgeois que de l'attaquer en face, allez ! Autrement, vous serez éreintés. Si vous aimez le bagne, c'est autre chose ! on ne travaille pas tant que dans les champs, c'est vrai ; mais on n'y a pas sa liberté.

— Peut-être bien, dit Vaudoyer qui se montrait un des plus hardis pour le conseil, vaudrait-il mieux que quelques-uns d'entre nous risquassent leur peau pour délivrer le pays de cette bête du Gévaudan qui s'est terrée à la porte d'Avonne.

— Faire l'affaire à Michaud ?... dit Nicolas, j'en suis.

— Ça n'est pas mûr, dit Fourchon, nous y perdrions trop, mes enfants. Faut nous *emmalheurer*, crier la faim, le bourgeois des Aigues et sa femme voudront nous faire du bien, et vous en tirerez mieux que des glanes...

— Vous êtes des halletaupiers, s'écria Tonsard ; mettez qu'il y ait noise avec la Justice et les troupes, on ne fourre pas tout un pays aux fers, et nous aurons à La-Ville-aux-Fayes et dans les anciens seigneurs, des gens bien disposés à nous soutenir.

— C'est vrai, dit Courtecuisse, il n'y a que le Tapissier qui se plaint, MM. de Soulanges, de Ronquerolles et

autres sont contents! Quand on pense que si ce cuirassier
avait eu le courage de se faire tuer comme les autres, je
serais encore heureux à ma porte d'Avonne qu'il m'a mise
cen dessus dessous, qu'on ne s'y reconnaît plus!

— L'on ne fera pas marcher les troupes pour un *guerdin* de bourgeois, qui se met mal avec tout un pays! dit
Godain... C'est sa faute! il veut tout confondre ici, renverser tout le monde, le gouvernement lui dira : *Zut!*...

— Le gouvernement ne parle pas autrement, il y est
obligé, ce pauvre gouvernement, dit Fourchon pris d'une
tendresse subite pour le gouvernement, je le plains ce
bon gouvernement... il est malheureux, il est sans le sou,
comme nous... et c'est bête pour un gouvernement qui
fait lui-même la monnaie... Ah! si j'étais le gouvernement...

— Mais, s'écria Courtecuisse, l'on m'a dit à La-Ville-
aux-Fayes que M. de Ronquerolles avait parlé dans
l'assemblée de nos droits.

— C'est sur le *journiau* de m'sieur Rigou, dit Vaudoyer qui savait lire et écrire en sa qualité d'ex-garde
champêtre, je l'ai lu...

Malgré ses fausses tendresses, le vieux Fourchon,
comme beaucoup de gens du peuple, dont les facultés
sont stimulées par l'ivresse, suivait d'un œil intelligent
et d'une oreille attentive cette discussion, que bien des
a parte rendaient furieuse. Tout à coup, il prit position
au milieu du cabaret en se levant.

— Ecoutez le vieux, il est saoul! dit Tonsard, il a
deux fois plus de malice, il a la sienne et celle du vin...

— D'Espagne!... ça fait trois, reprit Fourchon en
riant d'un rire de faune. Mes enfants, faut pas heurter la
chose de front, vous êtes trop faibles, prenez-moi ça de
biais!... Faites les morts, les chiens couchants, la petite
femme est déjà bien effrayée, allez! on en viendra bientôt
à bout; elle quittera le pays, et si elle le quitte, le Tapissier
la suivra, c'est sa passion. Voilà le plan. Mais pour avancer leur départ, mon avis est de leur ôter leur conseil, leur
force, notre espion, notre singe.

— Qui ça ?...

— Hé! c'est le damné curé! dit Tonsard, un chercheur
de péchés qui veut nous nourrir d'hosties.

— Ça c'est vrai, s'écria Vaudoyer, nous étions heureux
sans le curé, faut se défaire de ce *mangeux* de bon-Dieu,
vlà l'ennemi.

— Le Gringalet, reprit Fourchon en désignant

l'abbé Brossette par le surnom qu'il devait à son air piètre, succomberait peut-être à quelque matoise, puisqu'il observe tous les carêmes. Et, en le tambourinant par un bon charivari s'il était pris en *riolle*, son évêque serait forcé de l'envoyer ailleurs. Voilà qui plairait diablement à ce brave père Rigou... Si la fille à Courtecuisse voulait quitter sa bourgeoise d'Auxerre, elle est si jolie qu'en faisant la dévote, et cocotant le confessionnal, elle sauverait la patrie. Et *Ran! tan-plan!*

— Et pourquoi ne serait-ce pas toi ? dit Godain tout bas à Catherine, il y aurait une panerée d'écus à vendanger pour éviter le tapage, et du coup tu serais la maîtresse ici...

— Glanerons-nous, ne glanerons-nous pas ?... dit Bonnébault. Je me soucie bien de votre abbé, moi, je suis de Couches, et nous n'y avons pas de curé qui nous trifouille la conscience avec sa *grelote*.

— Tenez, reprit Vaudoyer, il faut aller savoir du bonhomme Rigou qui connaît les lois, si le Tapissier peut nous interdire le glanage, et il nous dira si nous avons raison. Si le Tapissier est dans son droit, nous verrons alors, comme dit l'ancien, à prendre les choses en biais...

— Il y aura du sang répandu !... dit Nicolas d'un air sombre en se levant après avoir bu toute une bouteille de vin que Catherine lui avait entonnée afin de l'empêcher de parler. Si vous voulez m'écouter, on descendra Michaud ! Mais vous êtes des *veules* et des *drogues!*...

— Pas moi! dit Bonnébault, si vous êtes des amis à taire vos becs, je me charge d'ajuster le Tapissier, moi!... Qué plaisir de loger un pruneau dans son bocal, ça me vengerait de tous mes puants d'officiers!...

— Là, là, s'écria Jean-Louis Tonsard qui passait pour être un peu fils de Gaubertin et qui venait d'entrer à la suite de Fourchon.

Ce garçon, qui courtisait depuis quelques mois la jolie servante de Rigou, succédait à son père dans l'état de tondeur de haies, de charmilles, et autres facultés *tonsardes*. En allant dans les maisons bourgeoises, il y causait avec les maîtres et les gens, il récoltait ainsi des idées qui faisaient de lui l'homme à moyens de la famille, le finaud. En effet, on verra tout à l'heure qu'en s'adressant à la servante de Rigou, Jean-Louis justifiait la bonne opinion qu'on avait de sa finesse.

— Eh! bien, qu'as-tu, prophète ? dit le cabaretier à son fils.

— Je dis que vous jouez le jeu des Bourgeois, répliqua Jean-Louis. Effrayez les gens des Aigues pour maintenir vos droits, bien! mais les pousser hors du pays et faire vendre les Aigues, comme le veulent les bourgeois de la vallée, c'est contre nos intérêts. Si vous aidez à partager les grandes terres, où donc qu'on prendra des biens à vendre à la prochaine révolution?... Vous aurez alors les terres pour rien, comme les a eues Rigou; tandis que si vous les mettez dans la gueule des bourgeois, les bourgeois vous les recracheront bien amaigries et renchéries, vous travaillerez pour eux, comme tous ceux qui travaillent pour Rigou. Voyez Courtecuisse...

Cette allocution était d'une politique trop profonde pour être saisie par des gens ivres qui tous, excepté Courtecuisse, amassaient de l'argent pour avoir leur part dans le gâteau des Aigues. Aussi laissa-t-on parler Jean-Louis en continuant, comme à la Chambre des députés, les conversations particulières.

— Eh! bien, allez, vous serez des machines à Rigou! s'écria Fourchon qui seul avait compris son petit-fils.

En ce moment, Langlumé, le meunier des Aigues, vint à passer, la belle Tonsard le héla.

— C'est-y vrai, dit-elle, monsieur l'adjoint, qu'on défendra le glanage?

Langlumé, petit homme réjoui, à face blanche de farine, habillé de drap gris blanc, monta les marches, et aussitôt les paysans prirent leurs mines sérieuses.

— Dam! mes enfants, oui et non, les nécessiteux glaneront! mais les mesures qu'on prendra vous seront bien profitables...

— Et comment? dit Godain.

— Mais si l'on empêche tous les malheureux de fondre ici, répondit le meunier en clignant les yeux à la façon normande, vous ne serez pas empêchés vous autres d'aller ailleurs, à moins que tous les maires ne fassent comme celui de Blangy.

— Ainsi, c'est vrai? dit Tonsard d'un air menaçant.

— Moi, dit Bonnébault en mettant son bonnet de police sur l'oreille et en faisant siffler sa baguette de coudrier, je retourne à Couches y prévenir les amis...

Et le Lovelace de la vallée s'en alla tout en sifflant l'air de cette chanson soldatesque :

Toi qui connais les hussards de la garde,
Connais-tu pas l' trombon' du régiment?

— Dis donc, Marie, il prend un drôle de chemin pour aller à Couches, ton bon ami ? cria la vieille Tonsard à sa petite-fille.

— Il va voir Aglaé ! dit Marie qui bondit à la porte, il faut que je la rosse une bonne fois, c'te cane-là.

— Tiens, Vaudoyer, dit Tonsard à l'ancien garde champêtre, va voir le père Rigou, nous saurons quoi faire, il est notre oracle, et ça ne coûte rien, sa salive.

— Encore une bêtise, s'écria tout bas Jean-Louis, il vend tout, Annette me l'a bien dit, il est plus dangereux qu'une colère à écouter.

— Je vous conseille d'être sages, reprit Langlumé, car le général est parti pour la Préfecture à cause de vos méfaits, et Sibilet me disait qu'il avait juré son honneur d'aller jusqu'à Paris parler au Chancelier de France, au roi, à toute la boutique, s'il le fallait, pour avoir raison de *ses* paysans.

— Ses paysans ?... cria-t-on.

— Ah ! çà, nous ne nous appartenons donc plus ?

Sur cette question de Tonsard, Vaudoyer sortit pour aller chez l'ancien maire.

Langlumé, déjà sorti, se retourna sur les marches et répondit : « Tas de fainéants ! avez-vous des rentes pour vouloir être vos maîtres ?... »

Quoique dit en riant, ce mot profond fut compris à peu près de la même manière que les chevaux comprennent un coup de fouet.

— Ran, tan, plan ! vos maîtres... dis donc, mon fiston, après ton coup de ce matin, ce n'est pas ma clarinette qu'on te mettra entre les cinq doigts et le pouce, dit Fourchon à Nicolas.

— Ne l'asticote pas, il est capable de te faire rendre ton vin en te frottant le ventre, répliqua brutalement Catherine à son grand-père.

CHAPITRE XIII

L'USURIER DES CAMPAGNES

Stratégiquement, Rigou se trouvait à Blangy ce qu'est à la guerre une sentinelle avancée. Il surveillait les Aigues, et bien. Jamais la police n'aura d'espions comparables à ceux qui se mettent au service de la Haine.

A l'arrivée du général aux Aigues, Rigou forma sans doute sur lui quelque projet que le mariage de Montcornet avec une Troisville fit évanouir, car il avait paru vouloir protéger ce grand propriétaire. Ses intentions furent alors si patentes que Gaubertin jugea nécessaire de lui faire une part en l'initiant à la conspiration ourdie contre les Aigues. Avant d'accepter cette part et un rôle, Rigou voulut mettre, selon son expression, le général au pied du mur. Quand la comtesse fut installée, un jour, une petite carriole en osier peinte en vert entra dans la cour d'honneur des Aigues. M. le maire flanqué de sa mairesse en descendit et vint par le perron du jardin. Rigou remarqua la comtesse à une croisée. Tout acquise à l'évêque, à la religion et à l'abbé Brossette, qui s'était hâté de prévenir son ennemi, la comtesse fit dire par François *que madame était sortie*. Cette impertinence, digne d'une femme née en Russie, fit jaunir le visage du bénédictin. Si la comtesse avait attendu la curiosité de voir l'homme de qui le curé disait : « C'est un damné qui, pour se rafraîchir, se plonge dans l'iniquité comme dans un bain », peut-être eût-elle évité de mettre entre le maire et le château la haine froide et réfléchie que portaient les libéraux aux royalistes, augmentée des excitants du voisinage de la campagne, où le souvenir d'une blessure d'amour-propre est toujours ravivé.

Quelques détails sur cet homme et sur ses mœurs auront le mérite, tout en éclairant sa participation au complot nommé *la grande affaire* par ses deux associés, de peindre un type excessivement curieux, celui d'existences campagnardes particulières à la France, et qu'aucun pinceau n'est encore allé chercher. D'ailleurs, de cet homme, rien n'est indifférent, ni sa maison, ni sa manière de souffler le feu, ni sa façon de manger. Ses mœurs, ses opinions, tout servira puissamment à l'histoire de cette vallée. Ce renégat explique enfin l'utilité de la médiocratie, il en est à la fois la théorie et la pratique, l'alpha et l'oméga, le *summum*.

Vous vous rappelez peut-être certains maîtres en avarice déjà peints dans quelques Scènes antérieures ? D'abord l'avare de province, le père Grandet de Saumur, avare comme le tigre est cruel; puis Gobseck l'escompteur, le jésuite de l'or, n'en savourant que la puissance et dégustant les larmes du malheur, à savoir quel est leur cru; puis le baron de Nucingen élevant les fraudes de l'argent à la hauteur de la Politique. Enfin, vous avez sans doute souvenir de ce portrait de la Parcimonie domestique, le vieil Hochon d'Issoudun, et de cet autre avare par esprit de famille, le petit La Baudraye de Sancerre ! Eh ! bien, les sentiments humains, et surtout l'avarice, ont des nuances si diverses dans les divers milieux de notre société, qu'il restait encore un avare sur la planche de l'amphithéâtre des Etudes de mœurs; il restait Rigou ! l'avare égoïste, c'est-à-dire plein de tendresse pour ses jouissances, sec et froid pour autrui, enfin l'avarice ecclésiastique, le moine demeuré moine pour exprimer le jus du citron appelé le bien-vivre, et devenu séculier pour happer la monnaie publique. Expliquons d'abord le bonheur continu qu'il trouvait à dormir sous son toit !

Blangy, c'est-à-dire les soixante maisons décrites par Blondet dans sa lettre à Nathan, est posé sur une bosse de terrain, à gauche de la Thune. Comme toutes les maisons y sont accompagnées de jardins, ce village est d'un aspect charmant. Quelques maisons sont assises le long du cours d'eau. Au sommet de cette vaste motte de terre, se trouve l'église jadis flanquée de son presbytère, et dont le cimetière enveloppe, comme dans beaucoup de villages, le chevet. Le sacrilège Rigou n'avait pas manqué d'acheter ce presbytère jadis construit par la bonne catholique Mlle Choin sur un terrain acheté par elle exprès. Un jardin en terrasse, d'où la vue plongeait sur les terres de Blangy, de Soulanges et de Cerneux situées entre les deux parcs seigneuriaux, séparait cet ancien presbytère de l'église. Du côté opposé, s'étendait une prairie, acquise par le dernier curé, peu de temps avant sa mort, et entourée de murs par le défiant Rigou. Le maire ayant refusé de rendre le presbytère à sa primitive destination, la Commune fut obligée d'acheter une maison de paysan située auprès de l'église ; il fallut dépenser cinq mille francs pour l'agrandir, la restaurer et y joindre un jardinet dont le mur était mitoyen avec la sacristie, en sorte que la communication fut établie comme autrefois entre la maison curiale et l'église. Ces deux maisons, bâties sur l'alignement de l'église à laquelle elles paraissaient tenir par leurs jardins, avaient vue sur un espace planté d'arbres qui formait d'autant mieux la place de Blangy, qu'en face de la nouvelle Cure, le comte fit construire une Maison Commune destinée à recevoir la mairie, le logement du garde champêtre, et cette école de frères de la Doctrine Chrétienne si vainement sollicitée par l'abbé Brossette. Ainsi, non seulement les maisons de l'ancien bénédictin et du jeune prêtre adhéraient à l'église, aussi bien divisés que réunis par elle, mais encore ils se surveillaient l'un l'autre, et le village entier espionnait l'abbé Brossette. La grande-rue, qui commençait à la Thune, montait tortueusement jusqu'à l'église. Des vignobles et des jardins de paysan, un petit bois couronnaient la butte de Blangy.

La maison de Rigou, la plus belle du village, était bâtie en gros cailloux particuliers à la Bourgogne, pris dans un mortier jaune lissé carrément dans toute la largeur de la truelle, ce qui produit des ondes percées çà et là par les faces assez généralement noires de ce caillou. Une bande de mortier où pas un silex ne faisait tache, dessinait, à chaque fenêtre, un encadrement que le temps avait rayé par des fissures fines et capricieuses, comme on en voit dans les vieux plafonds. Les volets, grossièrement faits, se recommandaient par une solide peinture vert-dragon. Quelques mousses plates soudaient les ardoises sur le toit. C'est le type des maisons bourguignonnes, les voyageurs en aperçoivent par milliers de semblables en traversant cette portion de la France.

Une porte bâtarde ouvrait sur un corridor, partagé par la cage d'un escalier de bois. A l'entrée, on voyait la porte d'une vaste salle à trois croisées donnant sur la place. La cuisine, adossée à l'escalier, tirait son jour de la cour, cailloutée avec soin, et où l'on entrait par une porte cochère. Tel était le rez-de-chaussée. Le premier étage contenait trois chambres, et au-dessus une petite chambre en mansarde. Un bûcher, une remise, une écurie attenaient à la cuisine et faisaient un retour d'équerre. Au-dessus de ces constructions légères, on avait ménagé des greniers, un fruitier et une chambre de domestique. Une basse-cour, une étable, des toits à porc faisaient face à la maison. Le jardin, d'environ un arpent et clos de murs, était un jardin de curé, c'est-à-dire plein d'espaliers, d'arbres à fruits, de treilles, aux allées sablées et bordées de quenouilles, à carrés de légumes fumés avec le fumier provenant de l'écurie. Au-dessus de la maison, attenait un second clos, planté d'arbres, enclos de haies, et assez considérable pour que deux vaches y trouvassent leur pâture en tout temps.

A l'intérieur, la salle, boisée à hauteur d'appui, était tendue de vieilles tapisseries. Les meubles en noyer, bruns de vieillesse et garnis en tapisserie à la main, s'harmonisaient avec la boiserie, avec le plancher également en bois. Le plafond montrait trois poutres en saillie, mais peintes, et à entre-deux plafonnés! La cheminée, en bois de noyer, surmontée d'une glace dans un trumeau grotesque, n'offrait d'autre ornement que deux œufs en cuivre montés sur un pied de marbre, et qui se partageaient en deux, la partie supérieure retournée donnait une bobèche. Ces chandeliers à deux fins, embellis de chaînettes, une invention du règne de Louis XV, commencent à devenir rares. Sur la paroi opposée aux fenêtres, et posée sur un socle vert et or, s'élevait une horloge commune, mais excellente. Les rideaux criant sur leurs tringles en fer, dataient de cinquante ans; leur étoffe en coton à carreaux, semblables à ceux des matelas, alternés de rose et de blanc, venait des Indes. Un buffet et une table à manger complétaient cet ameublement, tenu, d'ailleurs, avec une excessive propreté. Au coin de la cheminée, on apercevait une immense bergère de curé, le siège spécial de Rigou. Dans l'angle, au-dessus du petit bonheur-du-jour qui lui servait de secrétaire, on voyait accroché à la plus vulgaire patère, un soufflet, origine de la fortune de Rigou.

Sur cette succincte description, dont le style rivalise celui des affiches de vente, il est facile de deviner que les deux chambres respectives de M. et Mme Rigou, devaient être réduites au strict nécessaire; mais on se tromperait en pensant que cette parcimonie pût exclure la bonté matérielle des choses. Ainsi la petite maîtresse la plus exigeante se serait trouvée admirablement couchée dans le lit de Rigou, composé d'excellents matelas, de draps en toile fine, grossi d'un lit de plumes acheté jadis pour quelque abbé par une dévote, garanti des bises par de bons rideaux. Ainsi de tout, comme on va le voir.

Ce bénédictin, esprit astucieux autant que profond, avait réduit sa femme, qui ne savait ni lire et écrire, ni compter, à une obéissance absolue. Après avoir gouverné le défunt, la pauvre créature finissait servante de son mari, faisant la cuisine, la lessive, à peine aidée par une très jolie fille appelée Annette, âgée de dix-neuf ans, aussi soumise à Rigou que sa maîtresse et qui gagnait trente francs par an.

Grande, sèche et maigre, Mme Rigou, femme à figure jaune, colorée aux pommettes, la tête toujours enveloppée d'un foulard et portant le même jupon pendant toute l'année, ne quittait pas sa maison deux heures par mois et nourrissait son activité par tous les soins qu'une servante dévouée donne à une maison. Le plus habile observateur n'aurait pas trouvé trace de la magnifique taille, de la fraîcheur à la Rubens, de l'embonpoint splendide, des dents superbes, des yeux de vierge qui jadis recommandèrent la jeune fille à l'attention du curé Niseron. La seule et unique couche de sa fille, Mme Soudry la jeune, avait décimé les dents, fait tomber les cils, terni les yeux, gauchi la taille, flétri le teint. Il semblait que le doigt de Dieu se fût appesanti sur l'épouse du prêtre. Comme toutes les riches ménagères de la campagne, elle jouissait de voir ses armoires pleines de robes de soie, ou en pièce, ou faites et neuves, de dentelles, de bijoux qui ne lui servaient jamais qu'à faire commettre le péché d'envie, à faire souhaiter sa mort aux jeunes servantes de Rigou. C'était un de ces êtres moitié femmes, moitié bestiaux, nés pour vivre instinctivement. Cette ex-belle Arsène étant désintéressée, le legs du feu curé Niseron serait inexplicable sans le curieux événement qui l'inspira, et qu'il faut rapporter pour l'instruction de l'immense tribu des Héritiers.

Mme Niseron, la femme du vieux sacristain, comblait d'attentions l'oncle de son mari; car l'imminente succession d'un vieillard de soixante-douze ans, estimée à quarante et quelques mille livres, devait mettre la famille de l'unique héritier dans une aisance assez impatiemment attendue par feu Mme Niseron, laquelle, outre son fils, jouissait d'une charmante petite fille, espiègle, innocente, une de ces créatures qui ne sont peut-être accomplies que parce qu'elles doivent disparaître, car elle mou-

rut à quatorze ans des *pâles couleurs*, le nom populaire de
la *chlorose*. Feu follet du presbytère, cette enfant allait
chez son grand-oncle le curé comme chez elle, elle y
faisait la pluie et le beau temps, elle aimait Mlle Arsène,
la jolie servante que son oncle put prendre en 1789, à la
faveur de la licence introduite dans la discipline par les
premiers orages révolutionnaires. Arsène, nièce de la
vieille gouvernante du curé, fut appelée pour la suppléer,
car en se sentant mourir, la vieille Mlle Pichard voulait
sans doute faire transporter ses droits à la belle Arsène.

En 1791, au moment où le curé Niseron offrit un asile
à Dom Rigou et au frère Jean, la petite Niseron se permit
une espièglerie fort innocente. En jouant avec Arsène et
d'autres enfants à ce jeu qui consiste à cacher chacun à
son tour un objet que les autres cherchent et qui fait
crier : « Tu brûles ou tu gèles », selon que les chercheurs
s'en éloignent ou s'en approchent, la petite Geneviève eut
l'idée de fourrer le soufflet de la salle dans le lit d'Arsène.
Le soufflet fut introuvable, le jeu cessa. Geneviève, emme-
née par sa mère, oublia de remettre le soufflet à son clou.
Arsène et sa tante cherchèrent le soufflet pendant une
semaine, puis on ne le chercha plus, on pouvait s'en
passer; le vieux curé soufflait son feu avec une sarbacane
faite au temps où les sarbacanes furent à la mode, et qui
sans doute provenait de quelque courtisan d'Henri III.
Enfin, un soir, un mois avant sa mort, la gouvernante,
après un dîner auquel avaient assisté l'abbé Mouchon, la
famille Niseron et le curé de Soulanges, fit des lamentations de Jérémie sur le soufflet, sans pouvoir en expliquer
la disparition.

— Eh! mais il est depuis quinze jours dans le lit
d'Arsène, dit la petite Niseron en éclatant de rire, si cette
grande paresseuse faisait son lit, elle l'aurait trouvé...

En 1791, tout le monde put éclater de rire; mais, à ce
rire succéda le plus profond silence.

— Il n'y a rien de risible à cela, dit la gouvernante,
depuis que je suis malade, Arsène me veille.

Malgré cette explication, le curé Niseron jeta sur
Mme Niseron et sur son mari le regard foudroyant d'un
prêtre qui croit à un complot. La gouvernante mourut.
Dom Rigou sut si bien exploiter la haine du curé, que
l'abbé Niseron déshérita Jean-François Niseron au profit
d'Arsène Pichard.

En 1823, Rigou se servait toujours par reconnaissance
de la sarbacane pour attiser le feu.

Madame Niseron, folle de sa fille, ne lui survécut pas. La mère et l'enfant moururent en 1794. Le curé mort, le citoyen Rigou s'occupa lui-même des affaires d'Arsène, en la prenant pour sa femme.

L'ancien frère convers de l'Abbaye, attaché à Rigou comme un chien à son maître, devint à la fois le palefrenier, le jardinier, le vacher, le valet de chambre et le régisseur de ce sensuel Harpagon.

Arsène Rigou, mariée en 1821 au Procureur du roi, sans dot, rappelait un peu la beauté commune de sa mère et possédait l'esprit sournois de son père.

Alors âgé de soixante-sept ans, Rigou n'avait pas fait une seule maladie en trente ans, et rien ne paraissait devoir atteindre cette santé vraiment insolente. Grand, sec, les yeux bordés d'un cercle brun, les paupières presque noires, quand le matin, il laissait voir son cou ridé, rouge et grenu, vous l'eussiez d'autant mieux comparé à un condor que son nez très long, pincé du bout, aidait encore à cette ressemblance par une coloration sanguinolente. Sa tête quasi chauve eût effrayé les connaisseurs par un occiput en dos d'âne, indice d'une volonté despotique. Ses yeux grisâtres, presque voilés par ses paupières à membranes filandreuses, étaient prédestinés à jouer l'hypocrisie. Deux mèches de couleur indécise, à cheveux si clairsemés qu'ils ne cachaient pas la peau, flottaient au-dessus des oreilles larges, hautes et sans ourlet, trait qui révèle la cruauté dans l'ordre moral quand il n'annonce pas la folie. La bouche, très fendue et à lèvres minces, annonçait un mangeur intrépide, un buveur déterminé par la tombée des coins qui dessinait deux espèces de virgules où coulaient les jus, où pétillait sa salive quand il mangeait ou parlait. Héliogabale devait être ainsi.

Son costume invariable consistait en une longue redingote bleue à collet militaire, en une cravate noire, un pantalon et un vaste gilet de drap noir. Ses souliers à fortes semelles étaient garnis de clous à l'extérieur, et à l'intérieur d'un chausson tricoté par sa femme durant les soirées d'hiver. Annette et sa maîtresse tricotaient aussi les bas de Monsieur.

Rigou s'appelait Grégoire. Aussi ses amis ne renonçaient-ils point aux divers calembours que le G du prénom autorisait, malgré l'usage immodéré qu'on en faisait depuis trente ans. On le saluait toujours de ces phrases : J'ai Rigou! Je ris, goutte! Ris, goûte! Rigoulard, etc., mais surtout de Grigou (G. Rigou).

Quoique cette esquisse peigne le caractère, personne n'imaginerait jamais jusqu'où, sans opposition et dans la solitude, l'ancien bénédictin avait poussé la science de l'égoïsme, celle du bien-vivre et la volupté sous toutes les formes. D'abord, il mangeait seul, servi par sa femme et par Annette qui se mettaient à table avec Jean, après lui, dans la cuisine, pendant qu'il digérait son dîner, qu'il cuvait son vin en lisant *les nouvelles*.

A la campagne, on ne connaît pas les noms propres des journaux, ils s'appellent tous *les nouvelles*.

Le dîner, de même que le déjeuner et le souper, toujours composés de choses exquises, étaient cuisinés avec cette science qui distingue les gouvernantes de curé entre toutes les cuisinières. Ainsi, Mme Rigou battait elle-même le beurre deux fois par semaine. La crème entrait comme élément dans toutes les sauces. Les légumes étaient cueillis de manière à sauter de leurs planches dans la casserole. Les Parisiens habitués à manger de la verdure, des légumes qui accomplissent une seconde végétation exposés au soleil, à l'infection des rues, à la fermentation des boutiques, arrosés par les fruitières qui leur donnent ainsi la plus trompeuse fraîcheur, ignorent les saveurs exquises que contiennent ces produits auxquels la nature a confié des vertus fugitives, mais puissantes, quand ils sont mangés en quelque sorte tout vifs. Le boucher de Soulanges apportait sa meilleure viande, sous peine de perdre la pratique du redoutable Rigou. Les volailles, élevées à la maison, devaient être d'une excessive finesse. Ce soin de papelardise embrassait toute chose, mais relativement à Rigou seulement. Si les pantoufles de ce savant Thélémiste étaient de cuir grossier, une bonne peau d'agneau en formait la doublure. S'il portait une redingote de gros drap, c'est qu'elle ne touchait pas sa peau, car sa chemise, blanchie et repassée au logis, avait été filée par les plus habiles doigts de la Frise. Sa femme, Annette et Jean buvaient le vin du pays, le vin que Rigou se réservait sur sa récolte; mais, dans sa cave particulière, pleine comme une cave de Belgique, les vins de Bourgogne les plus fins côtoyaient ceux de Bordeaux, de Champagne, de Roussillon, du Rhône, d'Espagne, tous achetés dix ans à l'avance, et toujours mis en bouteilles par frère Jean. Les liqueurs provenues des îles procédaient de Mme Amphoux, l'usurier en avait acquis une provision pour le reste de ses jours, au dépeçage d'un château de Bourgogne. Rigou mangeait et buvait comme Louis XIV, un des plus grands consommateurs connus, ce qui trahit les dépenses d'une vie plus que voluptueuse. Discret et habile dans sa prodigalité secrète, il disputait ses moindres marchés comme savent disputer les gens d'Eglise. Au lieu de prendre des précautions infinies pour ne pas être trompé dans ses acquisitions, le rusé moine gardait un échantillon et se faisait écrire les conventions; mais quand son vin ou ses provisions voyageaient, il prévenait qu'au plus léger vice des choses, il refuserait d'en prendre livraison. Jean, directeur du fruitier, était dressé à savoir conserver les produits du plus beau fruitage connu dans le département. Rigou mangeait des poires, des pommes et quelquefois du raisin à Pâques. Jamais prophète susceptible de passer Dieu ne fut plus aveuglément obéi que ne l'était Rigou chez lui dans ses moindres caprices. Le mouvement de ses gros sourcils noirs plongeait sa femme, Annette et Jean dans des inquiétudes mortelles. Il retenait ses trois esclaves par la multitude minutieuse de leurs devoirs qui leur faisait comme une chaîne. A tout moment, ces pauvres gens se trouvaient sous le coup d'un travail obligé, d'une surveillance, et ils avaient fini par trouver une sorte de plaisir dans l'accomplissement de ces travaux constants, ils ne s'ennuyaient point. Tous trois, ils avaient le bien-être de cet homme pour seul et unique texte de leurs préoccupations.

Annette était, depuis 1795, la dixième jolie bonne prise par Rigou qui se flattait d'arriver à la tombe avec ces relais de jeunes filles. Venue à seize ans, à dix-neuf ans Annette devait être renvoyée. Chacune de ces bonnes, choisie à Auxerre, Clamecy, dans le Morvan, avec des soins méticuleux, était attirée par la promesse d'un beau sort, mais Mme Rigou s'entêtait à vivre. Et toujours au bout de trois ans, une querelle amenée par l'insolence de la servante envers sa pauvre maîtresse, en nécessitait le renvoi. Annette, vrai chef-d'œuvre de beauté fine, ingénieuse, piquante, méritait une couronne de duchesse. Elle ne manquait pas d'esprit, Rigou ne savait rien de l'intelligence d'Annette et de Jean-Louis Tonsard, ce qui prouvait qu'il se laissait prendre par cette jolie fille, la seule à qui l'ambition eût suggéré la flatterie comme moyen d'aveugler ce lynx.

Ce Louis XV sans trône ne s'en tenait pas uniquement à la jolie Annette. Oppresseur hypothécaire des terres achetées par les paysans au-delà de leurs moyens, il faisait son sérail de la vallée, depuis Soulanges jusqu'à

cinq lieues au-delà de Couches vers la Brie, sans y dépenser autre chose que des *retardements de poursuites* pour
obtenir ces fugitifs trésors qui dévorent la fortune de tant
de vieillards. Cette vie exquise, cette vie comparable à
celle de Bouret, ne coûtait donc presque rien. Grâce à ses
nègres blancs, Rigou faisait abattre, façonner, rentrer ses
fagots, ses bois, ses foins, ses blés. Pour le paysan, la
main-d'œuvre est peu de chose, surtout en considération
d'un ajournement d'intérêts à payer. Ainsi Rigou, tout en
demandant de petites primes pour des retards de quelques
mois, pressurait ses débiteurs en exigeant d'eux des services manuels, véritables corvées auxquelles ils se prêtaient, croyant ne rien donner parce qu'ils ne sortaient
rien de leurs poches. On payait ainsi parfois à Rigou plus
que le capital de la dette.

Profond comme un moine, silencieux comme un bénédictin en travail d'histoire, rusé comme un prêtre, dissi-
mulé comme tout avare, se tenant dans les limites du
droit, toujours en règle, cet homme eût été Tibère à
Rome, Richelieu sous Louis XIII, Fouché s'il avait eu
l'ambition d'aller à la Convention; mais il eut la sagesse
d'être un Lucullus sans faste, un voluptueux avare. Pour
occuper son esprit, il jouissait d'une haine taillée en plein
drap. Il tracassait le général comte de Montcornet, il
faisait mouvoir les paysans par le jeu de fils cachés dont le
maniement l'amusait comme une partie d'échecs où les
pions vivaient, où les cavaliers couraient à cheval, où les
fous comme Fourchon babillaient, où les tours féodales
brillaient au soleil, où la Reine faisait malicieusement
échec au Roi! Tous les jours en se levant, de sa fenêtre,
il voyait les faîtes orgueilleux des Aigues, les cheminées
des pavillons, les superbes Portes, et il se disait : « Tout
cela tombera! je sécherai ces ruisseaux, j'abattrai ces
ombrages. » Enfin, il avait sa grande et sa petite victime.
S'il méditait la ruine du château, le renégat se flattait de
tuer l'abbé Brossette à coups d'épingle.

Pour achever de peindre cet ex-religieux, il suffira de
dire qu'il allait à la messe en regrettant que sa femme
vécût, et manifestant le désir de se réconcilier avec
l'Eglise aussitôt son veuvage venu. Il saluait avec déférence l'abbé Brossette en le rencontrant, et lui parlait
doucement sans jamais s'emporter. En général, tous les
gens qui tiennent à l'Eglise, ou qui en sont sortis, ont
une patience d'insecte : ils la doivent à l'obligation de
garder un décorum, éducation qui manque depuis

vingt ans à l'immense majorité des Français, même à
ceux qui se croient bien élevés. Tous les Conventuels
que la Révolution a fait sortir de leurs monastères et qui
sont entrés dans les affaires ont montré par leur froideur
et par leur réserve la supériorité que donne la discipline
ecclésiastique à tous les enfants de l'Eglise, même à ceux
qui la désertent.

Eclairé dès 1792 par l'affaire du testament, Gaubertin
avait su sonder la ruse que contenait la figure enfiellée
de cet habile hypocrite; aussi s'en était-il fait un compère
en communiant avec lui devant le Veau d'or. Dès la fon-
dation de la maison Leclercq, il dit à Rigou d'y mettre
cinquante mille francs en les lui garantissant. Rigou
devint un commanditaire d'autant plus important qu'il
laissa ce fonds se grossir des intérêts accumulés. En ce
moment l'intérêt de Rigou dans cette maison était encore
de cent mille francs, quoiqu'en 1816 il eût repris une
somme de quatre-vingt mille francs environ, pour la
placer sur le Grand-Livre, en y trouvant dix-sept
mille francs de rentes. Lupin connaissait à Rigou pour
cent cinquante mille francs d'hypothèques en petites
sommes sur de grands biens. Ostensiblement, Rigou possédait en terres environ quatorze mille francs de revenus
bien nets. On apercevait donc environ quarante mille
francs de rentes à Rigou. Mais quant à son trésor, c'était
un X qu'aucune règle de proportion ne pouvait dégager,
de même que le diable seul connaissait les affaires qu'il
tripotait avec Langlumé.

Ce terrible usurier, qui comptait vivre encore vingt ans,
avait inventé des règles fixes pour opérer. Il ne prêtait
rien à un paysan qui n'achetait pas au moins trois hectares et qui ne payait pas la moitié du prix comptant. On
voit que Rigou connaissait bien le vice de la loi sur les
expropriations appliquées aux parcelles et le danger que
fait courir au Trésor et à la Propriété l'excessive division
des biens. Poursuivez donc un paysan qui vous prend un
sillon, quand il n'en possède que cinq!

Le coup d'œil de l'intérêt privé *distancera* toujours de
vingt-cinq ans celui d'une assemblée de législateurs.
Quelle leçon pour un pays! La loi émanera toujours d'un
vaste cerveau, d'un homme de génie et non de neuf cents
intelligences qui se rapetissent en se faisant foule. La loi
de Rigou ne contient-elle pas en effet le principe de celle à
chercher pour arrêter le non-sens que présente la propriété réduite à des moitiés, des tiers, des quarts, des

dixièmes de centiare, comme dans la commune d'Argenteuil où l'on compte trente mille parcelles ?

De telles opérations voulaient un compérage étendu comme celui qui pesait sur cet arrondissement. D'ailleurs, comme Rigou faisait faire à Lupin environ le tiers des actes qui se passaient annuellement dans l'étude, il trouvait dans le notaire de Soulanges un compère dévoué. Ce forban pouvait ainsi comprendre dans le contrat de prêt auquel assistait toujours la femme de l'emprunteur quand il était marié, la somme à laquelle se montaient les intérêts illégaux. Le paysan, ravi de n'avoir que les cinq pour cent à payer annuellement pendant la durée du prêt, espérait toujours s'en tirer par un travail enragé, par des engrais qui bonifiaient le gage de Rigou.

De là les trompeuses merveilles enfantées par ce que d'imbéciles économistes nomment la *petite culture*, le résultat d'une faute politique à laquelle nous devons de porter l'argent français en Allemagne pour y acheter des chevaux que le pays ne fournit plus, une faute qui diminuera tellement la production des bêtes à cornes que la viande sera bientôt inabordable, non pas seulement au peuple, mais encore à la petite bourgeoisie. (Voir *le Curé de Village*.)

Donc, bien des sueurs, entre Couches et La-Ville-aux-Fayes, coulaient pour Rigou, que chacun respectait, tandis que le travail chèrement payé par le général, le seul qui jetât de l'argent dans le pays, lui valait des malédictions et la haine vouée aux riches. De tels faits ne seraient-ils pas inexplicables sans le coup d'œil jeté sur la Médiocratie ? Fourchon avait raison, les bourgeois remplaçaient les seigneurs. Ces petits propriétaires, dont le type est représenté par Courtecuisse, étaient les mainmortables du Tibère de la vallée d'Avonne, de même qu'à Paris les industriels sans argent sont les paysans de la haute Banque. Soudry suivait l'exemple de Rigou depuis Soulanges jusqu'à cinq lieues de La-Ville-aux-Fayes. Ces deux usuriers s'étaient partagé l'arrondissement. Gaubertin, dont la rapacité s'exerçait dans une sphère supérieure, non seulement ne faisait pas concurrence à ses associés, mais il empêchait les capitaux de La-Ville-aux-Fayes de prendre cette fructueuse route. On peut deviner maintenant quelle influence ce triumvirat de Rigou, de Soudry, de Gaubertin obtenait aux élections par des électeurs dont la fortune dépendait de leur mansuétude.

Haine, intelligence et fortune, tel était le triangle ter-

rible par lequel s'expliquait l'ennemi le plus proche des
Aigues, le surveillant du général, en relations constantes
avec soixante ou quatre-vingts petits propriétaires, parents
ou alliés des paysans, et qui le redoutaient comme on
redoute un créancier.

Rigou se superposait à Tonsard. L'un vivait de vols en
nature, l'autre s'engraissait de rapines légales. Tous deux
aimaient à bien vivre, c'était la même nature sous deux
espèces, l'une naturelle, l'autre aiguisée par l'éducation
du cloître.

Lorsque Vaudoyer quitta le cabaret du *Grand-I-Vert*
pour consulter l'ancien maire, il était environ quatre
heures. A cette heure, Rigou dînait.

En trouvant la porte bâtarde fermée, Vaudoyer regarda
par-dessus les rideaux en criant : « Monsieur Rigou, c'est
moi, Vaudoyer... »

Jean sortit par la porte cochère et fit entrer Vaudoyer
un instant après, en lui disant : « Viens au jardin, monsieur
a du monde. »

Ce monde était Sibilet, qui, sous prétexte de s'entendre
relativement à la signification du jugement que venait de
faire Brunet, s'entretenait avec Rigou de tout autre chose.
Il avait trouvé l'usurier achevant son dessert.

Sur une table carrée, éblouissante de linge, car, peu
soucieux de la peine de sa femme et d'Annette, Rigou
voulait du linge blanc tous les jours, le régisseur vit
apporter une jatte de fraises, des abricots, des pêches, des
cerises, des amandes, tous les fruits de la saison à profu-
sion, servis dans des assiettes de porcelaine blanche, et
sur des feuilles de vigne, presque aussi coquettement
qu'aux Aigues.

En voyant Sibilet, Rigou lui dit de pousser les verrous
aux portes battantes intérieures qui se trouvaient adap-
tées à chaque porte, autant pour garantir du froid que
pour étouffer les sons et il lui demanda quelle affaire si
pressante l'obligeait à venir le voir en plein jour, tandis
qu'il pouvait conférer si sûrement la nuit.

— C'est que le Tapissier a parlé d'aller à Paris y voir
le Garde des Sceaux, il est capable de vous faire bien du
mal, de demander le déplacement de votre gendre, des
juges de La-Ville-aux-Fayes, et du président, surtout,
quand il lira le jugement qu'on vient de rendre en votre
faveur. Il se cabre, il est fin, il a dans l'abbé Brossette un
conseil capable de jouter avec vous et avec Gaubertin...
Les prêtres sont puissants. Monseigneur l'évêque aime

bien l'abbé Brossette. Mme la comtesse a parlé d'aller voir son cousin le préfet, le comte de Castéran, à propos de Nicolas. Michaud commence à lire couramment dans notre jeu...

— Tu as peur, dit l'usurier tout doucement en jetant sur Sibilet un regard que le soupçon rendit moins terne qu'à l'ordinaire et qui fut terrible. Tu calcules s'il ne vaut pas mieux te mettre du côté de M. le comte de Montcornet ?

— Je ne vois pas trop où je prendrais, quand vous aurez dépecé les Aigues, quatre mille francs à placer tous les ans, honnêtement, comme je le fais depuis cinq ans, répondit crûment Sibilet. Monsieur Gaubertin m'a, dans les temps, débité les plus belles promesses; mais la crise approche, on va se battre certainement, promettre et tenir sont deux après la victoire.

— Je lui parlerai, répondit Rigou tranquillement. En attendant, voici, moi, ce que je répondrais, si cela me regardait : « Depuis cinq ans, tu portes à M. Rigou quatre mille francs par an, et ce brave homme t'en donne sept et demi pour cent, ce qui te fait en ce moment un compte de vingt-sept mille francs, à cause de l'accumulation des intérêts; mais comme il existe un acte sous signature privée, double entre toi et Rigou, le régisseur des Aigues serait renvoyé le jour où l'abbé Brossette apporterait cet acte sous les yeux du Tapissier, surtout après une lettre anonyme qui l'instruirait de ton double rôle. Tu ferais donc mieux de chasser avec nous, sans demander tes os par avance, d'autant plus que M. Rigou n'étant pas tenu de te donner légalement sept et demi pour cent et les intérêts des intérêts, te ferait des *offres réelles* de tes vingt mille francs; et, en attendant que tu puisses les palper, ton procès, allongé par la chicane, serait jugé par le tribunal de La-Ville-aux-Fayes. En te conduisant sagement, quand M. Rigou sera propriétaire de ton pavillon aux Aigues, tu pourras continuer avec trente mille francs environ et trente mille autres francs que pourrait te confier Rigou, le commerce d'argent que fait Rigou, lequel sera d'autant plus avantageux que les paysans se jetteront sur les terres des Aigues divisées en petits lots, comme la pauvreté sur le monde. » Voilà ce que pourrait te dire M. Gaubertin; mais moi, je n'ai rien à te répondre, cela ne me regarde pas... Gaubertin et moi, nous avons à nous plaindre de cet enfant du peuple qui bat son père, et nous poursuivons notre idée. Si l'ami

Gaubertin a besoin de toi, moi, je n'ai besoin de personne, car tout le monde est à ma dévotion. Quant au Garde des Sceaux, on en change assez souvent; tandis que, nous autres, nous sommes toujours là.

— Enfin, vous êtes prévenu, reprit Sibilet qui se sentit bâté comme un âne.

— Prévenu de quoi ? demanda finement Rigou.

— De ce que fera le Tapissier, répondit humblement le régisseur, il est allé furieux à la Préfecture.

— Qu'il aille! si les Montcornet n'usaient pas de roues, que deviendraient les carrossiers ?

— Je vous apporterai mille écus ce soir à onze heures, dit Sibilet; mais vous devriez avancer ces affaires en me cédant quelques-unes de vos hypothèques arrivées à terme, une de celles qui pourraient me valoir quelques bons lots de terres...

— J'ai celle de Courtecuisse, et je veux le ménager, car c'est le meilleur tireur du département; en te la transportant tu aurais l'air de tracasser ce drôle-là pour le compte du Tapissier, et ça ferait d'une pierre deux coups, il serait capable de tout en se voyant plus bas que Fourchon. Courtecuisse s'est exterminé sur La Bâchelerie, il a bien amendé le terrain, il a mis des espaliers aux murs du jardin. Ce petit domaine vaut quatre mille francs, le comte te les donnerait pour les trois arpents qui jouxtent ses remises. Si Courtecuisse n'était pas un licheur, il aurait pu payer ses intérêts avec ce qu'on y tue de gibier.

— Eh! bien, transportez-moi cette créance, j'y ferai mon beurre, j'aurai la maison et le jardin pour rien, le comte achètera les trois arpents.

— Quelle part me donneras-tu ?

— Mon Dieu, vous sauriez traire du lait à un bœuf! s'écria Sibilet. Et moi, qui viens d'arracher au Tapissier l'ordre de réglementer le glanage d'après la loi...

— Tu as obtenu cela, mon gars ? dit Rigou qui plusieurs jours auparavant avait suggéré l'idée de ces vexations à Sibilet en lui disant de les conseiller au général. Nous le tenons, il est perdu; mais ce n'est pas assez de le tenir par un bout, il faut le ficeler comme une carotte de tabac! Tire les verrous, mon gars, dis à ma femme de m'apporter le café, les liqueurs, et dis à Jean d'atteler, je vais à Soulanges. A ce soir! — Bonjour, Vaudoyer, dit l'ancien maire en voyant entrer son ancien garde-champêtre. Eh! bien, qu'y a-t-il ?...

Vaudoyer raconta tout ce qui venait de se passer au

cabaret et demanda l'avis de Rigou sur la légalité des
règlements médités par le général.

— Il en a le droit, répliqua nettement Rigou. Nous
avons un rude seigneur; l'abbé Brossette est un malin,
votre curé suggère toutes ces mesures-là, parce que vous
n'allez pas à la messe, tas de parpaillots!... J'y vais bien,
moi! Il y a un Dieu, voyez-vous!... Vous endurez tout,
le Tapissier ira toujours de l'avant!...

— Eh! bien, nous glanerons!... dit Vaudoyer avec cet
accent résolu qui distingue les Bourguignons.

— Sans certificat d'indigence? reprit l'usurier. On dit
qu'il est allé demander des troupes à la Préfecture, afin
de vous faire rentrer dans le devoir.

— Nous glanerons comme par le passé, répéta Vaudoyer.

— Glanez!... M. Sarcus jugera si vous avez eu raison,
dit l'usurier en ayant l'air de promettre aux glaneurs la
protection de la Justice de paix.

— Nous glanerons et nous serons en force!... ou la
Bourgogne ne serait plus la Bourgogne! dit Vaudoyer. Si
les gendarmes ont des sabres, nous avons des faux, et
nous verrons!

A quatre heures et demie, la grande porte verte de
l'ancien presbytère tourna sur ses gonds et le cheval bai-
brun, mené à la bride par Jean, tourna vers la place.
Mme Rigou et Annette venues sur le pas de la porte
bâtarde, regardaient la petite carriole d'osier peinte en
vert, à capote de cuir, où se trouvait leur maître établi
sur de bons coussins.

— Ne vous attardez pas, monsieur, dit Annette en
faisant une petite moue.

Tous les gens du village, instruits déjà des menaçants
arrêtés que le maire voulait prendre, se mirent tous sur
leurs portes ou s'arrêtèrent dans la grande rue en voyant
passer Rigou, pensant tous qu'il allait à Soulanges pour
les défendre.

— Eh! bien, madame Courtecuisse, notre ancien maire
va sans doute aller nous défendre, dit une vieille fileuse
que la question des délits forestiers intéressait beaucoup,
car son mari vendait des fagots volés à Soulanges.

— Mon Dieu, le cœur lui saigne de voir ce qui se passe,
il en est malheureux autant que vous autres, répondit-elle.

— Ah! c'est pas pour dire, mais on l'a bien maltraité,
lui! — Bonjour, monsieur Rigou, dit la fileuse que Rigou
salua.

Quand l'usurier traversa la Thune, guéable en tout temps, Tonsard, sorti de son cabaret, dit à Rigou sur la route cantonale :

— Eh! bien, père Rigou, le Tapissier veut donc que nous soyons des chiens ?...

— Nous verrons ça! répondit l'usurier en fouettant son cheval.

— Il saura bien nous défendre, dit Tonsard à un groupe de femmes et d'enfants attroupés autour de lui.

— Il pense à vous, comme un aubergiste pense aux goujons en nettoyant sa poêle à frire, répliqua Fourchon.

— Ote donc le battant à ta *grelote* quand tu es soûl!... dit Mouche en tirant son grand-père par sa blouse et le faisant tomber sur le talus au rez d'un peuplier. Si ce mâtin de moine entendait ça, tu ne lui vendrais plus tes paroles si cher...

En effet, si Rigou courait à Soulanges, il était emporté par l'importante nouvelle donnée par Sibilet qui lui parut menaçante pour la coalition secrète de la bourgeoisie avonnaise.

De la sphère paysanne, ce drame va donc s'élever jusqu'à la haute région des bourgeois de Soulanges et de La-Ville-aux-Fayes, curieuses figures dont l'apparition dans le sujet, loin d'en arrêter le développement, va l'accélérer, comme des hameaux englobés dans une avalanche en rendent le cours plus rapide.

Quand Honoré revint à l'hôtel, pâle comme un camp, Torrild, serra pe son chaval, en a façon sur la route nationale.

— Eh! bien père Rigon, le Faphister vant donc que nous soyons dévorées.

— Nous verrons ça! répondit Honorier en fronçant son cercle ».

— Il saura bien nous défendre, dit Fernand « un groupe de fraudes et d'enfants attroupés autour de lui — Il pressa à vous. Comme un autre il repose aux actions en noir vant sa poêle à frire croquait conduisant — On dore le brûlant à ta grand partie lu es solide, du Blanchet en trèfle, un grand partavée et blanc et le reculst rouiller sur le talus arrière d'un puppist. Et sa main de noble amateur en toute lui rendait plus si parolles si vives.

En effet, si Rigot contint à Soukoteau il était encore par l'important hebdomadaire donnée par le boulanger du franc, marchante poêle la condition secrète de la bourgeoisie évolutionné.

De la sphère paysanne, les Beaumere donc s'élevait insu'à la haute région des bourgeois de Soulègues et de Jacque-ville-aux-ervaricieuses. Leur Bloc l'aspiration dans le sujet, tout dit ardent le développement, qui les culture, comme des hameaux enfoncés dans une avalanche en rendent le cours plus rapide.

DEUXIÈME PARTIE

CHAPITRE PREMIER

LA PREMIÈRE SOCIÉTÉ DE SOULANGES

A six kilomètres environ de Blangy, pour parler légalement, et à une distance égale de La-Ville-aux-Fayes, s'élève en amphithéâtre sur un monticule, ramification de la longue côte parallèle à celle au bas de laquelle coule l'Avonne, la petite ville de Soulanges, surnommée *la Jolie*, peut-être à plus juste titre que Mantes.

Au bas de cette colline, la Thune s'étale sur un fond d'argile d'une étendue d'environ trente hectares, au bout duquel les moulins de Soulanges, établis sur de nombreux îlots, dessinent une fabrique aussi gracieuse que pourrait l'inventer un architecte de jardins. Après avoir arrosé le parc de Soulanges, où elle alimente de belles rivières et des lacs artificiels, la Thune se jette dans l'Avonne par un canal magnifique.

Le château de Soulanges, rebâti sous Louis XIV, sur les dessins de Mansard, et l'un des plus beaux de Bourgogne, fait face à la ville. Ainsi Soulanges et le château se présentent respectivement un point de vue aussi splendide qu'élégant. La route cantonale tourne entre la ville et l'étang, un peu trop pompeusement nommé le lac de Soulanges par les gens du pays.

Cette petite ville est une de ces compositions naturelles excessivement rares en France, où le joli, dans ce genre, manque absolument. Là, vous retrouverez en effet, le joli de la Suisse, comme le disait Blondet, dans sa lettre, le joli des environs de Neuchâtel. Les gais vignobles qui forment une ceinture à Soulanges complètent cette ressemblance, hormis le Jura et les Alpes, toutefois ; les rues, superposées les unes aux autres sur la colline, ont peu de maisons, car elles sont toutes accompagnées de jardins, qui produisent ces masses de verdure si rares dans les capitales. Les toitures bleues ou rouges, mélangées de fleurs, d'arbres, de terrasses à treillages, offrent des aspects variés et pleins d'harmonie.

L'église, une vieille église du Moyen Age, bâtie en pierres, grâce à la munificence des seigneurs de Soulanges, qui s'y sont réservé d'abord une chapelle près du chœur, puis une chapelle souterraine, leur nécropole, offre, comme celle de Longjumeau, pour portail, une immense arcade, frangée de cercles fleuris et garnis de statuettes, flanquée de deux piliers à niches terminés en aiguilles. Cette porte, assez souvent répétée dans les petites églises du Moyen Age que le hasard a préservées des ravages du calvinisme, est couronnée par un triglyphe au-dessus duquel s'élève une Vierge sculptée tenant l'Enfant-Jésus. Les bas-côtés se composent à l'extérieur de cinq arcades pleines dessinées par des nervures, éclairées par des fenêtres à vitraux. Le chevet s'appuie sur des arcs-boutants dignes d'une cathédrale. Le clocher, qui se trouve dans une branche de la croix, est une tour carrée surmontée d'un campanile. Cette église s'aperçoit de loin, car elle est en haut de la grande place au bas de laquelle passe la route.

La place, d'une assez grande largeur, est bordée de constructions originales, toutes de diverses époques. Beaucoup, moitié bois, moitié briques, et dont les solives ont un gilet d'ardoises, remontent au Moyen Age. D'autres, en pierres et à balcon, montrent ce pignon si cher à nos aïeux, et qui date du XIIe siècle. Plusieurs attirent le regard par ces vieilles poutres saillantes à figures grotesques, dont la saillie forme un auvent, et qui rappellent le temps où la bourgeoisie était uniquement commerçante. La plus magnifique est l'ancien bailliage, maison à façade sculptée, en alignement avec l'église qu'elle accompagne admirablement. Vendue nationalement, elle fut achetée par la commune, qui en fit la mairie et y mit le tribunal de paix, où siégeait alors M. Sarcus, depuis l'institution du juge de paix.

Ce léger croquis permet d'entrevoir la place de Soulanges, ornée au milieu d'une charmante fontaine rapportée d'Italie, en 1520, par le maréchal de Soulanges, et qui ne déshonorerait pas une grande capitale. Un jet d'eau perpétuel, provenant d'une source située en haut de la colline, est distribué par quatre Amours en marbre blanc tenant des conques et couronnés d'un panier plein de raisins.

Les voyageurs lettrés qui passeront par là, si jamais il

en passe après Blondet, pourront y reconnaître cette place illustrée par Molière et par le théâtre espagnol, qui régna si longtemps sur la scène française, et qui démontrera toujours que la comédie est née en de chauds pays, où la vie se passait sur la place publique. La place de Soulanges rappelle d'autant mieux cette place classique, et toujours semblable à elle-même sur tous les théâtres, que les deux premières rues la coupant précisément à la hauteur de la fontaine, figurent ces coulisses si nécessaires aux maîtres et aux valets pour se rencontrer ou pour se fuir. Au coin d'une de ces rues, qui se nomme la rue de la Fontaine, brillent les panonceaux de maître Lupin. La maison Sarcus, la maison du percepteur Guerbet, celle de Brunet, celle du greffier Gourdon et de son frère le médecin, celle du vieux M. Gendrin-Vattebled, le garde général des eaux et forêts, ces maisons, tenues très proprement par leurs propriétaires, qui prennent au sérieux le surnom de leur ville, sont sises aux alentours de la place, le quartier aristocratique de Soulanges.

La maison de Mme Soudry, car la puissante individualité de l'ancienne femme de chambre de Mlle Laguerre avait absorbé le chef de la communauté, cette maison entièrement moderne avait été bâtie par un riche marchand de vin, né à Soulanges, qui, après avoir fait sa fortune à Paris, revint en 1793 acheter du blé pour sa ville natale. Il y fut massacré comme accapareur par la populace, ameutée au cri d'un misérable maçon, l'oncle de Godain, avec lequel il avait des difficultés à propos de son ambitieuse bâtisse.

La liquidation de cette succession, vivement discutée entre collatéraux, traîna si bien, qu'en 1798, Soudry, de retour à Soulanges, put acheter pour mille écus en espèces le palais du marchand de vin, et il le loua d'abord au département pour y loger la gendarmerie. En 1811, Mlle Cochet, que Soudry consultait en toute chose, s'opposa vivement à ce que le bail fût continué, trouvant cette maison inhabitable, en concubinage, disait-elle, avec une caserne. La ville de Soulanges, aidée par le département, bâtit alors un hôtel à la gendarmerie, dans une rue latérale à la mairie. Le brigadier nettoya sa maison, y restitua le lustre primitif souillé par l'écurie et par l'habitation des gendarmes.

Cette maison, élevée d'un étage et coiffée d'un toit percé de mansardes, voit le paysage par trois façades, une sur la place, l'autre sur le lac, et la troisième sur un jardin.

Le quatrième côté donne sur une cour qui sépare les Soudry de la maison voisine, occupée par un épicier nommé Vattebled, un homme de la *seconde société*, père de la belle Mme Plissoud, de laquelle il sera bientôt question.

Toutes les petites villes ont *une belle madame*, comme elles ont un Socquard et un *Café de la Paix*.

Chacun devine que la façade sur le lac est bordée d'une terrasse à jardinet d'une médiocre élévation, terminée par une balustrade en pierre et qui longe la route cantonale. On descend de cette terrasse dans le jardin par un escalier sur chaque marche duquel se trouve un oranger, un grenadier, un myrte et autres arbres d'ornement, qui nécessitent au bout du jardin une serre que Mme Soudry s'obstine à nommer une *resserre*. Sur la place, on entre dans la maison par un perron élevé de plusieurs marches ; selon l'habitude des petites villes, la porte cochère réservée au service de la cour, au cheval du maître et aux arrivages extraordinaires, s'ouvre assez rarement. Les habitués, venant tous à pied, montaient par le perron.

Le style de l'hôtel Soudry est sec ; les assises sont indiquées par des filets dits à gouttière ; les fenêtres sont encadrées de moulures alternativement grêles et fortes, dans le genre de celles des pavillons Gabriel et Perronet de la place Louis XV. Ces ornements donnent, dans une si petite ville, un aspect monumental à cette maison devenue célèbre.

En face, à l'autre angle de la place, se trouve le fameux *Café de la Paix*, dont les particularités et le prestigieux Tivoli surtout exigeront plus tard des descriptions moins succinctes que celle de la maison Soudry.

Rigou venait très rarement à Soulanges, car chacun se rendait chez lui : le notaire Lupin comme Gaubertin, Soudry comme Gendrin, tant on le craignait. Mais on va voir que tout homme instruit, comme l'était l'ex-bénédictin, eût imité la réserve de Rigou, par l'esquisse, nécessaire ici, des personnes de qui l'on disait dans le pays : « C'est la *première société* de Soulanges ».

De toutes ces figures, la plus originale, vous le pressentez, était Mme Soudry, dont le personnage, pour être bien rendu, exige toutes les minuties du pinceau.

Mme Soudry se permettait un *soupçon de rouge* à l'imitation de Mlle Laguerre ; mais cette légère teinte avait changé, par la force de l'habitude, en plaques de vermillon si pittoresquement appelées des roues de carrosses par nos ancêtres. Les rides du visage, devenant de plus en plus profondes et multipliées, la mairesse avait imaginé pouvoir les combler de fard. Son front jaunissait aussi par trop, et ses tempes miroitant, elle se *posait* du blanc, et figurait les veines de la jeunesse par de légers réseaux de bleu. Cette peinture donnait une excessive vivacité à ses yeux déjà fripons, en sorte que son masque eût paru plus que bizarre à des étrangers ; mais habituée à cet éclat postiche, sa société trouvait Mme Soudry très belle.

Cette haquenée, toujours décolletée, montrait son dos et sa poitrine blanchis et vernis l'un et l'autre par les mêmes procédés employés pour le visage ; mais heureusement, sous prétexte de faire badiner de magnifiques dentelles, elle voilait à demi ses produits chimiques. Elle portait toujours un corps de jupe à baleines dont la pointe descendait très bas, garni de nœuds partout, même à la pointe !... sa jupe rendait des sons criards tant la soie et les falbalas y foisonnaient.

Cet attirail, qui justifie le mot *atours*, bientôt inexplicable, était en damas de grand prix ce soir-là, car Mme Soudry possédait cent habillements plus riches les uns que les autres, provenant tous de l'immense et splendide garde-robe de Mlle Laguerre, et tous retaillés par elle dans le dernier genre de 1808. Les cheveux de sa perruque blonde, crêpés et poudrés, semblaient soulever son superbe bonnet à coques de satin rouge cerise, pareil aux rubans de ses garnitures.

Si vous voulez vous figurer sous ce bonnet toujours ultra-coquet un visage de macaque d'une laideur monstrueuse, où le nez camus, dénudé comme celui de la Mort, est séparé par une forte marge de chair barbue d'une bouche à râtelier mécanique, où les sons s'engagent comme en des cors de chasse, vous comprendrez difficilement pourquoi la première société de la ville et tout Soulanges, en un mot, trouvait belle cette quasi-reine, à moins de vous rappeler le traité succinct *ex professo* qu'une des femmes les plus spirituelles de notre temps a récemment écrit sur l'art de se faire belle à Paris par les accessoires dont on s'y entoure.

En effet, d'abord Mme Soudry vivait au milieu des dons magnifiques amassés chez sa maîtresse, et que l'ex-bénédictin appelait *fructus belli*. Puis elle tirait parti de sa laideur en l'exagérant, en se donnant cet air, cette tournure qui ne se prennent qu'à Paris, et dont le secret reste à la Parisienne la plus vulgaire, toujours plus ou moins singe. Elle se serrait beaucoup, elle mettait une énorme tournure, elle portait des boucles de diamants aux oreilles, ses doigts étaient surchargés de bagues. Enfin, en haut de son corset, entre deux masses arrosées de blanc de perle, brillait un hanneton composé de deux topazes et à tête en diamant, un présent de chère maîtresse, dont on parlait dans tout le département. De même que feu sa maîtresse, elle allait toujours les bras nus et agitait un éventail d'ivoire à peinture de Boucher, et auquel deux petites roses servaient de boutons.

Quand elle sortait, Mme Soudry tenait sur sa tête le vrai parasol du XVIIIe siècle, c'est-à-dire une canne au haut de laquelle se déployait une ombrelle verte à franges vertes. De dessus la terrasse, quand elle s'y promenait, un passant, en la regardant de très loin, aurait cru voir marcher une figure de Watteau.

Dans ce salon, tendu de damas rouge, à rideaux de damas doublés en soie blanche, et dont la cheminée était garnie de chinoiseries du bon temps de Louis XV, avec feu, galeries, branches de lys élevées en l'air par des Amours, dans ce salon plein de meubles en bois doré à pied-de-biche, on concevait que des gens de Soulanges pussent dire de la maîtresse de la maison : La belle Mme Soudry! Aussi l'hôtel Soudry était-il devenu le préjugé national de ce chef-lieu de canton.

Si la première société de cette petite ville croyait en sa reine, sa reine croyait également en elle-même. Par un phénomène qui n'est pas rare, et que la vanité de mère, que la vanité d'auteur accomplissent à tout moment sous nos yeux pour les œuvres littéraires comme pour les filles à marier, en sept ans, la Cochet s'était si bien enterrée dans madame la mairesse, que non seulement la Soudry ne se souvenait plus de sa première condition, mais encore elle croyait être une femme comme il faut. Elle s'était si bien rappelé les airs de tête, les tons de fausset, les gestes, les façons de sa maîtresse, qu'en en retrouvant l'opulente existence, elle en avait retrouvé l'impertinence. Elle savait son XVIIIe siècle, les anecdotes des grands seigneurs et leurs parentés sur le bout du doigt. Cette érudition d'anti-chambre lui composait une conversation qui sentait son Œil-de-Bœuf. Là donc, son esprit de soubrette passait pour de l'esprit de bon aloi. Au moral, la mairesse était, si vous voulez, du strass; mais, pour les Sauvages, le strass ne vaut-il pas le diamant ?

Cette femme s'entendait aduler, diviniser, comme jadis on divinisait sa maîtresse par les gens de sa société qui trouvaient chez elle un dîner tous les huit jours, et du café, des liqueurs quand ils arrivaient au moment du dessert, hasard assez fréquent. Aucune tête de femme n'eût pu résister à la puissance exhilarante de cet encensement continu. L'hiver, ce salon bien chauffé, bien éclairé en bougies, se remplissait des bourgeois les plus riches, qui remboursaient en éloges les fines liqueurs et les vins exquis provenant de la cave de chère maîtresse. Les habitués et leurs femmes, véritables usufruitiers de ce luxe, économisaient ainsi chauffage et lumière. Aussi savez-vous ce qui se proclamait à cinq lieues à la ronde, et même à La-Ville-aux-Fayes ?

« Mme Soudry fait à merveille les honneurs de chez elle, se disait-on en passant en revue les notabilités départementales ; elle tient maison ouverte ; on est admirablement chez elle. Elle sait faire les honneurs de sa fortune. Elle a le petit mot pour rire. Et quelle belle argenterie ! C'est une maison comme il n'y en a qu'à Paris !... »

L'argenterie donnée par Bouret à Mlle Laguerre, une magnifique argenterie du fameux Germain, avait été littéralement volée par la Soudry. A la mort de Mlle Laguerre, elle la mit tout simplement dans sa chambre, et elle ne put être réclamée par des héritiers qui ne savaient rien des valeurs de la succession.

Depuis quelque temps, les douze ou quinze personnes qui représentaient la première société de Soulanges parlaient de Mme Soudry comme de l'amie intime de Mlle Laguerre, en se cabrant au mot de *femme de chambre*, et prétendant qu'elle s'était immolée à la cantatrice en se faisant la compagne de cette grande actrice.

Chose étrange et vraie ! toutes ces illusions, devenues des réalités, se propageaient chez Mme Soudry jusque dans les régions positives du cœur ; elle régnait tyranniquement sur son mari.

Le gendarme, obligé d'aimer une femme plus âgée que lui de dix ans, et qui gardait le maniement de sa fortune, l'entretenait dans les idées qu'elle avait fini par concevoir de sa beauté. Néanmoins, quand on l'enviait, quand on lui parlait de son bonheur, le gendarme souhaitait quelquefois qu'on fût à sa place ; car, pour cacher ses peccadilles, il prenait des précautions comme on en prend avec une jeune femme adorée, et il n'avait pu introduire que depuis quelques jours une jolie servante au logis.

Le portrait de cette reine, un peu grotesque, mais dont plusieurs exemplaires se rencontraient encore à cette

époque en province, les uns plus ou moins nobles, les
autres tenant à la haute finance, témoin une veuve de
fermier général qui se mettait encore des rouelles de veau
sur les joues, en Touraine; ce portrait, peint d'après
nature, serait incomplet sans les brillants dans lesquels il
était enchâssé, sans les principaux courtisans dont l'esquisse est nécessaire, ne fût-ce que pour expliquer combien sont redoutables de pareils lilliputiens, et quels sont
au fond des petites villes les organes de l'opinion publique.
Qu'on ne s'y trompe pas! il est des localités qui, pareilles
à Soulanges, sans être un bourg, un village, ni une petite
ville, tiennent de la ville, du village et du bourg. Les
physionomies des habitants y sont tout autres qu'au sein
des bonnes, grosses, méchantes villes de province; la vie
de campagne y influe sur les mœurs, et ce mélange de
teintes produit des figures vraiment originales.

Après Mme Soudry, le personnage le plus important
était le notaire Lupin, le chargé d'affaires de la maison
Soulanges; car il est inutile de parler du vieux Gendrin-
Vattebled, le garde général, un nonagénaire en train de
mourir, et qui, depuis l'avènement de Mme Soudry, restait chez lui; mais, après avoir régné sur Soulanges, en
homme qui jouissait de sa place depuis le règne de
Louis XV, il parlait encore, dans ses moments lucides, de
la juridiction de la Table de Marbre.

Quoique comptant quarante-cinq printemps, Lupin,
frais et rose, grâce à l'embonpoint qui sature inévitablement les gens de cabinet, chantait encore la romance.
Aussi conservait-il le costume élégant des chanteurs de
salon. Il paraissait presque Parisien avec ses bottes soigneusement cirées, ses gilets jaune soufre, ses redingotes
justes, ses riches cravates de soie, ses pantalons à la mode.
Il faisait friser ses cheveux par le coiffeur de Soulanges,
la gazette de la ville, et se maintenait à l'état d'homme à
bonnes fortunes, à cause de sa liaison avec Mme Sarcus,
la femme de Sarcus-le-Riche, qui, sans comparaison, était
dans sa vie ce que les campagnes d'Italie furent pour
Napoléon. Lui seul allait à Paris, où il était reçu chez les
Soulanges. Aussi eussiez-vous deviné la suprématie qu'il
exerçait en sa qualité de fat et de juge en fait d'élégance,
rien qu'à l'entendre parler. Il se prononçait sur toute chose
par un seul mot à trois modificatifs, le mot artistique
croûte.

Un homme, un meuble, une femme pouvaient être
croûte; puis, dans un degré supérieur de mal-façon, croû-

ton; enfin, pour dernier terme, *croûte-au-pot! Croûte-au-pot,* c'était le : *ça n'existe pas* des artistes, l'omnium du mépris. Croûte, on pouvait se désencroûter! croûton était sans ressources; mais croûte-au-pot! Oh! mieux valait n'être jamais sorti du néant. Quant à l'éloge, il se réduisait au redoublement du mot charmant!... « C'est charmant! » était le positif de son admiration. « Charmant! charmant!... » vous pouviez être tranquille. Mais : « Charmant! charmant! charmant! » il fallait retirer l'échelle, on atteignait au ciel de la perfection.

Le tabellion, car il se nommait lui-même le tabellion, garde-notes, petit notaire, en se mettant par la raillerie au-dessus de son état; le tabellion restait dans les termes d'une galanterie parlée avec Mme la mairesse, qui se sentait un faible pour Lupin, quoiqu'il fût blond et qu'il portât lunettes. La Cochet n'avait jamais aimé que les hommes bruns, moustachés, à bosquets sur les phalanges des doigts, des Alcides enfin. Mais elle faisait une exception pour Lupin, à cause de son élégance, et d'ailleurs, elle pensait que son triomphe à Soulanges ne serait complet qu'avec un adorateur; mais, au grand désespoir de Soudry, les adorateurs de la reine n'osaient pas donner à leur admiration une forme adultère.

La voix du tabellion était une haute-contre; il en donnait parfois l'échantillon dans les coins, ou sur la terrasse. une façon de rappeler son *talent d'agrément,* écueil contre lequel se brisent tous les hommes à talent d'agrément, même les hommes de génie, hélas!

Lupin avait épousé une héritière en sabots et en bas bleus, la fille unique d'un marchand de sel, enrichi pendant la Révolution, époque à laquelle les faux-sauniers firent d'énormes gains, à la faveur de la réaction qui eut lieu contre les gabelles. Il laissait prudemment sa femme à la maison, où Bébelle était maintenue par une passion platonique pour un très beau premier clerc, sans autre fortune que ses appointements, un nommé Bonnac, qui, dans la seconde société, jouait le même rôle que son patron dans la première.

Mme Lupin, femme sans aucune espèce d'éducation, apparaissait aux grands jours seulement, sous la forme d'une énorme pipe de Bourgogne habillée de velours et surmontée d'une petite tête enfoncée dans des épaules d'un ton douteux. Aucun procédé ne pouvait maintenir le cercle de la ceinture à sa place naturelle. Bébelle avouait naïvement que la prudence lui défendait de porter des

corsets. Enfin l'imagination d'un poète ou mieux celle
d'un inventeur n'aurait pas trouvé dans le dos de Bébelle
trace de la séduisante sinuosité qu'y produisent les ver-
tèbres chez toutes les femmes qui sont femmes.

Bébelle, ronde comme une tortue, appartenait aux
femelles invertébrées. Ce développement effrayant du
tissu cellulaire rassurait sans doute beaucoup Lupin sur
la petite passion de la grosse Bébelle, qu'il nommait
Bébelle effrontément, sans faire rire personne.

— Votre femme, qu'est-elle ? lui demanda Sarcus-le-
Riche, qui ne digéra pas un jour le mot *croûte-au-pot*, dit
pour un meuble acheté d'occasion.

— Ma femme n'est pas comme la vôtre, elle n'est pas
encore définie, répondit-il.

Lupin cachait sous sa grosse enveloppe un esprit sub-
til ; il avait le bon sens de taire sa fortune, au moins aussi
considérable que celle de Rigou.

Le fils à M. Lupin, Amaury, désolait son père. Ce fils
unique, un des don Juans de la vallée, se refusait à
suivre la carrière paternelle ; il abusait de son avantage de
fils unique en faisant d'énormes saignées à la caisse, sans
jamais épuiser l'indulgence de son père, qui disait à
chaque escapade : « J'ai pourtant été comme cela ! »
Amaury ne venait jamais chez Mme Soudry qui *l'em-
bêtait (sic)*, car elle avait, par un souvenir de femme de
chambre, tenté de faire l'éducation de ce jeune homme,
que ses plaisirs conduisaient au billard du *Café de la
Paix*. Il y hantait la mauvaise compagnie de Soulanges,
et même les Bonnébault. Il jetait sa *gourne* (un mot de
Mme Soudry), et répondait aux remontrances de son
père par ce refrain perpétuel : « Renvoyez-moi à Paris, je
m'ennuie ici !... »

Lupin finissait, hélas ! comme tous les *beaux*, par un
attachement quasi conjugal. Sa passion connue était la
femme du second huissier-audiencier de la justice de
paix, Mme Euphémie Plissoud, pour laquelle il n'avait
pas de secrets. La belle Mme Plissoud, fille de Vattebled
l'épicier, régnait dans la seconde société comme Mme Soudry dans la première. Ce Plissoud, le concurrent malheureux de Brunet, appartenait donc à la seconde société de
Soulanges ; car la conduite de sa femme, qu'il autorisait,
disait-on, lui valait le mépris public de la première.

Si Lupin était le musicien de la première société,
M. Gourdon, le médecin, en était le savant. On disait
de lui : « Nous avons ici un savant du premier mérite. »

De même que Mme Soudry (qui s'y connaissait pour avoir introduit le matin chez sa maîtresse Piccini et Glück, et pour avoir habillé Mlle Laguerre à l'Opéra) persuadait à tout le monde, même à Lupin, qu'il aurait fait fortune avec sa voix; de même elle regrettait que le médecin ne publiât rien de ses idées.

M. Gourdon répétait tout bonnement les idées de Buffon et de Cuvier sur le globe, ce qui pouvait difficilement le poser comme savant aux yeux des Soulangeois; mais il faisait une collection de coquilles et un herbier, mais il savait empailler les oiseaux. Enfin, il poursuivait la gloire de léguer un cabinet d'histoire naturelle à la ville de Soulanges; dès lors, il passait dans tout le département pour un grand naturaliste, pour le successeur de Buffon.

Ce médecin, semblable à un banquier genevois, car il en avait le pédantisme, l'air froid, la propreté puritaine, sans en avoir l'argent ni l'esprit calculateur, montrait avec une excessive complaisance ce fameux cabinet composé : d'un ours et d'une marmotte décédés en passage à Soulanges; de tous les rongeurs du département, les mulots, les musaraignes, les souris, les rats, etc.; de tous les oiseaux curieux tués en Bourgogne, parmi lesquels brillait un aigle des Alpes, pris dans le Jura. Gourdon possédait une collection de lépidoptères, mot qui faisait espérer des monstruosités et qui faisait dire en les voyant : « Mais c'est des papillons! » Puis un bel amas de coquilles fossiles provenant des collections de plusieurs de ses amis, qui lui léguèrent leurs coquilles en mourant, et enfin les minéraux de la Bourgogne et ceux du Jura.

Ces richesses, établies dans des armoires vitrées dont les buffets à tiroirs contenaient une collection d'insectes, occupaient tout le premier étage de la maison Gourdon, et produisaient un certain effet par la bizarrerie des étiquettes, par la magie des couleurs et par la réunion de tant d'objets, auxquels on ne fait pas la moindre attention en les rencontrant dans la nature et qu'on admire sous verre. On prenait jour pour aller voir le cabinet de M. Gourdon.

— J'ai, disait-il aux curieux, cinq cents sujets d'ornithologie, deux cents mammifères, cinq mille insectes, trois mille coquilles et sept cents échantillons de minéralogie.

— Quelle patience vous avez eue ! lui disaient les dames.

— Il faut bien faire quelque chose pour son pays, répondait-il.

Et il tirait un énorme intérêt de ses carcasses par cette phrase : « J'ai légué tout par testament à la ville. » Et les visiteurs d'admirer sa *philanthropie!* On parlait de consacrer tout le deuxième étage de la mairie, *après la mort* du médecin, à loger le *Muséum Gourdon*.

— Je compte sur la reconnaissance de mes concitoyens pour que mon nom y soit attaché, répondait-il à cette proposition, car je n'ose pas espérer qu'on y mette mon buste en marbre...

— Comment donc! mais ce sera bien le moins qu'on puisse faire pour vous, lui répondait-on, n'êtes-vous pas la gloire de Soulanges!

Et cet homme avait fini par se regarder comme une des célébrités de la Bourgogne; les rentes les plus solides ne sont pas les rentes sur l'Etat, mais celles qu'on se fait en amour-propre. Ce savant, pour employer le système grammatical de Lupin, était heureux, heureux, heureux!

Gourdon le greffier, petit homme chafouin, dont tous les traits se ramassaient autour du nez, en sorte que le nez semblait être le point de départ du front, des joues, de la bouche, qui s'y rattachaient comme les ravins d'une montagne naissent tous du sommet, était regardé comme un des grands poètes de la Bourgogne, un Piron, disait-on. Le double mérite des deux frères faisait dire d'eux au chef-lieu du département : « Nous avons à Soulanges les deux frères Gourdon, deux hommes très distingués, deux hommes qui tiendraient bien leur place à Paris. »

Joueur excessivement fort au bilboquet, la manie d'en jouer engendra chez le greffier une autre manie, celle de chanter ce jeu, qui fit fureur au XVIII\e siècle. Les manies chez les médiocres sont souvent deux à deux. Gourdon jeune accoucha de son poème sous le règne de Napoléon. N'est-ce pas vous dire à quelle école saine et prudente il appartenait ? Luce de Lancival, Parny, Saint-Lambert, Rouché, Vigée, Andrieux, Berchoux étaient ses héros. Delille fut son dieu jusqu'au jour où la première société de Soulanges agita la question de savoir si Gourdon ne l'emportait pas sur Delille, que dès lors le greffier nomma toujours *monsieur l'abbé* Delille, avec une politesse exagérée.

Les poèmes accomplis de 1780 à 1814 furent taillés sur le même patron, et celui sur le bilboquet les expliquera tous. Ils tenaient un peu du tour de force. *Le Lutrin* est le Saturne de cette abortive génération de poèmes badins, tous en quatre chants à peu près, car, d'aller jusqu'à six, il était reconnu qu'on fatiguait le sujet.

Ce poème de Gourdon, nommé la Bilboquéide, obéissait à la poétique de ces œuvres départementales, invariables dans leurs règles identiques ; elles contenaient dans le premier chant la description de la chose chantée, en débutant, comme chez Gourdon, par une invocation dont voici le modèle :

> Je chante ce doux jeu qui sied à tous les âges,
> Aux petits comme aux grands, aux fous ainsi qu'aux sages ;
> Où notre agile main, au front d'un buis pointu,
> Lance un globe à deux trous dans les airs suspendu.
> Jeu charmant, des ennuis infaillible remède
> Que nous eût envié l'inventeur Palamède !
> O Muse des Amours et des Jeux et des Ris,
> Descends jusqu'à mon toit, où, fidèle à Thémis,
> Sur le papier du fisc, j'espace des syllabes.
> Viens charmer...

Après avoir défini le jeu, décrit les plus beaux bilboquets connus, avoir fait comprendre de quel secours il fut jadis au commerce du Singe-Vert et autres tabletiers ; enfin, après avoir démontré comment le jeu touchait à la statique, Gourdon finissait son premier chant par cette conclusion qui vous rappellera celle du premier chant de tous ces poèmes :

> C'est ainsi que les Arts et la Science même
> A leur profit enfin font tourner un objet
> Qui n'était de plaisir qu'un frivole sujet.

Le second chant, destiné comme toujours à dépeindre la manière de se servir de *l'objet*, le parti qu'on en pouvait tirer, auprès des femmes et dans le monde, sera tout entier deviné par les amis de cette sage littérature, grâce à cette citation, qui peint le joueur faisant ses exercices sous les yeux de *l'objet aimé* :

> Regardez ce joueur, au sein de l'auditoire,
> L'œil fixé tendrement sur le globe d'ivoire,
> Comme il épie et guette avec attention
> Ses moindres mouvements dans leur précision !
> La boule a, par trois fois, décrit sa parabole,
> D'un factice encensoir, il flatte son idole ;
> Mais le disque est tombé sur son poing maladroit,
> Et d'un baiser rapide il console son doigt.
> Ingrat ! ne te plains pas de ce léger martyre,
> Bienheureux accident, trop payé d'un sourire !

Ce fut cette peinture, digne de Virgile, qui fit mettre en question la prééminence de Delille sur Gourdon. Le

mot *disque*, contesté par le positif Brunet, *donna matière* à
des discussions qui durèrent onze mois ; mais Gourdon le
savant, dans une soirée où l'on fut sur le point de part
et d'autre de se fâcher *tout rouge*, écrasa le parti des *anti-
disquaires*, par cette observation : La lune, appelée disque
par les poëtes, est un globe !

— Qu'en savez-vous ? répondit Brunet, nous n'en
avons jamais vu qu'un côté.

Le troisième chant renfermait le conte obligé, l'anecdote célèbre qui concernait le bilboquet. Cette anecdote,
tout le monde la sait par cœur, elle regarde un fameux
ministre de Louis XVI ; mais, selon la formule consacrée
dans les *débats* de 1810 à 1814, pour louer ces sortes de
travaux publics, *elle empruntait des grâces nouvelles à la
poésie et aux agréments que l'auteur avait su y répandre.*

Le quatrième chant, où se résumait l'œuvre, était terminé par cette hardiesse inédite de 1810 à 1814, mais qui
vit le jour en 1824, après la mort de Napoléon :

> Ainsi j'osais chanter en des temps pleins d'alarmes,
> Ah ! si les rois jamais ne portaient d'autres armes,
> Si les peuples jamais, pour charmer leurs loisirs,
> N'avaient imaginé que de pareils plaisirs ;
> Notre Bourgogne, hélas, trop longtemps éplorée,
> Eût retrouvé les jours de Saturne et de Rhée !

Ces beaux vers ont été copiés dans l'édition *princeps*
et unique, sortie des presses de Bournier, imprimeur de
La-Ville-aux-Fayes.

Cent souscripteurs, par une offrande de trois francs,
assurèrent à ce poème une immortalité d'un dangereux
exemple, et ce fut d'autant plus beau que ces cent personnes l'avaient entendu près de cent fois, chacune en
détail.

Mme Soudry venait de supprimer le bilboquet qui
se trouvait sur la console de son salon, et qui, depuis
sept ans, était un prétexte à citations ; elle découvrit enfin
que ce bilboquet lui faisait concurrence.

Quant à l'auteur, qui se vantait de posséder un porte-
feuille bien garni, il suffira pour le peindre de dire en
quels termes il annonça un de ses rivaux à la première
société de Soulanges.

— Savez-vous une singulière nouvelle ? avait-il dit
deux ans auparavant, il y a *un autre poète* en Bourgogne !...
Oui, reprit-il en voyant l'étonnement général peint sur
les figures, il est de Mâcon. Mais, vous n'imagineriez
jamais *à quoi il s'occupe ?* Il met les nuages en vers...

— Ils sont pourtant déjà très bien en *blanc*, répondit le spirituel père Guerbet.

— C'est un *embrouillamini* de tous les diables! Des lacs, des étoiles, des vagues!... Pas une seule image raisonnable, pas une intention didactique; il ignore les sources de la poésie. Il appelle le ciel par son nom. Il dit la lune bonacement, au lieu de l'*astre des nuits*. Voilà pourtant jusqu'où peut nous entraîner le désir d'être original! s'écria douloureusement Gourdon. Pauvre jeune homme! être Bourguignon et chanter l'eau, cela fait de la peine! S'il était venu me consulter, je lui aurais indiqué le plus beau sujet du monde, un poème sur le vin, la Bacchéide! pour lequel je me sens présentement trop vieux.

Ce grand poète ignore encore le plus beau de ses triomphes (encore le dut-il à sa qualité de Bourguignon): avoir occupé la ville de Soulanges, qui de la pléiade moderne ignore tout, même les noms.

Une centaine de Gourdons chantaient sous l'Empire, et l'on accuse ce temps d'avoir négligé les lettres!... Consultez le *Journal de la Librairie*, et vous y verrez des poèmes sur le Tour, sur le jeu de Dames, sur le Tric-trac, sur la Géographie, sur la Typographie, la Comédie, etc.; sans compter les chefs-d'œuvre tant prônés de Delille sur la Pitié, l'Imagination, la Conversation; et ceux de Berchoux sur la Gastronomie, la Dansomanie, etc. Peut-être dans cinquante ans se moquera-t-on des mille poèmes à la suite des *Méditations*, des *Orientales*, etc. Qui peut prévoir les mutations du goût, les bizarreries de la vogue et les transformations de l'esprit humain! Les générations balayent en passant jusqu'au vestige des idoles qu'elles trouvent sur leur chemin, et elles se forgent de nouveaux dieux qui seront renversés à leur tour.

Sarcus, beau petit vieillard gris-pommelé, s'occupait à la fois de Thémis et de Flore, c'est-à-dire de législation et d'une serre chaude. Il méditait depuis douze ans un livre sur l'*Histoire de l'institution des juges de paix*, « dont le rôle politique et judiciaire avait eu déjà plusieurs phases, disait-il, car ils étaient tout par le Code de brumaire an IV, et aujourd'hui cette institution si précieuse au pays avait perdu sa valeur, faute d'appointements en harmonie avec l'importance des fonctions qui devraient être inamovibles ».

Taxé d'être une tête forte, Sarcus était accepté comme l'homme politique de ce salon; vous devinez qu'il en était tout bonnement le plus ennuyeux. On disait de lui qu'il

parlait comme un livre, Gaubertin lui promettait la croix
de la Légion d'honneur; mais il l'ajournait au jour où,
successeur de Leclercq, il serait assis sur les bancs du
Centre-Gauche.

Guerbet, le percepteur, l'homme d'esprit, gros bonhomme lourd, à figure de beurre, à faux toupet, à
boucles d'or aux oreilles, qui se disputaient sans cesse
avec ses cols de chemises, donnait dans la Pomologie.
Fier de posséder le plus beau jardin fruitier de l'arrondissement, il obtenait des primeurs en retard d'un mois sur
celles de Paris; il cultivait dans ses bâches les choses les
plus tropicales, voire des ananas, des brugnons et des
petits pois. Il apportait avec orgueil un bouquet de
fraises à Mme Soudry, quand elles valaient dix sous le
panier à Paris.

Soulanges possédait enfin dans M. Vermut, le pharmacien, un chimiste un peu plus chimiste que Sarcus
n'était homme d'Etat, que Lupin n'était chanteur, Gourdon l'aîné savant et son frère poète. Néanmoins on y faisait peu de cas de Vermut. L'instinct de ces braves gens
leur signalait une supériorité réelle en ce penseur qui ne
disait mot, et qui souriait aux niaiseries d'un air si narquois, qu'on se défiait de sa science, mise *sotto voce* en
question.

Vermut était le *pâtiras* du salon, aucune société n'étant
complète sans une victime, sans un être à plaindre, à railler,
à mépriser, à protéger. D'abord Vermut, occupé de problèmes scientifiques, venait la cravate lâche, le gilet ouvert,
avec une petite redingote verte, toujours tachée. Enfin,
il prêtait à la plaisanterie par une figure si poupine, que le
père Guerbet prétendait qu'il avait fini par prendre le
visage de ses pratiques. En province, dans les endroits
arriérés comme Soulanges, on emploie encore les apothi-
caires dans le sens de la plaisanterie de Pourceaugnac.
Ces honorables industriels s'y prêtent d'autant mieux
qu'ils demandent une indemnité de déplacement.

Ce petit homme, doué d'une patience de chimiste, *ne
pouvait jouir* (selon le mot dont on se sert en province
pour exprimer l'abolition du pouvoir domestique) de
Mme Vermut, femme charmante, femme gaie, belle
joueuse (elle savait perdre vingt-deux sous sans rien dire),
qui déblatérait contre son mari, le poursuivait de ses épi-
grammes et le peignait comme un imbécile, ne sachant
distiller que de l'ennui. Mme Vermut, une de ces femmes
qui jouent dans les petites villes le rôle de boute-en-train,

apportait dans ce petit monde le sel, du sel de cuisine, il est vrai, mais quel sel! Elle se permettait des plaisanteries un peu fortes, mais on les lui passait; elle disait très bien au curé Taupin, homme de soixante-dix ans, à cheveux blancs : « Tais-toi, gamin! »

Le meunier de Soulanges, riche de cinquante mille francs, avait une fille unique à qui Lupin pensait pour Amaury, depuis qu'il avait perdu l'espoir de le marier à Mlle Gaubertin, et le président Gaubertin y pensait pour son fils, le conservateur des hypothèques, autre antagonisme.

Ce meunier, un Sarcus-Taupin, était le Nucingen de la ville; il passait pour être trois fois millionnaire; mais il ne voulait entrer dans aucune combinaison; il ne pensait qu'à moudre du blé, à le monopoliser, et il se recommandait par un défaut absolu de politesse ou de belles manières.

Le père Guerbet, frère du maître de poste de Couches, possédait environ dix mille francs de rente, outre sa perception. Les Gourdon étaient riches, le médecin avait épousé la fille unique du vieux monsieur Gendrin-Vattebled, le garde général des eaux et forêts, *qu'on attendait à mourir*, et le greffier avait épousé la nièce et unique héritière de l'abbé Taupin, curé de Soulanges, un gros prêtre retiré dans sa cure, comme le rat dans son fromage.

Cet habile ecclésiastique, tout acquis à la première société, bon et complaisant avec la seconde, apostolique avec les malheureux, s'était fait aimer à Soulanges; cousin du meunier et cousin des Sarcus, il appartenait au pays et à la médiocratie avonnaise. Il dînait toujours en ville, il économisait, il allait aux noces et s'en retirait avant le bal; il ne parlait jamais politique; il faisait passer les nécessités du culte en disant : « C'est mon métier! » Et on le laissait faire en disant de lui : « Nous avons un bon curé! » L'évêque, qui connaissait les gens de Soulanges, sans s'abuser sur la valeur de ce curé, se trouvait heureux d'avoir dans une pareille ville un homme qui faisait accepter la religion, qui savait remplir son église et y prêcher devant des bonnets endormis.

Les deux *dames* Gourdon — car à Soulanges, comme à Dresde et dans quelques autres capitales allemandes, les gens de la première société s'abordent en disant : « Comment va votre dame ? » On dit : « Il n'était pas avec sa dame, j'ai vu sa dame et sa demoiselle, etc. » — Un Parisien y produirait du scandale, et serait accusé d'avoir mauvais ton s'il disait : « Les femmes, cette femme, etc. »

A Soulanges, comme à Genève, à Dresde, à Bruxelles, il n'existe que des épouses ; on n'y met pas, comme à Bruxelles, sur les enseignes : *l'Épouse une telle*, mais *madame votre épouse* est de rigueur. — Les deux *dames* Gourdon ne peuvent se comparer qu'à ces infortunés comparses de théâtres secondaires, que connaissent les Parisiens pour s'être souvent moqués de ces *artistes;* et, pour achever de peindre ces *dames*, il suffira de dire qu'elles appartenaient au genre des *bonnes petites femmes*, les bourgeois les moins lettrés trouveront alors autour d'eux les modèles de ces créatures essentielles.

Il est inutile de faire observer que le père Guerbet connaissait admirablement les finances, et que Soudry pouvait être ministre de la guerre. Ainsi, non seulement chacun de ces braves bourgeois offrait une de ces spécialités de caprice si nécessaire à l'homme de province pour exister, mais encore chacun d'eux cultivait sans rival son champ dans le domaine de la vanité.

Si Cuvier fût passé par là sans se nommer, la première société de Soulanges l'eût convaincu de savoir peu de chose en comparaison de M. Gourdon le médecin. Nourrit et son *joli filet de voix*, disait le notaire avec une indulgence protectrice, eussent été trouvés à peine dignes d'accompagner ce rossignol de Soulanges. Quant à l'auteur de la Bilboquéide, qui s'imprimait en ce moment chez Bournier, on ne croyait pas qu'il pût se rencontrer à Paris un poète de cette force, car Delille était mort !

Cette bourgeoisie de province, si grassement satisfaite d'elle-même, pouvait donc primer toutes les supériorités sociales. Aussi l'imagination de ceux qui, dans leur vie, ont habité pendant quelque temps une petite ville de ce genre, peut-elle seule entrevoir l'air de satisfaction profonde répandu sur les physionomies de ces gens qui se croyaient le plexus solaire de la France, tous armés d'une incroyable finesse pour mal faire, et qui, dans leur sagesse, avaient décrété que l'un des héros d'Essling était un lâche, que Mme de Montcornet était une intrigante qui avait de gros boutons dans le dos, que l'abbé Brossette était un petit ambitieux, et qui découvrirent, quinze jours après l'adjudication des Aigues, l'origine faubourienne du général, surnommé par eux le Tapissier.

Si Rigou, Soudry, Gaubertin eussent habité La-Ville-aux-Fayes, ils se seraient brouillés ; leurs prétentions se seraient inévitablement heurtées ; mais la fatalité voulait que le Lucullus de Blangy sentît la nécessité de sa solitude pour se rouler à son aise dans l'usure et dans la volupté; que Mme Soudry fût assez intelligente pour comprendre qu'elle ne pouvait régner qu'à Soulanges, et que La-Ville-aux-Fayes fût le siège des affaires de Gaubertin. Ceux qui s'amusent à étudier la nature sociale avoueront que le général de Montcornet jouait de malheur en trouvant de tels ennemis séparés et accomplissant les évolutions de leur pouvoir et de leur vanité, chacun à des distances qui ne permettaient pas à ces astres de se contrarier et qui décuplaient le pouvoir de mal faire.

Néanmoins, si tous ces dignes bourgeois, fiers de leur aisance, regardaient leur société comme bien supérieure en agrément à celle de La-Ville-aux-Fayes, et répétaient avec une comique importance ce dicton de la vallée : « Soulanges est une ville de plaisir et de société », il serait peu prudent de penser que la capitale avonnaise acceptât cette suprématie. Le salon Gaubertin se moquait, *in petto*, du salon Soudry. A la manière dont Gaubertin disait : « Nous autres, nous sommes une ville de haut commerce, une ville d'affaires, nous avons la sottise de nous ennuyer à faire fortune! » il était facile de reconnaître un léger antagonisme entre la terre et la lune. La lune se croyait utile à la terre et la terre régentait la lune. La terre et la lune vivaient d'ailleurs dans la plus étroite intelligence. Au carnaval, la première société de Soulanges allait toujours en masse aux quatre bals donnés par Gaubertin, par Gendrin, par Leclercq, le receveur des finances, et par Soudry jeune, le procureur du roi. Tous les dimanches, le procureur du roi, sa femme, M., Mme et Mlle Elise Gaubertin venaient dîner chez les Soudry de Soulanges. Quand le sous-préfet était prié, quand le maître de poste, M. Guerbet de Couches, arrivait manger la fortune du pot, Soulanges avait le spectacle de quatre équipages départementaux à la porte de la maison Soudry.

CHAPITRE II

LES CONSPIRATEURS CHEZ LA REINE

En débouchant là, vers cinq heures et demie, Rigou savait trouver les habitués du salon de Soudry tous à leur poste. Chez le maire comme dans toute la ville, on dînait à trois heures, selon l'usage du dernier siècle. De cinq heures à neuf heures, les notables de Soulanges venaient échanger les nouvelles, faire leurs *speech* politiques, commenter les événements de la vie privée de toute la vallée et parler des Aigues, qui défrayaient la conversation pendant une heure tous les jours. C'était la préoccupation de chacun d'apprendre quelque chose sur ce qui s'y passait, et l'on savait faire ainsi sa cour aux maîtres du logis.

Après cette revue obligée, on se mettait à jouer au boston, seul jeu que sût la reine. Quand le gros père Guerbet avait singé Mme Isaure, la femme de Gaubertin, en se moquant de ses airs penchés, en imitant sa petite voix, sa petite bouche et ses façons jeunettes ; quand le curé Taupin avait raconté l'une des historiettes de son répertoire ; quand Lupin avait rapporté quelque événement de La-Ville-aux-Fayes, et que Mme Soudry avait été criblée de compliments nauséabonds, l'on disait : « Nous avons fait un charmant boston. »

Trop égoïste pour se donner la peine de faire douze kilomètres, au bout desquels il devait entendre les niaiseries dites par les habitués de cette maison, et voir un singe déguisé en vieille femme, Rigou, bien supérieur, comme esprit et comme instruction, à cette petite bourgeoisie, ne se montrait jamais que si les affaires l'amenaient chez le notaire. Il s'était exempté de voisiner, en prétextant de ses occupations, de ses habitudes et de sa santé, qui ne lui permettaient pas, disait-il, de revenir la nuit par une route le long de laquelle brouillassait la Thune.

Ce grand usurier sec imposait d'ailleurs beaucoup à la société de Mme Soudry, qui flairait en lui ce tigre à griffes d'acier, cette malice de Sauvage, cette sagesse née dans le cloître, mûrie au soleil de l'or, et avec lesquels Gaubertin n'avait jamais voulu se commettre.

Aussitôt que la carriole d'osier et le cheval dépassèrent le *Café de la Paix*, Urbain, le domestique de Soudry, qui causait avec le limonadier, assis sur un banc placé sous les fenêtres de la salle à manger, se fit un auvent de sa main pour bien voir quel était cet équipage.

— V'là le père Rigou !... Faut ouvrir la porte. Tenez son cheval, Socquard, dit-il sans façon au limonadier.

Et Urbain, ancien cavalier qui, n'ayant pu passer gendarme, avait pris le service Soudry comme retraite, rentra dans la maison pour aller manœuvrer la porte de la cour.

Socquard, ce personnage si célèbre dans la vallée, était là, comme vous voyez, sans façon ; mais il en est ainsi de bien des gens illustres qui ont la complaisance de marcher, d'éternuer, de dormir, de manger absolument comme de simples mortels.

Socquard, alcide de naissance, pouvait porter onze cents pesant ; son coup de poing, appliqué dans le dos d'un homme, lui cassait net la colonne vertébrale ; il tordait une barre de fer, il arrêtait une voiture attelée d'un cheval. Milon de Crotone de la vallée, sa réputation embrassait tout le département, où l'on faisait sur lui des contes ridicules comme sur toutes les célébrités. Ainsi l'on racontait dans le Morvan, qu'un jour il avait porté sur son dos une pauvre femme, son âne et son sac au marché, qu'il avait mangé tout un bœuf et bu tout un quartaut de vin dans une journée, etc. Doux comme une fille à marier, Socquard, gros petit homme, à figure placide, large des épaules, large de poitrine, où ses poumons jouaient comme des soufflets de forge, possédait un filet de voix, dont la limpidité surprenait ceux qui l'entendaient parler pour la première fois.

Comme Tonsard, que son renom dispensait de toute preuve de férocité, comme tous ceux qui sont gardés par une opinion publique quelconque, Socquard ne déployait jamais sa triomphante force musculaire, à moins que des amis ne l'en priassent. Il prit donc la bride du cheval quand le beau-père du Procureur du roi tourna pour se ranger au perron.

— Vous allez bien par chez vous, monsieur Rigou ?... dit l'illustre Socquard.

— Comme ça, mon vieux, répondit Rigou. Plissoud et Bonnébault, Viollet et Amaury, soutiennent-ils toujours ton établissement ?

Cette demande, faite sur un ton de bonhomie et d'intérêt, n'était pas une de ces questions banales jetées au hasard par les supérieurs à leurs inférieurs. A son temps perdu, Rigou songeait aux moindres détails, et déjà l'accointance de Bonnébault, de Plissoud et du brigadier Viollet avait été signalée par Fourchon à Rigou comme suspecte.

Bonnébault, pour quelques écus perdus au jeu, pouvait livrer au brigadier les secrets des paysans, ou parler sans savoir l'importance de ses bavardages après avoir bu quelques bols de punch de trop. Mais les délations du chasseur à la loutre pouvaient être conseillées par la soif, et Rigou n'y fit attention que par rapport à Plissoud, à qui sa situation devait inspirer un certain désir de contrecarrer les conspirations dirigées contre les Aigues, ne fût-ce que pour se faire graisser la patte par l'un ou l'autre des deux partis.

Correspondant des assurances, qui commençaient à se montrer en France, agent d'une société contre les chances du recrutement, l'huissier cumulait des occupations peu rétribuées qui lui rendaient la fortune d'autant plus difficile à faire, qu'il avait le vice d'aimer le billard et le vin cuit. De même que Fourchon, il cultivait avec soin l'art de s'occuper à rien, et il attendait sa fortune d'un hasard problématique. Il haïssait profondément la première société, mais il en avait mesuré la puissance. Lui seul connaissait à fond la tyrannie bourgeoise organisée par Gaubertin; il poursuivait de ses railleries les richards de Soulanges et de La-Ville-aux-Fayes, en représentant à lui seul l'opposition. Sans crédit, sans fortune, il ne paraissait pas à craindre ; aussi Brunet, enchanté d'avoir un concurrent méprisé, le protégeait-il pour ne pas lui voir vendre son étude à quelque jeune homme ardent, comme Bonnac, par exemple, avec lequel il aurait fallu partager la clientèle du canton.

— Grâce à ces gens-là, ça boulotte, répondit Socquard; mais on contrefait mon vin cuit!

— Faut poursuivre! dit sentencieusement Rigou.

— Ça me mènerait trop loin, répondit le limonadier en jouant sur les mots sans le savoir.

— Et vivent-ils bien ensemble, tes chalands ?

— Ils ont toujours quelques castilles; mais des joueurs, ça se pardonne tout.

Toutes les têtes étaient à celle des croisées du salon qui donnait sur la place. En reconnaissant le père de sa belle-fille, Soudry vint le recevoir sur le perron.

— Eh! bien, mon compère, dit l'ex-gendarme en se servant de ce mot selon sa primitive acception, Annette est-elle malade pour que vous nous accordiez votre présence pendant une soirée?...

Par un reste d'esprit gendarme, le maire allait toujours droit au fait.

— Non, il y a du grabuge, répondit Rigou en touchant de son index droit la main que lui tendit Soudry; nous en causerons, car cela regarde un peu nos enfants...

Soudry, bel homme vêtu de bleu, comme s'il appartenait toujours à la gendarmerie, le col noir, les bottes à éperons, amena Rigou par le bras à son imposante moitié. La porte-fenêtre était ouverte sur la terrasse, où les habitués se promenaient en jouissant de cette soirée d'été qui faisait resplendir le magnifique paysage que, sur l'esquisse qu'on a lue, les gens d'imagination peuvent apercevoir.

— Il y a bien longtemps que nous ne vous avons vu, mon cher Rigou, dit madame Soudry en prenant le bras de l'ex-bénédictin et l'emmenant sur la terrasse.

— Mes digestions sont si pénibles!... répondit le vieil usurier. Voyez! mes couleurs sont presque aussi vives que les vôtres.

L'entrée de Rigou sur la terrasse détermina, comme on le pense, une explosion de salutations joviales parmi tous ces personnages.

— Ris, goulu!... j'ai découvert celui-là de plus, s'écria monsieur Guerbet le percepteur, en offrant la main à Rigou, qui y mit l'index de sa main droite.

— Pas mal! pas mal! dit le petit juge de paix Sarcus, il est assez gourmand, notre seigneur de Blangy.

— Seigneur, répondit amèrement Rigou, depuis bien longtemps je ne suis plus le coq de mon village.

— Ce n'est pas ce que disent les poules, grand scélérat! fit la Soudry en donnant un petit coup d'éventail badin à Rigou.

— Nous allons bien, mon cher maître? dit le notaire en saluant son principal client.

— Comme ça, répondit Rigou, qui prêta derechef son index à la main du notaire.

Ce geste, par lequel Rigou restreignait la poignée de main à la plus froide des démonstrations, aurait peint l'homme tout entier à qui ne l'eût pas connu.

— Trouvons un coin où nous puissions parler tranquillement, dit l'ancien moine en regardant Lupin et Mme Soudry.

— Revenons au salon, répondit la reine. Ces messieurs, ajouta-t-elle en montrant M. Gourdon, le médecin, et Guerbet, sont aux prises sur un *point de côté*...

Mme Soudry s'étant enquise du point en discussion, Guerbet, toujours si spirituel, lui avait dit : « C'est un point de côté. » La reine crut à un terme scientifique, et Rigou sourit en l'entendant répéter ce mot d'un air prétentieux.

— Qu'est-ce que le Tapissier a donc fait de nouveau ? demanda Soudry qui s'assit à côté de sa femme, en la prenant par la taille.

Comme toutes les vieilles femmes, la Soudry pardonnait bien des choses en faveur d'un témoignage public de tendresse.

— Mais, répondit Rigou à voix basse pour donner l'exemple de la prudence, il est parti pour la Préfecture, y réclamer l'exécution des jugements et demander main-forte.

— C'est sa perte, dit Lupin en se frottant les mains. On se bûchera.

— On se bûchera! reprit Soudry, c'est selon. Si le préfet et le général, qui sont ses amis, envoient un escadron de cavalerie, les paysans ne bûcheront rien... On peut, à la rigueur, avoir raison des gendarmes de Soulanges ; mais essayez donc de résister à une charge de cavalerie !

— Sibilet, lui, a entendu dire quelque chose de plus dangereux que ça, et c'est ce qui m'amène, reprit Rigou.

— Oh! ma pauvre Sophie! s'écria sentimentalement Mme Soudry, dans quelles mains les Aigues sont-ils tombés! Voilà ce que nous a valu la Révolution! des sacripants à graines d'épinard. On aurait bien dû s'apercevoir que quand on renverse une bouteille, la lie monte et gâte le vin!...

— Il a l'intention d'aller à Paris, et d'intriguer auprès du Garde des Sceaux pour tout changer au tribunal.

— Ah! dit Lupin, il a reconnu son danger.

— Si l'on nomme mon gendre avocat général, il n'y a rien à dire, et il le remplacera par quelque Parisien à sa dévotion, reprit Rigou. S'il demande un siège à la cour pour M. Gendrin, s'il fait nommer M. Guerbet, notre

juge d'instruction, président à Auxerre, il renversera nos
quilles !... Il a déjà la gendarmerie pour lui ; s'il a encore
le tribunal, et s'il conserve près de lui des conseillers
comme l'abbé Brossette et Michaud, nous ne serons pas
à la noce ; il pourrait nous susciter de bien méchantes
affaires.

— Comment, depuis cinq ans, vous n'avez pas su
vous défaire de l'abbé Brossette ? dit Lupin.

— Vous ne le connaissez pas ; il est défiant comme un
merle, répondit Rigou. Ce n'est pas un homme, ce prêtre-
là, il ne fait pas attention aux femmes ; je ne lui vois
aucune passion ; il est inattaquable. Le général, lui, prête
le flanc à tout par sa colère. Un homme qui a un vice est
toujours le valet de ses ennemis, quand ils savent se
servir de cette ficelle. Il n'y a de forts que ceux qui
mènent leurs vices au lieu de se laisser mener par
eux. Les paysans vont bien, on tient notre monde
en haleine contre l'abbé, mais on ne peut encore rien
contre lui. C'est comme Michaud ; des hommes
comme ceux-là, c'est trop parfait, il faut que le bon Dieu les
rappelle à lui...

— Il faut leur procurer des servantes qui savonnent
bien leurs escaliers, dit Mme Soudry, qui fit faire à Rigou
le léger bond que font les gens très fins en apprenant une
finesse.

— Le Tapissier a un autre vice ; il aime sa femme, et
l'on peut encore le prendre par là...

— Voyons, il faut savoir s'il donne suite à ses idées,
dit Mme Soudry.

— Comment ! demanda Lupin, mais c'est là le *hic* !

— Vous, Lupin, reprit Rigou d'un ton d'autorité, vous
allez filer à la Préfecture y voir la belle Mme Sarcus, et
dès ce soir ! Vous vous arrangerez pour obtenir d'elle de
faire répéter à son mari tout ce que le Tapissier a dit et
fait à la Préfecture.

— Je serai forcé d'y coucher, répondit Lupin.

— Tant mieux pour Sarcus-le-Riche, il y gagnera,
répondit Rigou. Elle n'est pas encore trop *croûte*,
Mme Sarcus...

— Oh ! monsieur Rigou, fit Mme Soudry en minaudant, les femmes sont-elles jamais croûtes ?

— Vous avez raison pour celle-là ! Elle ne se peint
rien au miroir, répliqua Rigou, que l'exhibition des vieux
trésors de la Cochet révoltait toujours.

Mme Soudry, qui croyait ne mettre qu'un soupçon

de rouge, ne comprit pas cet à-propos épigrammatique
et demanda :

— Est-ce que les femmes peuvent donc se peindre ?

— Quant à vous, Lupin, dit Rigou sans répondre à
cette naïveté, demain matin revenez chez le papa Gaubertin; vous lui direz que le compère et moi, dit-il en frappant sur la cuisse de Soudry, nous viendrons casser une
croûte chez lui, lui demander à déjeuner sur le midi.
Dites-lui les choses, afin que chacun de nous ait ruminé
ses idées, car il s'agit d'en finir avec ce damné Tapissier.
En venant vous trouver, je me suis dit qu'il faudrait
brouiller le Tapissier avec le Tribunal, de manière à ce
que le Garde des Sceaux lui rie au nez quand il viendra
lui demander des changements dans le personnel de La-
Ville-aux-Fayes...

— Vivent les gens d'Eglise!... s'écria Lupin en frappant sur l'épaule de Rigou.

Mme Soudry fut aussitôt frappée d'une idée qui ne
pouvait venir qu'à l'ancienne femme de chambre d'une
fille d'Opéra.

— Si, dit-elle, nous pouvions attirer le Tapissier à la
fête de Soulanges, et lui lâcher une fille de beauté à lui
faire perdre la tête, il s'arrangerait peut-être de cette fille,
et nous le brouillerions avec sa femme, à qui l'on appren-
drait que le fils d'un ébéniste en revient toujours à ses
premières amours...

— Ah! ma belle, s'écria Soudry, tu as plus d'esprit à
toi seule que la Préfecture de Police à Paris!

— C'est une idée qui prouve que madame est aussi
bien notre reine par l'intelligence que par la beauté, dit
Lupin.

Lupin fut récompensé par une grimace qui s'acceptait
sans protêt comme un sourire, dans la première société.

— Il y aurait mieux, reprit Rigou, qui resta pendant
longtemps pensif. Si ça pouvait tourner au scandale...

— Procès-verbal et plainte, une affaire en police correctionnelle, s'écria Lupin. Oh! ce serait trop beau!

— Quel plaisir, dit Soudry naïvement, de voir le comte
de Montcornet, grand-croix de la Légion d'honneur,
commandeur de Saint-Louis, lieutenant général, accusé
d'avoir attenté, dans un lieu public, à la pudeur, par
exemple...

— Il aime trop sa femme!... dit judicieusement Lupin;
on ne l'amènera jamais là.

— Ce n'est pas un obstacle; mais je ne vois dans tout

l'arrondissement aucune fille capable de faire pécher un saint, je la cherche pour mon abbé, s'écria Rigou.

— Que dites-vous de la belle Gatienne Giboulard d'Auxerre, dont est fou le fils Sarcus ?... s'écria Lupin.

— Ce serait la seule, répondit Rigou; mais elle n'est pas capable de nous servir; elle croit qu'elle n'a qu'à se montrer pour être admirée; elle n'est pas assez accorte, et il faut une lutine, une finaude... C'est égal, elle viendra.

— Oui, dit Lupin, plus il verra de jolies filles, plus il y aura de chances.

— Il sera bien difficile de faire venir le Tapissier à la foire! Et s'il vient à la fête, irait-il à notre bastringue de Tivoli ? dit l'ex-gendarme.

— La raison qui l'empêchait de venir n'existe plus cette année, mon cœur, répondit Mme Soudry.

— Quelle raison donc, ma belle ?... demanda Soudry.

— Le Tapissier a tâché d'épouser Mlle de Soulanges, dit le notaire, il lui fut répondu qu'elle était trop jeune, et il s'est piqué. Voilà pourquoi messieurs de Soulanges et Montcornet, ces deux anciens amis, car ils ont servi tous deux dans la Garde impériale, se sont refroidis au point de ne plus se voir. Le Tapissier n'a pas voulu rencontrer les Soulanges à la foire; mais cette année ils n'y viendront pas.

Ordinairement la famille Soulanges séjournait au château en juillet, août, septembre, et octobre; mais le général commandait alors l'artillerie en Espagne, sous le duc d'Angoulême, et la comtesse l'avait accompagné. Au siège de Cadix, le comte de Soulanges gagna, comme on le sait, le bâton de maréchal qu'il eut en 1826. Les ennemis de Montcornet pouvaient donc croire que les habitants des Aigues ne dédaigneraient pas toujours les fêtes de Notre-Dame d'août, et qu'il serait facile de les attirer à Tivoli.

— C'est juste, s'écria Lupin. Eh! bien, c'est à vous, papa, dit-il en s'adressant à Rigou, de manœuvrer de manière à le faire venir à la foire, nous saurons bien l'enclauder...

La foire de Soulanges, qui se célèbre au 15 août, est une des particularités de cette ville, et l'emporte sur toutes les foires à trente lieues à la ronde, même sur celles du chef-lieu de département. La-Ville-aux-Fayes n'a pas de foire, car sa fête, la Saint-Sylvestre, tombe en hiver.

Du 12 au 15 août, les marchands abondaient à Soulanges et dressaient sur deux lignes parallèles ces baraques
en bois, ces maisons en toile grise qui donnent alors une
physionomie animée à cette place, ordinairement déserte.
Les quinze jours que durent la foire et la fête produisent
une espèce de moisson à la petite ville de Soulanges. Cette
fête a l'autorité, le prestige d'une tradition. Les paysans,
comme disait le père Fourchon, quittent peu leurs communes où les clouent leurs travaux. Par toute la France,
les étalages fantastiques des magasins improvisés sur les
champs de foire, la réunion de toutes les marchandises,
objets des besoins ou de la vanité des paysans, qui d'ailleurs n'ont pas d'autres spectacles, exercent des séduc-
tions périodiques sur l'imagination des femmes et des
enfants. Aussi, dès le 12 août, la mairie de Soulanges
faisait-elle apposer dans toute l'étendue de l'arrondissement de La-Ville-aux-Fayes, des affiches signées Soudry
qui promettaient protection aux marchands, aux saltimbanques, aux artistes en tout genre, en annonçant la durée
de la foire, et les spectacles les plus attrayants.

Sur ces affiches, que l'on a vu réclamées par la Tonsard à Vermichel, on lisait toujours cette ligne finale :

TIVOLI SERA ILLUMINÉ EN VERRES DE COULEUR.

La Ville avait en effet adopté, pour salle de bal public,
le Tivoli créé par Socquard dans un jardin caillouteux
comme la butte sur laquelle est bâtie la ville de Soulanges,
où presque tous les jardins sont composés de terres rap-
portées.

Cette nature de terroir explique le goût particulier du
vin de Soulanges, vin blanc, sec, liquoreux, presque semblable à du vin de Madère, au vin de Vouvray, à celui
du Johannisberg, trois crus quasi semblables, et consommé
tout entier dans le département.

La description de ce Tivoli si fameux, faite en temps et
lieu, justifiera les prodigieux effets produits par le Bal-
Socquard sur l'imagination des habitants de cette vallée,
tous fiers de leur Tivoli. Ceux du pays qui s'étaient aven-
turés jusqu'à Paris, disaient que le Tivoli de Paris ne
l'emportait sur celui de Soulanges que par l'étendue.
Gaubertin, lui, préférait hardiment le Bal-Socquard au
bal de Tivoli.

— Pensons tous à cela, reprit Rigou, le Parisien, ce
rédacteur de journaux, finira bien par s'ennuyer de son

plaisir, et, par les domestiques, on pourra les attirer tous à la Foire. J'y songerai. Sibilet, quoique son crédit baisse diablement, pourrait insinuer à son bourgeois que c'est une manière de se populariser...

— Sachez donc si la belle comtesse est cruelle pour monsieur, tout est là, pour la farce à lui jouer à Tivoli, dit Lupin à Rigou.

— Cette petite femme, s'écria Mme Soudry, est trop Parisienne pour ne pas savoir ménager la chèvre et le chou.

— Fourchon a lâché sa petite-fille Catherine Tonsard à Charles, le second valet de chambre; nous aurons bientôt une oreille dans les appartements des Aigues, répondit Rigou. Etes-vous sûr de l'abbé Taupin ?... dit-il en voyant entrer le curé.

— L'abbé Mouchon et lui, nous les tenons comme je tiens Soudry!... dit Mme Soudry en caressant le menton de son mari, à qui elle dit : « Pauvre chat!... »

— Si je puis organiser un scandale contre Brossette, je compte sur eux!... dit tout bas Rigou qui se leva; mais je ne sais pas si l'esprit du pays l'emportera sur l'esprit prêtre. Vous ne savez pas ce que c'est. Moi-même, qui ne suis pas un imbécile, je ne répondrais pas de moi, quand je me verrai malade. Je me réconcilierai sans doute avec l'Eglise.

— Permettez-nous de l'espérer, dit le curé pour qui Rigou venait à dessein d'élever la voix.

— Hélas ! la faute que j'ai faite en me mariant empêche cette réconciliation, répondit Rigou; je ne peux pas tuer Mme Rigou.

— En attendant, pensons aux Aigues, dit Mme Soudry.

— Oui, répondit l'ex-bénédictin. Savez-vous que je trouve notre compère de La-Ville-aux-Fayes plus fort que nous ? J'ai dans l'idée que Gaubertin veut les Aigues à lui seul, et qu'il nous mettra dedans, répondit Rigou, qui, pendant le chemin, avait frappé avec le bâton de la prudence aux endroits obscurs qui, chez Gaubertin, sonnaient le creux.

— Mais les Aigues ne seront à personne de nous trois, il faut les démolir de fond en comble, répondit Soudry.

— D'autant plus, que je ne serais pas étonné qu'il s'y trouvât de l'or caché, dit finement Rigou.

— Bah!

— Oui, durant les guerres d'autrefois, les seigneurs, souvent assiégés, surpris, enterraient leurs écus pour

pouvoir les retrouver, et vous savez que le marquis de Sou-
langes-Hautemer, en qui la branche cadette a fini, a été
l'une des victimes de la conspiration Biron. La comtesse de Moret a eu la terre par confiscation...

— Ce que c'est que de savoir l'histoire de France! dit
le gendarme. Vous avez raison, il est temps de convenir
de nos faits avec Gaubertin.

— Et s'il biaise, dit Rigou, nous verrons à le *fumer*.

— Il est maintenant assez riche, dit Lupin, pour être
honnête homme.

— Je répondrais de lui comme de moi, répondit
Mme Soudry, c'est le plus honnête homme du royaume.

— Nous croyons à son honnêteté, reprit Rigou : mais
il ne faut rien négliger entre amis... A propos, je soupçonne quelqu'un à Soulanges de vouloir se mettre en
travers...

— Et qui ? demanda Soudry.

— Plissoud, répondit Rigou.

— Plissoud! reprit Soudry, la pauvre rosse! Brunet le
tient par la longe, et sa femme par la mangeoire; demandez
à Lupin ?

— Que peut-il faire ? dit Lupin.

— Il veut, reprit Rigou, éclairer le Montcornet, avoir
sa protection et se faire placer.

— Ça ne lui rapportera jamais autant que sa femme
à Soulanges, dit Mme Soudry.

— Il dit tout à sa femme, quand il est gris, fit observer
Lupin; nous le saurions à temps.

— La belle Mme Plissoud n'a pas de secrets pour vous,
lui répondit Rigou; allons, nous pouvons être tranquilles.

— Elle est d'ailleurs aussi bête qu'elle est belle, reprit
Mme Soudry; je ne changerais pas avec elle, car si j'étais
homme, j'aimerais mieux une femme laide et spirituelle,
qu'une belle qui ne sait pas dire deux.

— Ah! répondit le notaire en se mordant les lèvres,
elle sait faire dire trois.

— Fat! s'écria Rigou en se dirigeant vers la porte.

— Eh! bien, dit Soudry en reconduisant son compère,
à demain, de bonne heure.

— Je viendrai vous prendre... Ah! çà, Lupin, dit-il
au notaire qui sortit avec lui pour aller faire seller son
cheval, tâchez que Mme Sarcus sache tout ce que notre
Tapissier fera contre nous à la Préfecture...

— Si elle ne peut pas le savoir, qui le saura ?... répondit Lupin.

— Pardon, dit Rigou qui sourit avec finesse en regardant Lupin, je vois là tant de niais, que j'oubliais qu'il s'y trouve un homme d'esprit.

— Le fait est que je ne sais pas comment je ne m'y suis pas encore rouillé, répondit naïvement Lupin.

— Est-il vrai que Soudry ait pris une femme de chambre... ?

— Mais, oui! répondit Lupin; depuis huit jours, M. le maire a voulu faire ressortir le mérite de sa femme, en la comparant à une petite Bourguignotte de l'âge d'un vieux bœuf, et nous ne devinerons pas encore comment il s'arrange avec Mme Soudry, car il a l'audace de se coucher de très bonne heure...

— Je verrai cela demain, dit le Sardanapale villageois en essayant de sourire.

Les deux profonds politiques se donnèrent une poignée de main en se quittant.

Rigou, qui ne voulait pas se trouver à la nuit sur le chemin, car, malgré sa popularité récente, il était toujours prudent, dit à son cheval : « Allez, citoyen! » Une plaisanterie que cet enfant de 1793 décochait toujours contre la Révolution. Les révolutions populaires n'ont pas d'ennemis plus cruels que ceux qu'elles ont élevés.

— Il ne fait pas de longues visites, le père Rigou, dit Gourdon le greffier à Mme Soudry.

— Il les fait bonnes, s'il les fait courtes, répondit-elle.

— Comme sa vie, répondit le médecin; il abuse de tout, cet homme-là.

— Tant mieux, répliqua Soudry, mon fils jouira plus tôt du bien...

— Il vous a donné des nouvelles des Aigues ? demanda le curé.

— Oui, mon cher abbé, dit Mme Soudry. Ces gens-là sont le fléau de ce pays-ci. Je ne comprends pas que Mme de Montcornet, qui cependant est une femme comme il faut, n'entende pas mieux ses intérêts.

— Ils ont cependant un modèle sous les yeux, répliqua le curé.

— Qui donc ? demanda Mme Soudry en minaudant.

— Les Soulanges...

— Ah! oui, répondit la reine après une pause.

— Tant pire! me voilà! cria Mme Vermut en entrant, et sans mon réactif, car Vermut est trop inactif à mon égard pour que je l'appelle un actif quelconque.

— Que diable fait donc ce sacré père Rigou ? dit alors

Soudry à Guerbet en voyant la carriole arrêtée à la porte de Tivoli. C'est un de ces chats-tigres dont tous les pas ont un but.

— *Sacré* lui va! répondit le gros petit percepteur.

— Il entre au *Café de la Paix*... dit Gourdon le médecin.

— Soyez paisibles, reprit Gourdon le greffier, il s'y donne des bénédictions à poings fermés, car on entend japper d'ici.

— Ce café-là, reprit le curé, c'est comme le temple de Janus; il s'appelait le *Café de la Guerre* du temps de l'Empire, et on y vivait dans un calme parfait; les plus honorables bourgeois s'y réunissaient pour causer amicalement.

— Il appelle cela *causer!* dit le juge-de-paix. Tudieu! quelles conversations que celles dont il reste des petits Bourniers.

— Mais depuis qu'en l'honneur des Bourbons, on l'a nommé le *Café de la Paix*, on s'y bat tous les jours... dit l'abbé Taupin en achevant sa phrase que le juge de paix avait pris la liberté d'interrompre.

Il en était de cette idée du curé comme des citations de la Bilboquéide, elle revenait souvent.

— Cela veut dire, répondit le père Guerbet, que la Bourgogne sera toujours le pays des coups de poing.

— Ce n'est pas si mal, dit le curé, ce que vous dites là! c'est presque l'histoire de notre pays.

— Je ne sais pas l'histoire de France, s'écria Soudry, mais avant de l'apprendre, je voudrais bien savoir pourquoi mon compère entre avec Socquard dans le café?

— Oh! reprit le curé, s'il y entre et s'y arrête, vous pouvez être certain que ce n'est pas pour des actes de charité.

— C'est un homme qui me donne la chair de poule quand je le vois, dit Mme Vermut.

— Il est tellement à craindre, reprit le médecin, que s'il m'en voulait, je ne serais pas encore rassuré par sa mort; il est homme à se relever de son cercueil pour vous jouer quelque mauvais tour.

— Si quelqu'un peut nous envoyer le Tapissier ici, le 15 août, et le prendre dans quelque traquenard, c'est Rigou, dit le maire à l'oreille de sa femme.

— Surtout, répondit-elle à haute voix, si Gaubertin et toi, mon cœur, vous vous en mêlez...

— Tiens, quand je le disais! s'écria M. Guerbet en poussant le coude à M. Sarcus, il a trouvé quelque jolie fille chez Socquard, et il la fait monter dans sa voiture...

— En attendant que... répondit le greffier.

— En voilà un de dit sans malice, s'écria M. Guerbet en interrompant le poëte.

— Vous êtes dans l'erreur, messieurs, dit Mme Soudry, le père Rigou ne pense qu'à nos intérêts, car, si je ne me trompe, cette fille est une fille à Tonsard.

— C'est le pharmacien qui s'approvisionne de vipères, s'écria le père Guerbet.

— On dirait, répondit M. Gourdon le médecin, que vous avez vu venir M. Vermut, notre pharmacien, à la manière dont vous parlez.

Et il montra le petit apothicaire de Soulanges qui traversait la place.

— Le pauvre bonhomme, dit le greffier, soupçonné de faire souvent de l'esprit avec Mme Vermut, voyez quelle *dégaine* il a ?... et on le croit savant!

— Sans lui, répondit le juge de paix, on serait bien embarrassé pour les autopsies; il a si bien retrouvé le poison dans le corps de ce pauvre Pigeron, que les chimistes de Paris ont dit à la Cour d'Assises, à Auxerre, qu'ils n'auraient pas mieux fait...

— Il n'a rien trouvé du tout, répondit Soudry; mais, comme dit le président Gendrin, il faut qu'on croie que les poisons se retrouvent toujours...

— Mme Pigeron a bien fait de quitter Auxerre, dit Mme Vermut. C'est un petit esprit et une grande scélérate que cette femme-là, reprit-elle. Est-ce qu'on doit recourir à des drogues pour annuler un mari ? Je voudrais bien qu'un homme trouvât à redire à ma conduite! Voyez Mme de Montcornet; elle se promène dans ses chalets, dans ses chartreuses, avec ce Parisien qu'elle a fait venir de Paris à ses frais, et qu'elle dorlote sous les yeux du général!

— A ses frais ?... s'écria Mme Soudry, est-ce sûr ? Si nous pouvions en avoir une preuve, quel joli sujet pour une lettre anonyme au général...

— Le général, reprit Mme Vermut... Mais vous ne l'empêcherez de rien, le Tapissier fait son état.

— Quel état, ma belle ? demanda Mme Soudry.

— Eh! bien, il fournit le coucher.

— Si le pauvre petit père Pigeron, au lieu de tracasser sa femme, avait eu cette sagesse, il vivrait encore!... dit le greffier.

— En voilà de la morale! répliqua le curé.

Sur cette double épigramme, on proposa de faire la partie de boston. Et voilà pourtant la vie comme elle est à tous les étages de la Société! Changez les termes, il ne se dit rien de moins, rien de plus dans les salons les plus dorés de Paris.

CHAPITRE III

LE CAFÉ DE LA PAIX

Il était environ sept heures quand Rigou passa devant le *Café de la Paix*. Le soleil couchant, qui prenait en écharpe la jolie ville, y répandait alors ses belles teintes rouges, et le clair miroir des eaux du lac formait une opposition avec le tumulte des vitres flamboyantes d'où naissaient les couleurs les plus improbables.

Devenu pensif, le profond politique, tout à ses trames, laissait aller son cheval si lentement, qu'en longeant le *Café de la Paix*, il put entendre son nom jeté à travers une de ces disputes qui, selon l'observation du curé Taupin, faisaient du nom de cet établissement la plus violente antinomie.

Pour l'intelligence de cette scène, il est nécessaire d'expliquer la topographie de ce pays de Cocagne bordé par le café sur la place, et terminé sur le chemin cantonal par le fameux Tivoli, que les meneurs cherchaient à servir de théâtre à l'une des scènes de la conspiration ourdie depuis cinq ans contre le général Montcornet.

Par sa situation à l'angle de la place et du chemin, le rez-de-chaussée de cette maison, bâtie dans le genre de celle de Rigou, a trois fenêtres sur le chemin, et sur la place deux fenêtres entre lesquelles se trouve la porte vitrée, par où l'on y entre. Le *Café de la Paix* a de plus une porte bâtarde, ouvrant sur une allée qui le sépare de la maison voisine, celle du mercier de Soulanges, et par où l'on va dans une cour intérieure.

Cette maison, entièrement peinte en jaune d'or, excepté les volets qui sont en vert, est une des rares maisons de cette petite ville qui ont deux étages et des mansardes. Voici pourquoi.

Avant l'étonnante prospérité de La-Ville-aux-Fayes, le premier étage de cette maison, qui contient quatre chambres pourvues chacune d'un lit et du maigre mobilier nécessaire à justifier le mot *garni*, se louait aux gens obligés de venir à Soulanges par la juridiction du Bailliage, ou aux visiteurs qu'on ne logeait pas au château; mais, depuis vingt-cinq ans, ces chambres garnies n'avaient plus pour locataires que des saltimbanques, des marchands forains, des vendeurs de remèdes ou d'images, des comédiens ambulants ou des commis-voyageurs. Au moment de la fête de Soulanges, les chambres se louaient à raison de quatre francs par jour. Les quatre chambres de Socquard lui rapportaient une centaine d'écus, sans compter le produit de la consommation extraordinaire que ses locataires faisaient alors dans son café.

La façade du côté de la place était ornée de peintures spéciales. Dans le tableau qui séparait chaque croisée de la porte, se voyaient des queues de billard amoureusement nouées par des rubans; et, au-dessus des nœuds s'élevaient des bols de punch fumant dans des coupes grecques. Ces mots, *Café de la Paix*, brillaient peints en jaune sur un champ vert à chaque extrémité duquel étaient des pyramides de billes tricolores. Les fenêtres, peintes en vert, avaient des petites vitres de verre commun.

Dix thuyas, plantés à droite et à gauche dans des caisses, et qu'on devrait nommer les arbres à cafés, offraient leur végétation aussi maladive que prétentieuse. Les bannes, par lesquelles les marchands de Paris et de quelques cités opulentes protègent leurs boutiques contre les ardeurs du soleil, sont un luxe inconnu dans Soulanges. Les fioles exposées sur des planches derrière les vitrages méritaient d'autant plus leur nom, que la benoîte liqueur subissait à des cuissons périodiques. En concentrant ses rayons par les bosses lenticulaires des vitres, le soleil faisait bouillonner les bouteilles de Madère, les sirops, les vins de liqueur, les bocaux de prunes et de cerises à l'eau-de-vie mis en étalage, car la chaleur était si grande qu'elle forçait Aglaé, son père et leur garçon à se tenir sur deux banquettes placées de chaque côté de la porte et mal abritées par les pauvres arbustes que mademoiselle arrosait avec de l'eau presque chaude. Par certains jours, on les voyait tous trois, étalés là comme des animaux domestiques, et dormant.

En 1804, époque de la vogue de *Paul et Virginie*, l'intérieur fut tendu d'un papier verni représentant les principales scènes de ce roman. On y voyait des nègres récoltant le café, qui se trouvait au moins quelque part dans cet établissement, où l'on ne buvait pas trente tasses de café par mois. Les denrées coloniales étaient si peu dans les habitudes soulangeoises, qu'un étranger qui serait venu demander une tasse de chocolat aurait mis le père Socquard dans un étrange embarras ; néanmoins, il aurait obtenu la nauséabonde bouillie brune que produisent ces tablettes où il entre plus de farine, d'amandes pilées et de cassonade que de sucre et de cacao, vendues à deux sous par les épiciers de village, et fabriquées dans le but évident de ruiner le commerce de cette boisson espagnole.

Quant au café, le père Socquard le faisait tout uniment bouillir dans un vase connu de tous les ménages sous le nom de *grand pot brun ;* il laissait tomber au fond la poudre mêlée de chicorée, et il servait la décoction avec un sang-froid digne d'un garçon de café de Paris, dans une tasse de porcelaine qui, jetée par terre, ne se serait pas fêlée.

En ce moment, le saint respect que causait le sucre, sous l'Empereur, ne s'était pas encore dissipé dans la ville de Soulanges, et Mlle Socquard apportait bravement quatre morceaux de sucre gros comme des noisettes, au marchand forain qui s'avisait de demander ce breuvage littéraire.

La décoration, relevée de glaces à cadres dorés et de patères pour accrocher les chapeaux, n'avait pas été changée depuis l'époque où tout Soulanges vint admirer cette tenture prestigieuse et un comptoir peint en bois d'acajou, à dessus de marbre Sainte-Anne, sur lequel brillaient des vases en plaqué, des lampes à double courant d'air, qui furent, dit-on, données par Gaubertin à la belle Mme Socquard. C'est assez indiquer une couche gluante qui ternissait tout, et qui ne peut se comparer qu'à celle dont sont couverts les vieux tableaux oubliés dans les greniers.

Les tables peintes en marbre, les tabourets en velours d'Utrecht rouge, le quinquet à globe plein d'huile alimentant deux becs, et attaché par une chaîne au plafond et enjolivé de cristaux, commencèrent la célébrité du *Café de la Guerre.* Là, de 1802 à 1814, tous les bourgeois de Soulanges allaient jouer aux dominos et au brelan, en buvant des petits verres de liqueur, du vin cuit, en y prenant des fruits à l'eau-de-vie, des biscuits ; car la cherté des denrées coloniales avait banni le café, le chocolat et le sucre. Le punch était la grande friandise, ainsi que les bavaroises. Ces préparations se faisaient avec une matière sucrée, sirupeuse, semblable à la mélasse, dont le nom s'est perdu, mais qui fit alors la fortune de l'inventeur.

Ces détails succincts sur le *Café de la Paix* rappelleront ses analogues à la mémoire des voyageurs; et ceux qui n'ont jamais quitté leur plafond entreverront le plafond noirci par la fumée, les glaces ternies par des milliards de points bruns qui prouvaient en quelle indépendance y vivait la classe des diptères.

La belle Mme Socquard, dont les galanteries surpassèrent celles de la Tonsard, avait trôné là, vêtue à la dernière mode; elle affectionna le turban des sultanes. La *sultane* a joui, sous l'Empire, de la vogue qu'obtient l'*ange* aujourd'hui. Toute la vallée venait jadis y prendre modèle sur les turbans, les chapeaux à visière, les bonnets en fourrures chinoises de la *belle cafetière*, au luxe de laquelle contribuaient les gros bonnets de Soulanges. Tout en portant sa ceinture au plexus solaire, comme l'ont portée nos mères, si fières de leurs grâces impériales, Junie (elle s'appelait Junie!) fit la maison Socquard; son mari lui devait la propriété d'un clos de vignes, de cette maison et du Tivoli. Le père de M. Lupin avait fait, disait-on, des folies pour la belle Junie Socquard; Gaubertin, qui la lui avait enlevée, lui devait certainement le petit Bournier.

Ces détails et la science secrète avec laquelle Socquard fabriquait le *vin cuit* expliqueraient déjà pourquoi son nom et le *Café de la Paix* étaient devenus populaires; mais bien d'autres raisons augmentaient cette renommée. On ne trouvait que du vin chez Tonsard et dans les autres cabarets de la vallée; tandis que depuis Couches jusqu'à La-Ville-aux-Fayes, dans une circonférence de six lieues, le café de Socquard était le seul où l'on pût jouer au billard, et boire ce punch que préparait admirablement les bourgeois du lieu. Là seulement se voyaient en étalage des liqueurs fines, des fruits à l'eau-de-vie. Ce nom retentissait donc dans la vallée presque tous les jours, accompagné des idées de volupté superfine que rêvent des gens dont l'estomac est plus sensible que le cœur. A ces causes se joignait encore le privilège d'être partie intégrante de la fête de Soulanges. Dans l'ordre immédiatement supérieur, le *Café de la Paix* était enfin pour la ville ce que le cabaret du *Grand-I-Vert* était pour la campagne, un entrepôt de venin; il servait de transit aux commérages entre La-Ville-aux-Fayes et la vallée. Le *Grand-I-Vert* fournissait le lait et la crème au *Café de la Paix*, et les deux filles à Tonsard étaient en rapports journaliers avec cet établissement.

Pour Socquard, la place de Soulanges était un appendice de son café. L'Alcide allait de porte en porte causant avec chacun, n'ayant en été qu'un pantalon pour tout vêtement et un gilet à peine boutonné, selon l'usage des cafetiers des petites villes. Il était averti par les gens avec lesquels il causait s'il entrait quelqu'un dans son établissement, où il se rendait pesamment.

Ces détails doivent convaincre les Parisiens qui n'ont jamais quitté leur quartier, de la difficulté, disons mieux, de l'impossibilité de cacher la moindre chose dans la vallée de l'Avonne, depuis Couches jusqu'à La-Ville-aux-Fayes. L'espace n'existe pas dans les campagnes; il s'y trouve de place en place des cabarets du *Grand-I-Vert*, des cafés *de la Paix*, qui font l'office d'échos, et où les actes les plus indifférents, accomplis dans le plus grand secret, sont répercutés par une sorte de magie.

Après avoir arrêté son cheval, Rigou descendit de sa carriole et attacha la bride à l'un des poteaux de la porte de Tivoli. Puis il trouva le plus naturel des prétextes pour écouter la discussion sans en avoir l'air, en se plaçant entre deux fenêtres par l'une desquelles il pouvait, en avançant la tête, voir les personnes, étudier les gestes, tout en saisissant les grosses paroles qui retentissaient aux vitres et que le calme extérieur permettait d'entendre.

— Et si je disais au père Rigou que ton frère Nicolas en veut à la Péchina, s'écriait une voix aigre, qu'il la guette à toute heure, qu'elle passera dessous le nez à votre seigneur, il saurait bien vous tripoter les entrailles, à tous tant que vous êtes, tas de gueux du *Grand-I-Vert*.

— Si tu nous faisais une pareille farce, Aglaé, répondit la voix glapissante de Marie Tonsard, tu ne conterais celle que je te ferais qu'aux vers de ton cercueil!... Ne te mêle pas plus des affaires de Nicolas que des miennes avec Bonnébault.

Marie, stimulée par sa grand-mère, avait, comme on le voit, suivi Bonnébault; en l'épiant, elle l'avait vu, par la fenêtre où stationnait en ce moment Rigou, déployant ses grâces et disant des flatteries assez agréables à Mlle Socquard, pour qu'elle se crût obligée de lui sourire. Ce sourire avait déterminé la scène au milieu de laquelle éclata cette révélation assez précieuse pour Rigou.

— Eh! bien, père Rigou, vous dégradez mes propriétés ?... dit Socquard en frappant sur l'épaule de l'usurier.

Le cafetier, venu d'une grange située au bout de son jardin et d'où l'on retirait plusieurs jeux publics, tels que machines à peser, chevaux à courir la bague, balançoires périlleuses, etc., pour les monter aux places qu'ils occupaient dans son Tivoli, avait marché sans faire de bruit, car il portait ces pantoufles en cuir jaune dont le bas prix en fait vendre des quantités considérables en province.

— Si vous aviez des citrons frais, je me ferais une limonade, répondit Rigou, la soirée est chaude.

— Mais qui piaille ainsi ? dit Socquard en regardant par la fenêtre et voyant sa fille aux prises avec Marie.

— On se dispute Bonnébault, répliqua Rigou d'un air sardonique.

Le courroux du père fut alors comprimé chez Socquard par l'intérêt du cafetier. Le cafetier jugea prudent d'écouter du dehors comme faisait Rigou; tandis que le père voulait entrer et déclarer que Bonnébault, plein de qualités estimables aux yeux d'un cafetier, n'en avait aucune de bonne comme gendre d'un des notables de Soulanges. Et cependant le père Socquard recevait peu de propositions de mariage. A vingt-deux ans, sa fille faisait comme largeur, épaisseur et poids, concurrence à Mme Vermichel, dont l'agilité paraissait un phénomène. L'habitude de tenir un comptoir augmentait encore la tendance à l'embonpoint qu'Aglaé devait au sang paternel.

— Quel diable ces filles ont-elles au corps ? demanda le père Socquard à Rigou.

— Ah! répondit l'ancien bénédictin, c'est de tous les diables celui que l'Eglise a saisi le plus souvent.

Socquard, pour toute réponse, se mit à examiner sur les tableaux qui séparent les fenêtres les queues de billard dont la réunion s'expliquait difficilement à cause des places où manquait le mortier écaillé par la main du temps.

En ce moment, Bonnébault sortit du billard, une queue à la main, et en frappa rudement Marie, en lui disant :

— Tu m'as fait manquer de touche; mais je ne te manquerai point, et je continuerai tant que tu n'auras pas mis une sourdine à ta *grelote*.

Socquard et Rigou, qui jugèrent à propos d'intervenir, entrèrent au café par la place, et firent lever une si grande quantité de mouches, que le jour en fut obscurci. Le bruit fut semblable à celui des lointains exercices de l'école des tambours. Après leur premier saisissement, ces grosses mouches à ventre bleuâtre, accompagnées de

petites mouches assassines et de quelques mouches à
chevaux, revinrent prendre leur place au vitrage, où, sur
trois rangs de planches, dont la peinture avait disparu
sous leurs points noirs, se voyaient des bouteilles vis-
queuses, rangées comme des soldats.

Marie pleurait. Etre battue devant sa rivale par
l'homme aimé est une de ces humiliations qu'aucune
femme ne supporte, à quelque degré qu'elle soit de
l'échelle sociale, et plus bas elle est, plus violente est
l'expression de sa haine; aussi la fille Tonsard ne vit-elle
ni Rigou ni Socquard; elle tomba sur un tabouret, dans
un morne et farouche silence, que l'ancien religieux épia.

— Cherche un citron frais, Aglaé, dit le père Socquard,
et rince toi-même un verre à patte.

— Vous avez sagement fait de renvoyer votre fille, dit
tout bas Rigou à Socquard, elle allait être blessée à mort
peut-être.

Et il montra d'un coup d'œil la main par laquelle Marie
tenait un tabouret qu'elle avait empoigné pour le jeter à
la tête d'Aglaé, qu'elle visait.

— Allons, Marie, dit le père Socquard en se plaçant
devant elle, on ne vient pas ici pour prendre des tabourets... et si tu cassais mes glaces, ce n'est pas avec le lait
de tes vaches que tu me les payerais...

— Père Socquard, votre fille est une vermine, et je la
vaux bien, entendez-vous ? Si vous ne voulez pas de
Bonnébault pour gendre, il est temps que vous lui disiez
d'aller jouer ailleurs que chez vous au billard!... qu'il y
perd des cent sous à tout moment.

Au début de ce flux de paroles criées plutôt que dites,
Socquard prit Marie par la taille et la jeta dehors, malgré
ses cris. Il était temps pour elle, Bonnébault sortait de
nouveau du billard, l'œil en feu.

— Ça ne finira pas comme ça! s'écria Marie Tonsard.

— Tire-nous ta révérence, dit Bonnébault que Viollet tenait à bras-le-corps pour l'empêcher de se livrer à
quelque brutalité, va-t'en au diable, ou jamais je ne te
parle ni ne te regarde.

— Toi ? dit Marie en jetant à Bonnébault un regard
plein de reproches, rends-moi mon argent, et je te laisse
à Mlle Socquard, si elle est assez riche pour te garder...

Là-dessus, Marie, effrayée de voir Socquard à peine
maître de Bonnébault qui fit un bond de tigre, se sauva
sur la route.

Rigou fit monter Marie dans sa carriole, afin de la soustraire à la colère de Bonnébault, dont la voix retentissait jusqu'à l'hôtel Soudry; puis, après avoir caché Marie, il revint boire sa limonade en examinant le groupe formé par Plissoud, par Amaury, par Viollet, et par le garçon de café qui tâchait de calmer Bonnébault.

— Allons, c'est à vous à jouer, hussard, dit Amaury, petit jeune homme blond à l'œil trouble.

— D'ailleurs elle a filé, dit Viollet.

Si quelqu'un a jamais exprimé la surprise, ce fut Plissoud, au moment où il aperçut l'usurier de Blangy assis à l'une des tables et plus occupé de lui, Plissoud, que de la dispute des deux filles. Malgré lui, l'huissier laissa voir sur son visage l'espèce d'étonnement que cause la rencontre d'un homme à qui l'on en veut, ou contre qui l'on complote et il rentra soudain dans le billard.

— Adieu, père Socquard, dit l'usurier.

— Je vais vous amener votre voiture, reprit le limonadier, donnez-vous le temps.

— Comment faire pour savoir ce que ces gens-là se disent en jouant la poule ? se demandait à lui-même Rigou qui vit dans la glace la figure du garçon.

Ce garçon était un homme à deux fins, il faisait les vignes de Socquard, il balayait le café, le billard, il tenait le jardin propre et arrosait le Tivoli, le tout pour vingt écus par an. Il était toujours sans veste, hormis les grandes occasions, et il avait pour tout costume un pantalon de toile bleue, de gros souliers, un gilet de velours rayé devant lequel il portait un tablier de toile de ménage quand il était de service au billard ou dans le café. Ce tablier à cordons était l'insigne de ses fonctions. Ce gars avait été loué par le limonadier à la dernière foire, car dans cette vallée comme dans toute la Bourgogne, les gens se prennent sur la place pour l'année, absolument comme on y achète des chevaux.

— Comment te nomme-t-on ? lui dit Rigou.

— Michel, pour vous servir, répondit le garçon.

— Ne vois-tu pas ici quelquefois le père Fourchon ?

— Deux ou trois fois par semaine avec M. Vermichel, qui me donne quelques sous pour l'avertir quand sa femme *déboule* sur eux.

— C'est un brave homme, le père Fourchon, et instruit, dit Rigou, qui paya sa limonade et quitta ce café nauséabond en voyant sa carriole que le père Socquard avait amenée devant le café.

En montant dans sa voiture, le père Rigou aperçut le

pharmacien, et il le héla par un : « Ohé, monsieur Vermut ! » En reconnaissant le richard, Vermut hâta le pas, Rigou le rejoignit et lui dit à l'oreille :

— Croyez-vous qu'il y ait des réactifs qui puissent désorganiser le tissu de la peau jusqu'au point de produire un mal réel, comme un panaris au doigt ?

— Si monsieur Gourdon veut s'en mêler, oui, répondit le petit savant.

— Vermut, pas un mot là-dessus, ou sinon nous serions brouillés ; mais parlez-en à M. Gourdon, et dites-lui de venir me voir après-demain ; je lui procurerai l'opération assez délicate de couper un index.

Puis, l'ancien maire, laissant le petit pharmacien ébahi, monta dans sa carriole, à côté de Marie Tonsard.

— Eh ! bien, petite vipère, lui dit-il en lui prenant le bras quand il eut attaché les guides de sa bête à un anneau sur le devant du tablier de cuir qui fermait sa carriole, et que le cheval eut pris son allure, tu crois donc que tu garderas Bonnébault en te livrant à des violences pareilles ?... Si tu étais sage, tu favoriserais son mariage avec cette grosse tonne de bêtise, et alors tu pourrais te venger.

Marie ne put s'empêcher de sourire en répondant :

— Ah ! que vous êtes vicieux ! vous êtes bien notre maître à tous !

— Ecoute, Marie, moi j'aime les paysans, mais il ne faut pas qu'un de vous se mette entre mes dents et une bouchée de gibier... Ton frère Nicolas, comme l'a dit Aglaé, poursuit la Péchina. Ce n'est pas bien, car je la protège, cette enfant ; elle sera mon héritière pour trente mille francs, et je veux la bien marier. J'ai su que Nicolas, aidé par ta sœur Catherine, avait failli tuer cette pauvre petite, ce matin ; tu verras ce soir ton frère et ta sœur, dis-leur ceci : « Si vous laissez la Péchina tranquille, le père Rigou sauvera Nicolas de la conscription... »

— Vous êtes le diable en personne, s'écria Marie ; on dit que vous avez signé un pacte avec lui... c'est-il possible ?

— Oui, dit gravement Rigou.

— On nous le disait aux veillées, mais je ne le croyais pas.

— Il m'a garanti qu'aucun attentat dirigé contre moi ne m'atteindrait, que je ne serais jamais volé, que je vivrais cent ans sans maladie, que je réussirais en tout, et que jusqu'à l'heure de ma mort je serais jeune comme un coq de deux ans...

— Ça se voit bien, dit Marie. Eh! bien, il vous est *diablement* facile de sauver mon frère de la conscription...

— S'il le veut, car il faut qu'il y laisse un doigt, voilà tout, reprit Rigou, je lui dirai comment!

— Tiens! vous prenez le chemin du haut? dit Marie.

— A la nuit, je ne passe plus par ici, répondit l'ancien moine.

— A cause de la croix? dit naïvement Marie.

— C'est bien cela, rusée! répondit le diabolique personnage.

Ils étaient arrivés à un endroit où la route cantonale est creusée à travers une faible élévation du terrain. Cette tranchée offre deux talus assez roides, comme on en voit tant sur les routes de France.

Au bout de cette gorge, d'une centaine de pas de longueur, les routes de Ronquerolles et de Cerneux forment un carrefour planté d'une croix. De l'un ou de l'autre talus, un homme peut ajuster un passant et le tuer presque à bout portant, avec d'autant plus de facilité que cette éminence étant couverte de vignes, un malfaiteur trouve toute facilité pour s'embusquer dans les buissons de ronces venus au hasard. On devine pourquoi l'usurier, toujours prudent, ne passait jamais par là de nuit; la Thune tourne ce monticule appelé les Clos-de-la-Croix. Jamais place plus favorable ne s'est rencontrée pour une vengeance ou pour un assassinat, car le chemin de Ronquerolles va rejoindre le pont fait sur l'Avonne, devant le pavillon du rendez-vous de chasse, et le chemin de Cerneux mène au-delà de la route royale, en sorte qu'entre les quatre chemins des Aigues, de La-Ville-aux-Fayes, de Ronquerolles et de Cerneux, le meurtrier peut se choisir une retraite et laisser dans l'incertitude ceux qui se mettraient à sa poursuite.

— Je vais te laisser à l'entrée du village, dit Rigou quand il aperçut les premières maisons de Blangy.

— A cause d'Annette, vieux lâche! s'écria Marie. La renverrez-vous bientôt, celle-là, v'là trois ans que vous l'avez!... Ce qui m'amuse, c'est que votre vieille se porte bien... le bon Dieu se venge...

CHAPITRE IV

L'IDOLE D'UNE VILLE

Le prudent usurier avait contraint sa femme et Jean de se coucher et de se lever au jour, en leur prouvant que la maison ne serait jamais attaquée s'il veillait, lui, jusqu'à minuit, et s'il se levait tard. Non seulement il avait ainsi conquis sa tranquillité de sept heures du soir jusqu'à cinq heures du matin, mais encore il avait habitué sa femme et Jean à respecter son sommeil et celui de l'Agar, dont la chambre était située derrière la sienne.

Aussi le lendemain matin, vers six heures et demie, Mme Rigou, qui veillait elle-même aux soins de la basse-cour, conjointement avec Jean, vint-elle frapper timidement à la porte de la chambre de son mari.

— Bon ami, dit-elle, tu m'as recommandé de t'éveiller.

Le son de cette voix, l'attitude de la femme, son air craintif en obéissant à un ordre dont l'exécution pouvait être mal reçue, peignaient l'abnégation profonde dans laquelle vivait cette pauvre créature, et l'affection qu'elle portait à cet habile tyranneau.

— C'est bien! cria Rigou.

— Faut-il éveiller Annette? demanda-t-elle.

— Non, laissez-la dormir!... Elle a été sur pied toute la nuit! dit-il sérieusement.

Cet homme était toujours sérieux, même quand il se permettait une plaisanterie. Annette avait en effet ouvert mystérieusement la porte à Sibilet, à Fourchon, à Catherine Tonsard, venus tous à des heures différentes, entre onze heures et une heure.

Dix minutes après, Rigou, vêtu plus soigneusement qu'à l'ordinaire, descendit, et dit à sa femme un : « Bonjour, ma vieille! » qui la rendit plus heureuse que si elle avait vu le général Montcornet à ses pieds.

— Jean, dit-il à l'ex-frère convers, ne quitte pas la maison, ne me laisse pas voler, tu y perdrais plus que moi!...

C'était en mélangeant les douceurs et les rebuffades, les espérances et les bourrades, que ce savant égoïste avait rendu ses trois esclaves aussi fidèles, aussi attachés que des chiens.

Rigou, toujours en prenant le chemin dit du haut, pour éviter les Clos-de-la-Croix, arriva sur la place de Soulanges vers huit heures.

Au moment où il attachait les guides au tourniquet le plus proche de la petite porte à trois marches, le volet s'ouvrit, Soudry montra sa figure marquée de petite vérole, que l'expression de deux petits yeux noirs rendait finaude.

— Commençons par casser une croûte, car nous ne déjeunerons pas à La-Ville-aux-Fayes avant une heure.

Il appela tout doucement une servante, jeune et jolie autant que celle de Rigou, qui descendit sans bruit, et à laquelle il dit de servir un morceau de jambon et du pain; puis il alla chercher lui-même du vin à la cave.

Rigou contempla, pour la millième fois, cette salle à manger, planchéiée en chêne, plafonnée à moulures, garnie de belles armoires bien peintes, boisée à hauteur d'appui, ornée d'un beau poêle et d'un cartel magnifique, provenus de Mlle Laguerre. Le dos des chaises était en forme de lyre, les bois peints et vernis en blanc, le siège en maroquin vert à clous dorés. La table d'acajou massif était couverte en toile cirée verte à grandes hachures foncées, et bordée d'un liséré vert. Le parquet en point de Hongrie, minutieusement frotté par Urbain, accusait le soin avec lequel les anciennes femmes de chambre se font servir.

— Bah! ça coûte trop cher, se dit encore Rigou...; l'on mange aussi bien dans ma salle qu'ici, et j'ai la rente de l'argent qu'il faudrait pour m'arranger avec cette splendeur inutile. Où donc est Mme Soudry? demanda-t-il au maire de Soulanges, qui parut armé d'une bouteille vénérable.

— Elle dort.

— Et vous ne troublez plus guère son sommeil, dit Rigou.

L'ex-gendarme cligna d'un air goguenard, et montra le jambon que Jeannette, sa jolie servante, apportait.

— Ça vous réveille, un joli morceau comme celui-là!

dit le maire; c'est fait à la maison! il est entamé d'hier...

— Mon compère, je ne vous connaissais pas celle-là ? Où l'avez-vous pêchée ? dit l'ancien bénédictin à l'oreille de Soudry.

— Elle est comme le jambon, répondit le gendarme en recommençant à cligner; je l'ai depuis huit jours.

Jeannette, encore en bonnet de nuit, en jupe courte, pieds nus dans des pantoufles, ayant passé ce corps de jupe fait comme une brassière, à la mode dans la classe paysanne et sur lequel elle ajustait un foulard croisé qui ne cachait pas entièrement de jeunes et frais trésors, ne paraissait pas moins appétissante que le jambon. Petite, rondelette, elle laissait voir ses bras nus pendants, marbrés de rouge, au bout desquels de grosses mains à fossettes, à doigts courts et bien façonnés du bout, annonçaient une riche santé. C'était la vraie figure bourguignotte, rougeaude, mais blanche aux tempes, au col, aux oreilles; les cheveux châtains, le coin de l'œil retroussé vers le haut de l'oreille, les narines ouvertes, la bouche sensuelle, un peu de duvet le long des joues; puis, une expression vive, tempérée par une attitude modeste et menteuse qui faisait d'elle un modèle de servante friponne.

— En honneur, Jeannette ressemble au jambon, dit Rigou. Si je n'avais pas une Annette, je voudrais une Jeannette.

— L'une vaut l'autre, dit l'ex-gendarme, car votre Annette est douce, blonde, mignarde... Comment va Mme Rigou ?... dort-elle ?... reprit brusquement Soudry pour faire voir à Rigou qu'il comprenait la plaisanterie.

— Elle est éveillée avec notre coq, répondit Rigou, mais elle se couche comme les poules. Moi, je reste à lire *le Constitutionnel*. Le soir et le matin, ma femme me laisse dormir, elle n'entrerait pas chez moi pour un monde...

— Ici c'est tout le contraire, répondit Jeannette. Mme Soudry reste avec les bourgeois de la ville à jouer; ils sont quelquefois quinze au salon; Monsieur se couche à huit heures, et nous nous levons au jour...

— Ça vous paraît différent, dit Rigou, mais au fond c'est la même chose. Eh! bien, ma belle enfant, venez chez moi, j'enverrai Annette ici, ce sera la même chose, et ce sera différent.

— Vieux coquin, dit Soudry, tu la rends honteuse.

— Comment, gendarme! tu ne veux qu'un cheval dans ton écurie ?... Enfin chacun prend son bonheur où il le trouve.

Jeannette, sur l'ordre de son maître, alla lui préparer sa toilette.

— Tu lui auras promis de l'épouser à la mort de ta femme ? demanda Rigou.

— A nos âges, répondit le gendarme, il ne nous reste plus que ce moyen-là !

— Avec des filles ambitieuses, ce serait une manière de devenir promptement veuf... répliqua Rigou, surtout si Mme Soudry parlait devant Jeannette de sa manière de savonner les escaliers.

Ce mot rendit les deux époux songeurs. Quand Jeannette vint annoncer que tout était prêt, Soudry lui dit un : « Viens m'aider ! » qui fit sourire l'ancien bénédictin.

— Voilà encore une différence, dit-il, moi je te laisserais sans crainte avec Annette, mon compère.

Un quart d'heure après, Soudry, en grande tenue, monta dans le cabriolet d'osier, et les deux amis tournèrent le lac de Soulanges pour aller à La-Ville-aux-Fayes.

— Et ce château-là ?... dit Rigou quand il atteignit à l'endroit d'où le château se voyait en profil.

Le vieux révolutionnaire mit à ce mot un accent où se révélait la haine que nourrissent les bourgeois campagnards contre les grands châteaux et les grandes terres.

— Mais tant que je vivrai, j'espère bien le voir debout, répliqua l'ancien gendarme; le comte de Soulanges a été mon général; il m'a rendu service; il m'a très bien fait régler ma pension, et puis il laisse gérer sa terre à Lupin, dont le père y a fait sa fortune. Après Lupin ce sera un autre, et tant qu'il y aura des Soulanges, on respectera cela!... Ces gens-là sont bons enfants, ils laissent à chacun sa récolte, et ils s'en trouvent bien...

— Ah! le général a trois enfants qui peut-être à sa mort ne s'accorderont pas. Un jour ou l'autre le mari de sa fille et les fils liciteront et gagneront à vendre cette mine de plomb et de fer à des marchands de biens que nous saurons bien repincer.

Le château de Soulanges apparut de profil comme pour défier le moine défroqué.

— Ah! oui, dans ce temps-là, l'on bâtissait bien... s'écria Soudry. Mais M. le comte économise en ce moment ses revenus pour pouvoir faire de Soulanges le majorat de sa pairie!...

— Compère, répondit Rigou, les majorats tomberont.

Une fois le chapitre des intérêts épuisé, les deux bour-

geois se mirent à causer des mérites respectifs de leurs
chambrières en patois un peu trop bourguignon pour
être imprimé. Ce sujet inépuisable les mena si loin qu'ils
aperçurent le chef-lieu d'arrondissement où régnait Gaubertin, et qui peut-être excite assez la curiosité pour
faire admettre par les gens les plus pressés une petite
digression.

Le nom de La-Ville-aux-Fayes, quoique bizarre, s'explique facilement par la corruption de ce nom (en basse
latinité, *Villa in Fago*, le manoir dans les bois). Ce nom
dit assez que jadis une forêt couvrait le delta formé par
l'Avonne à son confluent dans la rivière qui se joint
cinq lieues plus loin à l'Yonne. Un Franc bâtit sans doute
une forteresse sur la colline qui, là, se détourne en allant
mourir par des pentes douces dans la longue plaine où
Leclercq, le député, avait acheté sa terre. En séparant par
un grand et long fossé ce delta, le conquérant se fit
une position formidable, une place essentiellement sei-
gneuriale, commode pour percevoir des droits de péage
sur les ponts nécessaires aux routes, et pour veiller aux
droits de mouture frappés sur les moulins.

Telle est l'histoire des commencements de La-Ville-
aux-Fayes. Partout où s'est établie une domination
féodale ou religieuse, elle a engendré des intérêts, des habitants et plus tard des villes, quand les localités se trouvaient en position d'attirer, de développer ou de fonder
des industries. Le procédé trouvé par Jean Rouvet pour
flotter les bois, et qui exigeait des places favorables pour
les intercepter, créa La-Ville-aux-Fayes, qui, jusque-là,
comparée à Soulanges, ne fut qu'un village. La Ville-aux-
Fayes devint l'entrepôt des bois qui, sur une étendue de
douze lieues, bordent les deux rivières. Les travaux que
demandent le repêchage, la reconnaissance des bûches
perdues, la façon des trains que l'Yonne porte dans la
Seine, produisirent un grand concours d'ouvriers. La
population excita la consommation et fit naître le commerce. Ainsi, La-Ville-aux-Fayes, qui ne comptait pas
six cents habitants à la fin du XVIᵉ siècle, en comptait
deux mille en 1790, et Gaubertin l'avait portée à
quatre mille. Voici comment.

Quand l'Assemblée législative décréta la nouvelle cir-
conscription du territoire, La-Ville-aux-Fayes, qui se
trouva située à la distance où, géographiquement, il fallait
une sous-préfecture, fut choisie préférablement à Soulanges pour chef-lieu d'arrondissement. La sous-préfec-

ture entraîna le tribunal de Première Instance et tous les
employés d'un chef-lieu d'arrondissement. L'augmentation de la population parisienne, en augmentant la
valeur et la quantité voulue des bois de chauffage, aug-
menta nécessairement l'importance du commerce de La-
Ville-aux-Fayes. Gaubertin avait assis sa nouvelle fortune
sur cette nouvelle prévision, en devinant l'influence de la
paix sur la population parisienne, qui, de 1815 à 1825,
s'est accrue en effet de plus d'un tiers.

La configuration de La-Ville-aux-Fayes est indiquée
par celle du terrain. Les deux lignes du promontoire
étaient bordées par des ports. Le barrage pour arrêter
les bois était au bas de la colline occupée par la forêt de
Soulanges. Entre ce barrage et la ville, il y avait un faubourg. La basse ville, située dans la partie la plus large
du delta, plongeait sur la nappe d'eau du lac d'Avonne.

Au-dessus de la basse ville, cinq cents maisons à jardins, assises sur la hauteur défrichée depuis trois cents ans
entourent ce promontoire de trois côtés, en jouissant
toutes des aspects multipliés que fournit la nappe dia-
mantée du lac d'Avonne, encombrée par des trains en
construction sur ses bords, par des piles de bois. Les
eaux chargées de bois de la rivière et les jolies cascades
de l'Avonne, qui, plus haute que la rivière où elle se
décharge, alimentent les vannes des moulins et les écluses
de quelques fabriques, forment un tableau très animé,
d'autant plus curieux qu'il est encadré par les masses
vertes des forêts, et que la longue vallée des Aigues produit une magnifique opposition aux sombres repoussoirs
qui dominent La-Ville-aux-Fayes.

En face de ce vaste rideau, la route royale qui passe
l'eau sur un pont, à un quart de lieue de La-Ville-aux-
Fayes, vient mordre au commencement d'une allée de
peupliers où se trouve un petit faubourg groupé autour
de la poste aux chevaux, attenant à une grande ferme.
La route cantonale fait également un détour pour gagner
ce pont, où elle rejoint le grand chemin.

Gaubertin s'était bâti une maison sur un terrain du
delta, dans le dessein d'y faire une place qui rendrait la
basse ville aussi belle que la ville haute. Ce fut la maison
moderne en pierre, à balcons en fonte, à persiennes, à
fenêtres bien peintes, sans autre ornement qu'une grecque
sous la corniche, un toit d'ardoises, un seul étage et des
greniers, une belle cour, et derrière, un jardin à l'anglaise,
baigné par les eaux de l'Avonne. L'élégance de cette

maison força la sous-préfecture, logée provisoirement
dans un chenil, à venir en face dans un hôtel que le département fut obligé de bâtir, sur les instances des députés
Leclercq et Ronquerolles. La ville y bâtit aussi sa mairie.
Le tribunal, également à loyer, eut un palais de justice
achevé récemment, en sorte que La-Ville-aux-Fayes dut
au génie remuant de son maire une ligne de bâtiments
modernes fort imposante. La gendarmerie se bâtissait
une caserne pour achever le carré formé par la place.

Ces changements, dont les habitants s'enorgueillissaient,
étaient dus à l'influence de Gaubertin, qui, depuis
quelques jours, avait reçu la croix de la Légion d'honneur, à l'occasion de la prochaine fête du roi. Dans une
ville ainsi constituée, et de création moderne, il ne se
trouvait ni aristocratie ni noblesse. Aussi les bourgeois
de La-Ville-aux-Fayes, fiers de leur indépendance, épou-
saient-ils tous la querelle survenue entre les paysans et
un comte de l'Empire qui prenait le parti de la Restauration. Pour eux, les oppresseurs étaient les opprimés.
L'esprit de cette ville commerçante était si bien connu du
gouvernement, que l'on avait mis pour sous-préfet un
homme d'un esprit conciliant, l'élève de son oncle, un
de ces gens habitués aux transactions, familiarisés avec
les exigences de tous les gouvernements, et que les puri-
tains politiques, qui font pis, appellent des gens corrompus.

L'intérieur de la maison de Gaubertin avait été décoré
par les inventions assez plates du luxe moderne. C'était de
riches papiers de tenture à bordures dorées, des lustres
de bronze doré, des meubles en acajou, des lampes
astrales, des tables rondes à dessus de marbre, de la porcelaine blanche à filets d'or, pour le dessert, des chaises
à fond de maroquin rouge et des gravures à l'aquatinta
dans la salle à manger, un meuble de casimir bleu dans le
salon, tous détails froids et d'une excessive platitude,
mais qui parurent être à La-Ville-aux-Fayes les derniers
efforts d'un luxe sardanapalesque. Mme Gaubertin y
jouait le rôle d'une élégante à grands effets, elle faisait
de petites façons, elle minaudait à quarante-cinq ans en
mairesse sûre de son fait, et qui avait sa cour.

La maison de Rigou, celle de Soudry et celle de Gaubertin, ne sont-elles pas, pour qui connaît la France, la
parfaite représentation du village, de la petite ville et de
la sous-préfecture ?

Sans être ni un homme d'esprit ni un homme de talent,
Gaubertin en avait l'apparence; il devait la justesse de

son coup d'œil et sa malice à une excessive âpreté pour
le gain. Il ne voulait sa fortune ni pour sa femme, ni pour
ses deux filles, ni pour son fils, ni pour lui-même, ni par
esprit de famille, ni pour la considération que donne
l'argent ; outre sa vengeance, qui le faisait vivre, il aimait
le jeu de l'argent comme Nucingen, qui manie toujours,
dit-on, de l'or dans ses deux poches à la fois. Le train
des affaires était la vie de cet homme ; et, quoiqu'il eût
le ventre plein, il déployait l'activité d'un homme à
ventre creux. Semblable aux valets de théâtre, les
intrigues, les tours à jouer, les coups à organiser, les trom-
peries, les finasseries commerciales, les comptes à
rendre, à recevoir, les scènes, les brouilles d'intérêt
l'émoustillaient, lui maintenaient le sang en circulation,
lui répandaient également la bile dans le corps. Et il allait,
il venait à cheval, en voiture, par eau, dans les ventes aux
adjudications, à Paris, toujours pensant à tout, tenant
mille fils entre ses mains, et ne les brouillant pas.

Vif, décidé dans ses mouvements comme dans ses
idées, petit, court, ramassé, le nez fin, l'œil allumé, l'oreille
dressée, il tenait du chien de chasse. Sa figure hâlée,
brune et toute ronde, de laquelle se détachaient des
oreilles brûlées, car il portait habituellement une casquette, était en harmonie avec ce caractère. Son nez était
retroussé, ses lèvres serrées ne devaient jamais s'ouvrir
pour une parole bienveillante. Ses favoris touffus formaient deux buissons noirs et luisants au-dessous de
deux pommettes violentes de couleur et se perdaient dans
sa cravate. Des cheveux frisottants, naturellement étagés
comme ceux d'une perruque de vieux magistrat, blancs
et noirs, tordus comme par la violence du feu qui chauf-
fait son crâne brun, qui pétillait dans ses yeux gris enveloppés de rides circulaires, sans doute par l'habitude de
toujours cligner en regardant à travers la campagne en
plein soleil, complétaient bien sa physionomie. Sec,
maigre, nerveux, il avait les mains velues, crochues, bos-
suées, des gens qui payent de leur personne. Cette allure
plaisait aux gens avec lesquels il traitait, car il s'envelop-
pait d'une gaieté trompeuse ; il savait beaucoup parler
sans rien dire de ce qu'il voulait taire ; il écrivait peu,
pour pouvoir nier ce qui lui était défavorable dans ce qu'il
laissait échapper. Ses écritures étaient tenues par un cais-
sier, un homme probe que les gens du caractère de Gaubertin savent toujours dénicher, et de qui, dans leur intérêt, ils font leur première dupe.

Quand le petit cabriolet d'osier de Rigou se montra, vers les huit heures, dans l'avenue qui, depuis la poste, longe la rivière, Gaubertin, en casquette, en bottes, en veste, revenait déjà des ports; il hâta le pas en devinant bien que Rigou ne se déplaçait que pour *la grande affaire*.

— Bonjour, père l'empoigneur, bonjour, bonne panse pleine de fiel et de sagesse, dit-il en donnant tour à tour une petite tape sur le ventre des deux visiteurs, nous avons à parler d'affaires, et nous en parlerons le verre en main, nom d'un petit bonhomme! voilà la vraie manière.

— A ce métier-là, vous devriez être gras, dit Rigou.

— Je me donne trop de mal; je ne suis pas comme vous autres, confiné dans ma maison, acoquiné là, comme un vieux roquentin... Ah! vous faites bien, ma foi! vous pouvez agir le dos au feu, le ventre à table, assis sur un fauteuil... La pratique vient vous trouver. Mais, entrez donc, nom d'un petit bonhomme! la maison est bien à vous pour tout le temps que vous y resterez.

Un domestique à livrée bleue, bordée d'un liséré rouge, vint prendre le cheval par la bride et l'emmena dans la cour où se trouvaient les communs et les écuries.

Gaubertin laissa ses deux hôtes se promener dans le jardin, et revint les trouver après un instant nécessaire pour donner ses ordres et organiser le déjeuner.

— Eh! bien, mes petits loups, qu'y a-t-il de nouveau? dit-il en se frottant les mains, on a vu la gendarmerie de Soulanges se dirigeant au point du jour vers Couches; ils vont sans doute arrêter les condamnés pour délits forestiers... nom d'un petit bonhomme! ça chauffe! ça chauffe!... A cette heure, reprit-il en regardant à sa montre, les gars doivent être bien et dûment arrêtés.

— Probablement, dit Rigou.

— Eh! bien, que dit-on dans les villages? Qu'a-t-on résolu?

— Mais qu'y a-t-il à résoudre? demanda Rigou, nous ne sommes pour rien là-dedans, ajouta-t-il en regardant Soudry.

— Comment! pour rien? Et si l'on vend les Aigues par suite de nos combinaisons, qui gagnera à cela cinq ou six cent mille francs? Est-ce moi tout seul? Je n'ai pas les reins assez forts pour cracher deux millions, avec trois enfants à établir et une femme qui n'entend pas raison sur l'article dépense; il me faut des associés. Le père l'empoigneur n'a-t-il pas ses fonds prêts? Il n'a pas une hypothèque qui ne soit à terme, et il ne prête plus que sur billets au jeu, dont je réponds. Je m'y mets pour huit cent mille francs; mon fils, le juge, deux cent mille; nous comptons sur l'empoigneur pour deux cent mille; pour combien voulez-vous y être, père la calotte?

— Pour le reste, dit froidement Rigou.

— Tudieu, je voudrais avoir la main où vous avez le cœur! dit Gaubertin. Et que ferez-vous?

— Mais je ferai comme vous; dites votre plan.

— Mon plan à moi, reprit Gaubertin, est de prendre double pour vendre moitié à ceux qui en voudront dans Couches, Cerneux et Blangy. Le père Soudry aura ses pratiques à Soulanges, et vous, les vôtres ici. Ce n'est pas l'embarras; mais comment nous entendrons-nous, entre nous? comment partagerons-nous les grands lots?...

— Mon Dieu! rien n'est plus simple, dit Rigou. Chacun prendra ce qui lui conviendra le mieux. Moi d'abord je ne gênerai personne, je prendrai les bois avec mon gendre et le père Soudry; ces bois sont assez dévastés pour ne pas vous tenter; nous vous laisserons votre part dans le reste, ça vaut bien votre argent, ma foi.

— Nous signerez-vous ça? dit Soudry.

— L'acte ne vaudrait rien, répondit Gaubertin. D'ailleurs, vous voyez que je joue franc jeu; je me fie entièrement à Rigou, c'est lui qui sera l'acquéreur.

— Ça me suffit, dit Rigou.

— Je n'y mets qu'une condition, j'aurai le pavillon du Rendez-vous, ses dépendances et cinquante arpents autour; je vous payerai les arpents. Je ferai du pavillon ma maison de campagne, elle sera près de mes bois. Mme Gaubertin, Mme Isaure, comme elle veut qu'on la nomme, en fera sa villa, dit-elle.

— Je le veux bien, dit Rigou.

— Eh! entre nous, reprit Gaubertin à voix basse, après avoir regardé de tous les côtés, et s'être bien assuré que personne ne pouvait l'entendre, les croyez-vous capables de faire quelque mauvais coup?

— Comme quoi? demanda Rigou qui ne voulait jamais rien comprendre à demi-mot.

— Mais si le plus enragé de la bande, une main adroite avec cela, faisait siffler une balle aux oreilles du comte... simplement pour le braver?...

— Il est homme à courir sus et à l'empoigner.

— Alors Michaud?...

— Michaud ne s'en vanterait pas, il politiquerait,

espionnerait et finirait par découvrir l'homme et ceux qui l'ont armé.

— Vous avez raison, reprit Gaubertin. Il faudra qu'ils se révoltent une trentaine ensemble, on en jettera quelques-uns aux galères... enfin on prendra les gueux, dont nous voudrons nous défaire après nous en être servis. Vous avez là deux ou trois chenapans, comme les Tonsard et Bonnébault. ..

— Tonsard fera quelque drôle de coup, dit Soudry, je le connais..., et nous le ferons encore chauffer par Vaudoyer et Courtecuisse.

— J'ai Courtecuisse, dit Rigou.

— Et moi je tiens Vaudoyer dans ma main.

— De la prudence, dit Rigou, avant tout de la prudence.

— Tiens, papa la calotte, croyez-vous donc par hasard qu'il y aurait du mal à causer sur les choses comme elles vont... Est-ce nous qui verbalisons, qui empoignons, qui fagotons, qui glanons ?... Si M. le comte s'y prend bien, s'il s'abonne avec un fermier général pour l'exploitation des Aigues, dans ce cas, adieu paniers, vendanges sont faites, vous y perdrez peut-être plus que moi... Ce que nous disons, c'est entre nous, et pour nous, car je ne dirai certes pas un mot à Vaudoyer que je ne puisse répéter devant Dieu et les hommes... Mais il n'est pas défendu de prévoir les événements et d'en profiter quand ils arrivent... Les paysans de ce canton-là ont la tête bien près du bonnet; les exigences du général, sa sévérité, les persécutions de Michaud et de ses inférieurs les ont poussés à bout; aujourd'hui les affaires sont gâtées, et je parierais qu'il y aura eu du grabuge avec la gendarmerie... Là-dessus, allons déjeuner.

Mme Gaubertin vint retrouver ses convives au jardin. C'était une femme assez blanche, à longues boucles à l'anglaise tombant le long de ses joues, qui jouait le genre passionné-vertueux, qui feignait de ne jamais avoir connu l'amour, qui mettait tous les fonctionnaires sur la question platonique, et qui avait pour attentif le Procureur du roi, son *patito*, disait-elle. Elle donnait dans les bonnets à pompons, mais elle se coiffait volontiers en cheveux, et elle abusait du bleu et du rose tendre. Elle dansait, elle avait de petites manières jeunes à quarante-cinq ans ; mais elle avait de gros pieds et des mains affreuses. Elle voulait qu'on l'appelât Isaure, car elle avait, au milieu de ses travers et de ses ridicules, le bon goût de trouver ignoble le nom de Gaubertin ; elle avait les yeux pâles et les cheveux d'une couleur indécise, une espèce de nankin sale. Enfin elle était prise pour modèle par beaucoup de jeunes personnes qui assassinaient le ciel de leurs regards et faisaient les anges.

— Eh ! bien, messieurs, dit-elle en les saluant, j'ai d'étranges nouvelles à vous apprendre, la gendarmerie est revenue...

— A-t-elle fait des prisonniers ?

— Pas du tout, le général, d'avance, avait demandé leur grâce... elle est accordée en faveur de l'heureux anniversaire du retour du roi parmi nous.

Les trois associés se regardèrent.

— Il est plus fin que je ne le croyais, ce gros cuirassier ! dit Gaubertin. Allons nous mettre à table, il faut se consoler ; après tout, ce n'est pas une partie perdue, ce n'est qu'une partie remise ; ça vous regarde maintenant, Rigou...

Soudry et Rigou revinrent désappointés, n'ayant rien pu imaginer pour amener une catastrophe qui leur profitât, et se fiant, ainsi que le leur avait dit Gaubertin, au hasard. Comme quelques jacobins aux premiers jours de la Révolution, furieux, déroutés par la bonté de Louis XVI, et provoquant les rigueurs de la cour dans le but d'amener l'anarchie qui pour eux était la fortune et le pouvoir, les redoutables adversaires du comte de Montcornet mirent leur dernier espoir dans la rigueur que Michaud et ses gardes déploieraient contre de nouvelles dévastations ; Gaubertin leur promit son concours sans s'expliquer sur ses coopérateurs, car il ne voulait pas qu'on connût ses relations avec Sibilet. Rien n'égale la discrétion d'un homme de la trempe de Gaubertin, si ce n'est celle d'un ex-gendarme ou d'un prêtre défroqué. Ce complot ne pouvait être mené à bien, ou pour mieux dire à mal, que par trois hommes de ce genre, trempés par la haine et l'intérêt.

CHAPITRE V

LA VICTOIRE SANS COMBAT

Les craintes de Mme Michaud étaient un effet de la seconde vue que donne la passion vraie. Exclusivement occupée d'un seul être, l'âme finit par embrasser le monde moral qui l'entoure, elle y voit clair. Dans son amour, une femme éprouve les pressentiments qui l'agitent plus tard dans la maternité.

Pendant que la pauvre jeune femme se laissait aller à écouter ces voix confuses qui viennent à travers des espaces inconnus, il se passait en effet dans le cabaret du *Grand-I-Vert* une scène où l'existence de son mari était menacée.

Vers cinq heures du matin, les premiers levés dans la campagne avaient vu passer la gendarmerie de Soulanges, qui se dirigeait vers Couches. Cette nouvelle circula rapidement, et ceux que cette question intéressait furent assez surpris d'apprendre, par ceux du haut pays, qu'un détachement de gendarmerie, commandé par le lieutenant de La-Ville-aux-Fayes, avait passé par la forêt des Aigues. Comme c'était un lundi, il y avait déjà des raisons pour que les ouvriers allassent au cabaret; mais c'était la veille de l'anniversaire de la rentrée des Bourbons, et quoique les habitués du repaire des Tonsard n'eussent pas besoin de cette *auguste cause* (comme on disait alors) pour justifier leur présence au *Grand-I-Vert*, ils ne laissaient pas de s'en prévaloir très haut dès qu'ils croyaient avoir aperçu l'ombre d'un fonctionnaire quelconque.

Il se trouva là Vaudoyer, Tonsard et sa famille, Godain qui en faisait en quelque sorte partie, et un vieil ouvrier vigneron nommé Laroche. Cet homme vivait au jour le jour, il était un des délinquants fournis par Blangy dans l'espèce de conscription que l'on avait inventée pour dégoûter le général de sa manie de procès-verbaux. Blangy

avait donné trois autres hommes, douze femmes, huit
filles et cinq garçons, dont les maris et les pères devaient
répondre, et qui étaient dans une entière indigence; mais
aussi c'étaient les seuls qui ne possédassent rien.
L'année 1823 avait enrichi les vignerons, et 1826 devait,
par la grande quantité du vin, leur jeter encore beaucoup
d'argent; les travaux exécutés par le général avaient également répandu de l'argent dans les trois communes qui
environnaient ses propriétés, et l'on avait eu de la peine
à trouver à Blangy, à Couches et à Cerneux cent vingt pro-
létaires; on n'y était parvenu qu'en prenant les vieilles
femmes, les mères et les grand-mères de ceux qui possédaient quelque chose, mais qui n'avaient rien à elles,
comme la mère de Tonsard. Ce Laroche, le vieil ouvrier
délinquant, ne valait absolument rien; il n'avait pas,
comme Tonsard, un sang chaud et vicieux, il était animé
d'une haine sourde et froide, il travaillait en silence, il
gardait un air farouche; le travail lui était insupportable,
et il ne pouvait vivre qu'en travaillant; ses traits étaient
durs, leur expression repoussante. Malgré ses soixante ans,
il ne manquait pas de force, mais son dos avait faibli,
il était voûté, il se voyait sans avenir, sans un bout de
champ à lui, et il enviait ceux qui possédaient de la terre;
aussi dans la forêt des Aigues était-il sans pitié. Il y faisait
avec plaisir des dévastations inutiles.

— Les laisserons-nous emmener ? disait Laroche.
Après Couches, on viendra à Blangy; je suis en récidive;
j'en ai pour trois mois de prison.

— Et que faire contre la gendarmerie ? vieil ivrogne,
lui dit Vaudoyer.

— Tiens! est-ce qu'avec nos faux nous ne couperons
pas bien les jambes à leurs chevaux ? ils seront bientôt
par terre, leurs fusils ne sont pas chargés, et quand ils se
verront un contre dix, il faudra bien qu'ils déguerpissent.
Si les trois villages se soulevaient et qu'on tuât deux ou
trois gendarmes, guillotinerait-on tout le monde ? Faudrait bien plier comme au fond de la Bourgogne où,
pour une affaire semblable, on a envoyé un régiment.
Ah bah! le régiment s'en est allé; les *pésans* ont continué
d'aller au bois où ils allaient depuis des années comme ici.

— Tuer pour tuer, dit Vaudoyer, il vaudrait mieux
n'en tuer qu'un : mais là, sans danger, et de manière à
dégoûter tous les *Arminacs* du pays.

— Lequel de ces brigands ? demanda Laroche.

— Michaud, dit Courtecuisse; il a raison Vaudoyer,

il a grandement raison. Vous verrez que quand un garde aura été mis à l'ombre, on n'en trouvera pas facilement d'autres qui resteront au soleil à surveiller. Ils y sont le jour, mais c'est qu'ils y sont encore la nuit. C'est des démons, quoi !...

— Partout où vous allez, dit la vieille Tonsard, qui avait soixante-dix-huit ans et qui montra sa figure de parchemin, percée de mille trous et de deux yeux verts, ornée de ses cheveux d'un blanc sale qui sortaient par mèches de dessous un mouchoir rouge, partout où vous allez vous les trouvez, et ils vous arrêtent; ils regardent votre fagot, et s'il y avait une seule branche coupée, une seule baguette de méchant coudrier, ils prendraient le fagot et vous feraient le *verbal;* ils l'ont bien dit. Ah! les gueux! il n'y a pas à les attraper, et s'ils se défient de vous, ils vous ont bientôt fait délier votre bois... Ils sont là trois chiens qui ne valent pas deux liards; on les tuerait, ça ne ruinerait pas la France, allez.

— Le petit Vatel n'est pas encore si méchant! dit Mme Tonsard la belle-fille.

— Lui! dit Laroche, il fait sa besogne comme les autres; l'histoire de rire, c'est bon, il rit avec vous; vous n'en êtes pas mieux avec lui pour cela; c'est le plus malicieux des trois, c'est un sans-cœur pour le pauvre peuple comme M. Michaud.

— Il a une jolie femme tout de même, M. Michaud, dit Nicolas Tonsard...

— Elle est pleine, dit la vieille mère; mais si ça continue, on fera un drôle de baptême à son petit quand elle vêlera.

— Oh! tous ces *Arminacs* de Parisiens, dit Marie Tonsard, il est impossible de rire avec eux... et si cela arrivait, ils vous feraient un *verbal* sans plus se soucier de vous que s'ils n'avaient pas ri.

— Tu as donc essayé de les entortiller ? dit Courtecuisse.

— Pardi!

— Eh! bien, dit Tonsard, d'un air déterminé, c'est des hommes comme les autres, on peut en venir à bout.

— Ma foi, non, reprit Marie en continuant sa pensée, ils ne rient point; je ne sais ce qu'on leur donne, car après tout, le crâne du pavillon, il est marié; mais Vatel, Gaillard et Steingel ne le sont pas; ils n'ont personne dans le pays, il n'y a pas une femme qui voudrait d'eux...

— Nous allons voir comment les choses vont se passer à la moisson et à la vendange, dit Tonsard.

— Ils n'empêcheront pas de glaner, dit la vieille.

— Mais je ne sais trop, répondit la bru Tonsard... leur Groison dit comme ça que M. le maire va publier un ban où il sera dit que personne ne pourra glaner sans un certificat d'indigence ; et qui est-ce qui le donnera ? Ce sera lui ! Il n'en donnera pas beaucoup. Il publiera aussi des défenses d'entrer dans les champs avant que la dernière gerbe ne soit dans la charrette !...

— Ah çà ! mais c'est donc la grêle, que ce cuirassier ! cria Tonsard hors de lui.

— Je ne le sais que d'hier, répondit sa femme, que j'ai offert un petit verre à Groison pour en tirer quelque nouvelle.

— En voilà un d'heureux ! dit Vaudoyer, on lui a bâti une maison, on lui a donné une bonne femme, il a des rentes, il est mis comme un roi... Moi j'ai été vingt ans garde champêtre, je n'y ai gagné que des rhumes.

— Oui, il est heureux, dit Godain, et il a du bien...

— Nous restons là comme des imbéciles que nous sommes, s'écria Vaudoyer ; allons donc au moins voir comment ça se passe à Couches, ils ne sont pas plus endurants que nous autres.

— Allons, dit Laroche qui ne se tenait pas trop ferme sur ses jambes, si je n'en extermine pas un ou deux, je veux perdre mon nom.

— Toi, dit Tonsard, tu laisserais bien emmener toute la commune ; mais moi, si l'on touchait à la vieille, voilà mon fusil, il ne manquerait pas son coup.

— Eh ! bien, dit Laroche à Vaudoyer, si l'on emmène un des Couches, il y aura un gendarme par terre.

— Il l'a dit ! le père Laroche, s'écria Courtecuisse.

— Il l'a dit, reprit Vaudoyer, mais il ne l'a pas fait, et il ne le fera pas... A quoi ça te servirait-il si tu veux te faire rosser ?... Tuer pour tuer, il vaut bien mieux tuer Michaud...

Pendant cette scène, Catherine Tonsard était en sentinelle à la porte du cabaret, afin d'être en mesure de prévenir les buveurs de se taire s'il passait quelqu'un. Malgré leurs jambes avinées, ils s'élancèrent plutôt qu'ils ne sortirent du cabaret, et leur ardeur belliqueuse les dirigea vers Couches en suivant la route qui, pendant un quart de lieue, longeait les murs des Aigues.

Couches était un vrai village de Bourgogne, à une seule rue, dans laquelle passait le grand chemin. Les maisons étaient construites les unes en briques, les autres en pisé ;

mais elles étaient d'un aspect misérable. En y arrivant par la route départementale de La-Ville-aux-Fayes, on prenait le village à revers, et il faisait alors assez d'effet. Entre la grande route et les bois de Ronquerolles, qui continuaient ceux des Aigues et couronnaient les hauteurs, coulait une petite rivière, et plusieurs maisons assez bien groupées animaient le paysage. L'église et le presbytère formaient une fabrique séparée, et donnaient un point de vue à la grille du parc des Aigues qui venait jusque-là. Devant l'église se trouvait une place entourée d'arbres, où les conspirateurs du *Grand-I-Vert* aperçurent la gendarmerie, et ils doublèrent alors leurs pas précipités. En ce moment, trois hommes à cheval sortirent par la grille de Couches, et les paysans reconnurent le général et son domestique avec Michaud, le garde général, qui s'élancèrent au galop vers la place; Tonsard et les siens y arrivèrent quelques minutes après eux. Les délinquants, hommes et femmes, n'avaient fait aucune résistance; ils étaient tous entre les cinq gendarmes de Soulanges et les quinze autres venus de La-Ville-aux-Fayes. Tout le village était rassemblé là. Les enfants, les pères et les mères des prisonniers allaient et venaient et leur apportaient ce dont ils avaient besoin pour passer le temps de leur prison. C'était un coup-d'œil assez curieux que celui de cette population campagnarde, exaspérée, mais à peu près silencieuse, comme si elle avait pris un parti. Les vieilles et les jeunes femmes étaient les seules qui parlassent. Les enfants, les petites filles étaient juchées sur des bois et des tas de pierres pour mieux voir.

— Ils ont bien pris leur temps, ces hussards de la guillotine, ils sont venus un jour de fête...

— Ah çà! vous laissez donc emmener comme ça votre homme! Qu'allez-vous donc devenir pendant trois mois, les meilleurs de l'année, où les journées sont bien payées.

— C'est eux qui sont les voleurs!... répondit la femme en regardant les gendarmes d'un air menaçant.

— Qu'avez-vous donc, la vieille, à loucher comme ça! dit le maréchal des logis, sachez que votre affaire ne sera pas longue à bâcler si vous vous permettez de nous injurier.

— Je n'ai rien dit, s'empressa de dire la femme d'un air humble et piteux.

— J'ai entendu tout à l'heure un propos dont je pourrai vous faire repentir...

— Allons, mes enfants, du calme! dit le maire de Couches, qui était le maître de poste. Que diable! ces hommes, on les commande, il faut bien qu'ils obéissent.

— C'est vrai! c'est le bourgeois des Aigues qui fait tout cela... Mais patience.

En ce moment, le général déboucha sur la place, et son arrivée excita quelques murmures, dont il s'inquiéta fort peu; il alla droit au lieutenant de la gendarmerie de La-Ville-aux-Fayes, et après lui avoir dit quelques mots et lui avoir remis un papier, l'officier se tourna vers ses hommes et leur dit:

— Laissez aller vos prisonniers, le général a obtenu leur grâce du roi.

En ce moment, le général Montcornet causait avec le maire de Couches; mais, après quelques moments de conversation échangée à voix basse, celui-ci, s'adressant aux délinquants qui devaient coucher en prison et qui se trouvaient tout étonnés d'être libres, leur dit:

— Mes amis, remerciez M. le comte, c'est à lui que vous devez la remise de vos condamnations; il a demandé votre grâce à Paris et l'a obtenue pour l'anniversaire de la rentrée du roi... J'espère qu'à l'avenir vous vous conduirez mieux envers un homme qui se conduit si bien envers vous, et que vous respecterez dorénavant ses propriétés. Vive le roi!

Et les paysans crièrent vive le roi! avec enthousiasme, pour ne pas crier vive le comte de Montcornet.

Cette scène avait été politiquement méditée par le général, d'accord avec le préfet et le procureur général, car on avait voulu, tout en montrant de la fermeté pour stimuler les autorités locales et frapper l'esprit des campagnes, user de douceur, tant ces questions paraissent délicates. En effet, la résistance, au cas où elle aurait eu lieu, jetait le gouvernement dans de grands embarras. Comme l'avait dit Laroche, on ne pouvait pas guillotiner toute une commune.

Le général avait invité à déjeuner le maire de Couches, le lieutenant et le maréchal des logis. Les conspirateurs de Blangy restèrent dans le cabaret de Couches, où les délinquants délivrés employaient à boire l'argent qu'ils emportaient pour vivre en prison, et les gens de Blangy furent naturellement de la noce, car les gens de la campagne appliquent le mot de noce à toutes les réjouissances. Boire, se quereller, se battre, manger et rentrer ivre et malade, c'est faire la noce.

Sortis par la grille de Couches, le comte ramena ses trois convives par la forêt, afin de leur montrer les traces des dégâts et leur faire juger l'importance de cette question.

Au moment où, vers midi, Rigou rentrait à Blangy, le comte, la comtesse, Emile Blondet, le lieutenant de gendarmerie, le maréchal des logis et le maire de Couches achevaient de déjeuner dans cette salle splendide et fastueuse où le luxe de Bouret avait passé, et qui a été décrite par Blondet dans sa lettre à Nathan.

— Ce serait bien dommage d'abandonner un pareil séjour, dit le lieutenant de gendarmerie, qui n'était jamais venu aux Aigues, à qui l'on avait tout montré, et qui, en lorgnant à travers un verre de champagne, avait remarqué l'admirable entrain des nymphes nues qui soutenaient le voile du plafond.

— Aussi nous y défendrons-nous jusqu'à la mort, dit Blondet.

— Si je dis ce mot, reprit le lieutenant en regardant son maréchal des logis, comme pour lui recommander le silence, c'est que les ennemis du général ne sont pas tous dans la campagne.

Le brave lieutenant était attendri par l'éclat du déjeuner, par ce service magnifique, par ce luxe impérial qui remplaçait le luxe de la fille d'Opéra, et Blondet avait poussé des paroles spirituelles qui le stimulaient autant que les santés chevaleresques qu'il avait vidées.

— Comment puis-je avoir des ennemis ? dit le général étonné.

— Lui si bon ! ajouta la comtesse.

— Il s'est mal quitté avec notre maire, M. Gaubertin, et pour demeurer tranquille il devrait se réconcilier avec lui.

— Avec lui !... s'écria le comte ; vous ne savez donc pas que c'est mon ancien intendant, un fripon !

— Ce n'est plus un fripon, dit le lieutenant, c'est le maire de La-Ville-aux-Fayes.

— Il a de l'esprit, notre lieutenant, dit Blondet ; il est clair qu'un maire est essentiellement honnête homme.

Le lieutenant voyant, d'après le mot du comte, qu'il était impossible de l'éclairer, ne continua plus la conversation sur ce sujet.

CHAPITRE VI

LA FORÊT ET LA MOISSON

Cette forêt avait été si bien exploitée par les habitants, qu'il n'y avait plus que du bois vivant, qu'ils s'occupaient à faire mourir pour l'hiver, par des procédés fort simples et qui ne pouvaient être découverts que longtemps après. Tonsard envoyait sa mère dans la forêt; le garde la voyait entrer; il savait par où elle devait sortir, et il la guettait pour voir le fagot; il la trouvait chargée en effet de brindilles sèches, de branches tombées, mais elle se plaignait d'avoir à courir bien loin, pour obtenir un misérable fagot. Elle avait été dans les fourrés les plus épais, elle avait dégagé la tige d'un jeune arbre et en avait enlevé l'écorce à l'endroit où il sortait du tronc, tout autour, en anneau; puis elle avait remis la mousse, les feuilles, tout en état; il était impossible de découvrir cette incision annulaire faite, non pas à la serpe, mais par une déchirure qui ressemblait à celle produite par ces animaux rongeurs et destructeurs nommés, selon les pays, des thons, des turcs, des vers blancs, et qui sont le premier état du hanneton. Ce ver est friand des écorces d'arbres; il se loge entre l'écorce et l'aubier et mange en tournant. Si l'arbre est assez gros pour qu'il ait passé à sa seconde métamorphose, à sa larve, où il reste endormi jusqu'au jour de sa résurrection, l'arbre est sauvé; car tant qu'il reste à la sève un endroit couvert d'écorce dans l'arbre, l'arbre croîtra. Pour savoir à quel point l'entomologie se lie à l'agriculture, à l'horticulture et à tous les produits de la terre, il suffit d'expliquer que les grands naturalistes comme Latreille, le comte Dejean, Boisjelin, de Paris, Gené, de Turin, etc., sont arrivés à trouver cent cinquante mille familles d'insectes visibles; que les coléoptères, dont la monographie est publiée par M. Dejean, y sont pour vingt-sept mille espèces, et que,

malgré les plus ardentes recherches des entomologistes
de tous les pays, on ne connaît pas les triples transformations qui distinguent tout insecte, de cinq cents espèces ;
qu'enfin, non seulement toute plante a son insecte particulier, mais tout produit terrestre, quelque détourné
qu'il soit par l'industrie humaine. Ainsi, le chanvre, le lin,
après avoir servi à pendre, à couvrir, les hommes, et avoir
roulé sur le dos d'une armée, devient papier à écrire, et
ceux qui écrivent ou lisent beaucoup sont familiarisés
avec les mœurs d'un insecte nommé le *pou du papier*,
d'une allure et d'une tournure merveilleuses ; il subit ses
transformations inconnues dans une rame de papier blanc
soigneusement gardée, et vous le voyez courir, sautiller
dans sa magnifique robe luisante comme du talc ou du
spath : c'est une ablette qui vole. Le turc est le désespoir
du propriétaire ; il échappe sous terre à la circulaire
administrative, qui ne peut en ordonner les Vêpres-Sici-
liennes que quand il est devenu hanneton, et si les populations savaient de quels désastres elles sont menacées au
cas où elles n'extermineraient pas les hannetons et les
chenilles, elles obéiraient un peu plus aux injonctions
préfectorales.

La Hollande a manqué périr ; ses digues ont été rongées
par les tarets, et la science ignore à quel insecte aboutit
le taret, comme elle ignore les métamorphoses antérieures
de la cochenille. L'ergot du seigle est vraisemblablement
une peuplade d'insectes où le génie de Raspail n'a encore
découvert qu'un léger mouvement. Ainsi, en attendant
la moisson et le glanage, une cinquantaine de vieilles
femmes imitèrent le travail du turc au pied de cinq ou
six cents arbres qui devaient être des cadavres au printemps, ne pas se couvrir de feuilles ; et ils étaient choisis
au milieu des endroits les moins accessibles, en sorte que
le branchage leur appartiendrait. Ce secret, qui l'avait
donné ? Personne ! Courtecuisse s'était plaint au cabaret de Tonsard d'avoir surpris, dans son jardin, un orme
à pâlir ; cet orme commençait une maladie, il avait soupçonné le turc, car lui, Courtecuisse, il connaissait bien
les turcs, et voilà comme s'y prenaient les turcs, quand
un turc était au pied d'un arbre, l'arbre était perdu !...
Et il imita le travail du turc. Les vieilles femmes se mirent
à cette œuvre de destruction avec une habileté de fée, et
y furent poussées par les mesures désespérantes que prit
le maire de Blangy et qu'il fut ordonné de prendre aux
maires des communes adjacentes. Les gardes champêtres

tambourinèrent une proclamation où il était dit que personne ne serait admis à glaner et à halleboter sans un certificat d'indigence donné par les maires de chaque commune, et dont le modèle fut envoyé par le préfet au
sous-préfet, et par celui-ci à chaque maire. Les grands
propriétaires du département admiraient beaucoup la
conduite du général Montcornet, et le préfet, dans ses
salons, disait que si, au lieu de demeurer à Paris, les som-
mités sociales venaient sur leurs terres et s'entendaient,
on finirait par obtenir quelque résultat heureux; car ces
mesures-là doivent se prendre partout, être appliquées
avec ensemble et modifiées par des bienfaits, par une
philanthropie éclairée, comme fait le général Montcornet.

En effet, le général et sa femme essayaient de la bienfaisance. Ils l'avaient raisonnée; ils voulaient démontrer
par des résultats incontestables, à ceux qui les pillaient,
qu'ils gagneraient davantage en s'occupant à des travaux
licites. Ils donnaient du chanvre à filer et payaient la
façon; la comtesse faisait ensuite fabriquer de la toile avec
ce fil, pour faire des torchons, des tabliers, des grosses
serviettes pour la cuisine et des chemises pour les indigents. Le comte entreprenait des améliorations qui voulaient des ouvriers, et il n'employait que ceux des communes environnantes. Sibilet était chargé de ces détails,
il indiquait les vrais nécessiteux, il les amenait quelquefois. La comtesse tenait ses assises de bienfaisance
dans la grande antichambre qui donnait sur le perron,
une belle salle, dallée en marbre blanc et rouge, ornée
d'un beau poêle en faïence, garnie de longues banquettes
couvertes en velours rouge. Ce fut là qu'un matin, avant
la moisson, Sibilet amena Catherine Tonsard, qui avait
à faire une confession terrible pour une pauvre fille. Elle
se tenait dans une attitude de criminelle, elle avait
raconté *l'embarras* dans lequel elle était à sa grand-mère;
sa mère la chasserait, son père, un homme d'honneur, la
tuerait; si elle avait seulement mille francs, elle serait
épousée par un ouvrier nommé Godain, qui ferait comme
son père, il achèterait un mauvais terrain et s'y bâtirait
une chaumière. C'était attendrissant. La comtesse promit
de consacrer à ce mariage la somme nécessaire à satisfaire
quelque fantaisie. Le mariage heureux de Michaud, celui
de Groison, étaient faits pour l'encourager. Puis cette
noce, ce mariage encourageraient les gens du pays à se
bien conduire. Le mariage de Catherine Tonsard et de
Godain fut arrangé. Une autre fois, une vieille horrible

femme, la mère de Bonnébault, qui demeurait dans une masure entre la porte de Couches et le village, rapportait une charge de fils.

— Mme la comtesse a fait des merveilles, disait Sibilet. Cette femme-là vous causait bien du dégât dans vos bois; mais aujourd'hui, comment irait-elle? Elle file du matin au soir.

Le pays était calme; Groison faisait des rapports satisfaisants, les délits semblaient vouloir cesser. Les gardes se plaignaient cependant de trouver beaucoup de branches coupées à la serpette au rond des taillis, dans l'intention évidente de se préparer du bois pour l'hiver, et ils guettaient les auteurs de ces délits sans avoir pu les prendre. Le comte, aidé par Groison, n'avait donné les certificats d'indigence qu'aux trente ou quarante pauvres réels de la commune; mais les maires des communes environnantes avaient été moins difficiles. Plus le comte s'était montré clément dans l'affaire de Couches, plus il avait résolu d'être sévère à l'occasion du glanage, qui avait dégénéré en volerie. Il ne s'occupait point de ses trois fermes affermées; il ne s'agissait que de ses métairies à moitié, qui étaient assez nombreuses: il en avait six, chacune de deux cents arpents. Il avait publié que, sous peine de procès-verbal et des amendes que prononcerait le tribunal de paix, il était défendu d'entrer dans les champs avant l'enlèvement des gerbes; son ordonnance ne concernait que lui dans la commune. Rigou connaissait le pays, il avait loué ses terres labourables par portions à des gens qui savaient enlever leurs récoltes, et par petits baux, il se faisait payer en grain. Le glanage ne l'atteignait point. Les autres propriétaires étaient paysans, et entre eux ils ne se mangeaient point. Le comte avait ordonné à Sibilet de s'arranger avec ses métayers pour couper sur les terres de chaque ferme, l'une après l'autre, en faisant repasser tous les moissonneurs à chacun de ses fermiers, au lieu de les disséminer, ce qui empêchait la surveillance. Le comte alla lui-même avec Michaud examiner comment se passeraient les choses. Groison, qui avait suggéré cette mesure, devait assister à toutes les prises de possession des champs du riche propriétaire par les indigents. Les habitants des villes n'imagineraient jamais ce qu'est le glanage pour les habitants de la campagne; leur passion est inexplicable, car il y a des femmes qui abandonnent des travaux bien rétribués pour aller glaner. Le blé qu'elles trouvent ainsi leur semble meilleur;

il y a dans cette provision ainsi faite, et qui tient à leur nourriture la plus substantielle, un attrait inouï. Les mères emmènent leurs petits enfants, leurs filles, leurs garçons, les vieillards; et naturellement ceux qui ont du bien affectent la misère. On met, pour glaner, ses haillons. Le comte et Michaud, à cheval, assistèrent à la première entrée de ce monde déguenillé dans les premiers champs de la première métairie. Il était dix heures du matin, le mois d'août était chaud, le ciel était sans nuages, bleu comme une pervenche; la terre brûlait, les blés flambaient; les moissonneurs travaillaient la face cuite par la réverbé- ration des rayons sur une terre endurcie et sonore, tous muets, la chemise mouillée, buvant de l'eau contenue dans ces cruches de grès rondes comme un pain, garnies de deux anses et d'un entonnoir grossier bouché avec un bout de saule.

Au bout des champs moissonnés, sur lesquels étaient les charrettes où s'empilaient les gerbes, il y avait une centaine de créatures qui, certes, laissaient bien loin les plus hideuses conceptions que les pinceaux de Murillo, de Téniers, les plus hardis en ce genre, et les figures de Callot, ce prince de la fantaisie des misères, aient réalisées; leurs jambes de bronze, leurs têtes pelées, leurs haillons déchiquetés, leurs couleurs, si curieusement dégradées, leurs déchirures humides de graisse, leurs reprises, leurs taches, les décolorations des étoffes, les trames mises à jour, enfin leur idéal du matériel des misères était dépassé, de même que les expressions avides, inquiètes, hébétées, idiotes, sauvages de ces figures avaient, sur leurs immor- telles compositions, l'avantage éternel que conserve la nature sur l'art. Il y avait des vieilles au cou de dindon, à l'œil chauve et rouge, qui tendaient la tête comme des chiens d'arrêt devant la perdrix, des enfants silencieux comme des soldats sous les armes, des petites filles qui trépignaient comme des animaux attendant leur pâture; les caractères de l'enfance et de la vieillesse étaient oppri- més sous une féroce convoitise : celle du bien d'autrui, qui devenait le leur par abus. Tous ces yeux étaient ardents, les gestes menaçaient, et tous gardaient le silence en présence du comte, du garde champêtre et du garde général. La grande propriété, les fermiers, les travailleurs et les pauvres, toute la campagne était en présence, la question sociale se dessinait nettement, car la faim avait convoqué ces figures provocantes... Le soleil mettait en relief tous ces traits durs, les creux des visages, il brûlait

les pieds nus et couverts de poussière, il y avait des enfants
sans chemise, à peine couverts d'une blouse déchirée, les
cheveux blonds bouclés pleins de paille et de foin, de
brins de bois; quelques femmes en tenaient par la main
de tout petits qui marchaient de la veille et qu'on allait
laisser rouler dans quelque sillon.

Ce tableau sombre était déchirant pour un vieux soldat
qui avait le cœur bon; le général dit à Michaud :

— Ça me fait mal à voir. Il faut connaître l'importance de ces mesures pour y persister.

— Si chaque propriétaire vous imitait, demeurait sur
ses terres et y faisait le bien que vous faites sur les vôtres,
il n'y aurait plus, je ne dis pas de pauvres, car il y en
aura toujours; mais il n'existerait pas un être qui ne pût
vivre de son travail.

— Les maires de Couches, de Cerneux et de Soulanges
nous ont envoyé leurs pauvres, dit Groison, qui avait
vérifié les certificats, ça ne se devait pas...

— Non, mais nos pauvres iront sur ces communes-là,
dit le comte; c'est assez pour cette fois d'obtenir que l'on
ne prenne pas à même les gerbes, il faut aller pas à pas,
dit-il en partant.

— L'avez-vous entendu ? dit la vieille Tonsard à la
vieille Bonnébault, car le dernier mot du comte avait été
prononcé d'un ton moins bas que le reste, et il tomba
dans l'oreille d'une de ces deux vieilles qui étaient postées
dans le chemin qui longeait le champ.

— Oui, ça n'est pas tout; aujourd'hui une dent, demain
une oreille; s'ils pouvaient trouver une sauce pour manger
nos fressures comme celles des veaux, ils mangeraient du
chrétien! dit la vieille Bonnébault, qui montra son profil
menaçant au comte quand il passa, lui lança un regard
mielleux et lui fit sa révérence.

— Vous glanez donc aussi, vous à qui ma femme fait
cependant gagner bien de l'argent ?

— Eh! mon cher monsieur, que Dieu vous conserve
en bonne santé, mais, voyez-vous, mon gars me mange
tout, et je sommes forcée de cacher ce peu de blé pour
avoir du pain l'hiver,... j'en ramassons encore quelque
peu,... ça aide!

Le glanage donna peu de chose aux glaneurs. En se
sentant appuyés, les fermiers et les métayers firent bien
scier leurs récoltes, veillèrent à la mise en gerbe et à l'enlèvement.

Habitués à trouver dans leurs glanes une certaine quantité de blé et ne l'ayant point, les faux comme les vrais indigents, qui avaient oublié le pardon de Couches, éprouvèrent un mécontentement sourd qui fut envenimé par les Tonsard, par Courtecuisse, par Bonnébault, Vaudoyer, Godain et leurs adhérents, dans les scènes de cabaret. Ce fut pis encore après la vendange, car le hallebotage ne commença qu'après les vignes vendangées et visitées par Sibilet avec une rigueur remarquable. Cette exécution exaspéra les esprits au dernier point; mais il existe un si grand espace entre la classe qui se courrouçait et celle qui était menacée, que les paroles y meurent, on ne s'aperçoit de ce qui s'y passe que par les faits, elle travaille à la manière des taupes.

Au château des Aigues, le comte, endormi par Sibilet, rassuré par Michaud, s'applaudissait de sa fermeté, remerciait sa femme d'avoir contribué par sa bienfaisance à l'immense résultat de leur tranquillité. La question de la vente du bois, le général se réservait de la résoudre à Paris en s'entendant avec des marchands, il n'avait aucune idée de la manière dont se fait le commerce, et quelle influence avait Gaubertin sur le cours de l'Yonne, qui approvisionne Paris en grande partie.

CHAPITRE VII

LE LÉVRIER

Vers le milieu du mois de septembre, Emile Blondet, qui était allé publier un livre à Paris, revint se délasser aux Aigues et y penser aux travaux qu'il projetait pour l'hiver. Aux Aigues, le jeune homme aimant et candide des premiers jours qui succèdent à l'adolescence, reparaissait chez ce journaliste usé.

Quelle belle âme! C'était le mot du comte et de la comtesse.

Les hommes habitués à rouler dans les abîmes de la nature sociale, à tout comprendre, à ne rien réprimer, se font une oasis dans le cœur; ils oublient leurs perversités et celles d'autrui; ils deviennent dans un cercle étroit et réservé de petits saints; ils ont des délicatesses féminines, et se livrent à une réalisation momentanée de leur idéal, ils se font angéliques pour une seule personne qui les adore, et ils ne jouent pas la comédie; ils mettent leur âme au vert, ils ont besoin de se brosser leurs taches de boue, de panser leurs blessures. Aux Aigues, Emile Blondet était sans venin et presque sans esprit, il ne disait pas une épigramme, il avait une douceur d'agneau, il était d'un platonique suave.

— C'est un bon jeune homme, il me manque quand il n'est pas là, disait le général. Je voudrais bien qu'il fît fortune et ne menât pas sa vie de Paris...

Jamais le magnifique paysage et le parc des Aigues n'avaient été plus voluptueusement beaux qu'ils l'étaient alors. Aux premiers jours de l'automne, au moment où la terre, après son accouchement, débarrassée de ses productions, exhale d'admirables odeurs végétales, les bois surtout sont délicieux, ils commencent à prendre ces teintes de vert bronzé, chaudes couleurs de terre de Sienne, qui composent les belles tapisseries sous lesquelles ils se cachent comme pour défier le froid de l'hiver.

La nature, pimpante et piquante comme une brune au printemps, devient mélancolique et douce comme une blonde, les gazons se dorent, les fleurs d'automne poussent leurs pâles corolles, ce n'est plus les marguerites qui percent les pelouses de leurs yeux blancs, mais de rares calices violâtres, le jaune abonde, les ombrages sont plus foncés, le soleil, plus oblique déjà, y glisse des lueurs orangées et furtives, de longues traces lumineuses qui s'en vont vite comme les robes traînantes des femmes qui disent adieu.

Le second jour après son arrivée, un matin, Emile était à la fenêtre de sa chambre qui donnait sur une de ces terrasses à balcon moderne, d'où l'on découvrait une belle vue. Ce balcon régnait le long des appartements de la comtesse, sur la face qui regardait les forêts et le paysage de Blangy. L'étang, qu'on eût nommé un lac si les Aigues avaient été plus près de Paris, se voyait un peu, ainsi que son long canal; la source, venue du pavillon du Rendez-vous, traversait une pelouse de son ruban moiré et pailleté par le sable.

Au-dehors du parc, on apercevait contre les villages et les murs, les cultures de Blangy, quelques prairies en pente où paissaient des vaches, des propriétés entourées de haies, avec leurs arbres fruitiers, des noyers, des pommiers, puis comme cadre les hauteurs, où s'étalaient par étages les beaux arbres de la forêt. La comtesse était sortie en pantoufles, elle regardait ses fleurs qui versaient leurs parfums du matin; elle avait un peignoir de batiste sous lequel paraissait le rose de ses belles épaules, elle avait un joli bonnet coquet posé d'une façon à exprimer la mutinerie, ses cheveux s'en échappaient follement, ses pieds brillaient en couleur de chair sous son bas clair. Elle allait sans ceinture, et laissait voir un joli jupon de dessous brodé, mal attaché sur son corps à la paresseuse, qui se voyait aussi quand le vent entrouvrait le peignoir...

— Ah! vous êtes là! dit-elle.

— Oui...

— Que regardez-vous?

— Belle question! Vous m'avez arraché à la nature. Dites donc, comtesse, voulez-vous faire ce matin, avant de déjeuner, une promenade dans les bois?

— Quelle idée? J'ai la marche en horreur.

— Nous ne marcherons que très peu, je vous conduirai

en tilbury, nous emmènerons Joseph pour le garder...
Vous n'avez jamais mis le pied dans votre forêt, et j'y
remarque un singulier phénomène... il y a par places une
certaine quantité de têtes d'arbres qui ont la couleur du
bronze florentin, les feuilles sont sèches...

— Eh! bien, je vais m'habiller...

— Nous ne serons pas partis dans deux heures!...
Passez seulement une robe et mettez des brodequins... Je
vais dire d'atteler.

— Il faut toujours faire ce que vous voulez. Vous êtes
mon hôte.

— Général, nous allons promener, voulez-vous venir ?
dit Blondet en allant réveiller le comte qui fit entendre le
grognement d'un homme que le sommeil du matin tient
encore.

Un quart d'heure après, le tilbury roulait sur les allées
du parc, suivi à distance par un grand domestique en
livrée.

La matinée était une matinée de septembre. Le bleu
foncé du ciel éclatait par places au milieu des nuages
pommelés qui semblaient le fond, et l'éther ne paraissait
que l'accident; il y avait de longues lignes d'outre-mer à
l'horizon, mais par couches qui alternaient avec d'autres
nuages à grains de sable; ces tons changeaient et verdis-
saient au-dessus des forêts. La terre, sous cette couverture,
était tiède comme une femme à son lever, elle exhalait des
odeurs suaves et chaudes, mais sauvages; l'odeur des
cultures était mêlée à l'odeur des forêts. L'*Angelus* sonnait
à Blangy, et les sons de la cloche se mêlaient au bizarre
concert des bois au matin, qui meuble le silence. Il y avait
par places des vapeurs montantes, blanches et diaphanes.
En voyant ces beaux apprêts, il avait pris fantaisie à
Olympe d'accompagner son mari qui devait aller donner
un ordre à un garde dont la maison n'était pas éloignée; le
médecin de Soulanges lui avait recommandé de marcher
sans se fatiguer, elle craignait la chaleur de midi, et ne
voulait pas se promener le soir; Michaud emmena sa
femme, et fut suivi par celui de ses chiens qu'il aimait le
plus, un joli lévrier gris de souris marqué de taches
blanches, gourmand comme tous les lévriers, plein de
défauts comme un animal qui sait qu'on l'aime et qu'il
plaît.

Ainsi, quand le tilbury vint à la grille du Rendez-vous,
la comtesse, qui demanda comment allait Mme Michaud,
sut qu'elle était allée dans la forêt avec son mari.

— Ce temps-là inspire tout le monde, dit Blondet en
lançant son cheval dans une des six avenues de la forêt,
au hasard.

— Ah çà! Joseph, tu connais les bois!

— Oui, monsieur.

Et d'aller! Cette avenue était une des plus délicieuses;
elle tourna bientôt et devint un sentier de la forêt où le
soleil descendait par les déchiquetures du toit de feuillages,
où la brise apportait les senteurs du serpolet, du chèvrefeuille, et des feuilles qui tombent en rendant un soupir,
où les gouttes de rosée, semées dans les feuilles, s'égre-
naient dans les herbes au passage de la légère voiture, et à
mesure qu'elle allait, les deux promeneurs entrevoyaient
les fantaisies mystérieuses des bois. Ces fonds frais, où la
verdure est humide et sombre, où la lumière se veloute en
s'y perdant, ces clairières à bouleaux élégants, dominés
par un arbre centenaire, l'hercule de la forêt; ces magnifiques assemblages de troncs noueux, moussus, blan-
châtres, à sillons creux, qui dessinent des maculatures
gigantesques, et cette bordure de fines herbes, de fleurs
grêles qui viennent sur les berges des ornières. Les oiseaux
chantaient. Certes, il y a des voluptés inouïes à conduire
une femme qui, dans les hauts et bas des allées glissantes,
où la terre est grasse et tapissée de mousse, fait semblant
d'avoir peur ou réellement a peur, et se colle à vous, et
vous fait sentir une pression involontaire, la fraîcheur de
son bras, le poids de son épaule élastique, et qui se met à
sourire si l'on vient à lui dire qu'elle empêche de conduire.
Le cheval est dans le secret de ces interruptions, il
regarde à droite et à gauche.

Ce spectacle nouveau pour la comtesse, cette nature si
vigoureuse en ses effets, si peu connue et si grande, la
plongea dans une rêverie molle, elle s'accota sur le tilbury
et se laissa aller au plaisir; ses yeux étaient occupés, son
cœur parlait, elle répondait à cette voix intérieure en
harmonie avec la sienne, lorsqu'il la regardait à la dérobée,
et il jouissait de cette méditation qui avait dénoué la
capote et qui livrait au vent du matin les boucles et la
chevelure avec un abandon voluptueux. Comme ils allaient
au hasard, ils arrivèrent à une barrière, et n'en avaient
pas la clef; Joseph vint, pas de clef.

— Eh! bien, promenons-nous, Joseph gardera le tilbury, nous le retrouverons bien...

Emile et la comtesse s'enfoncèrent dans la forêt, et ils
parvinrent à un petit paysage intérieur, comme il s'en

rencontre souvent dans les bois. Vingt ans auparavant, les charbonniers ont fait là leur charbonnière, et la place est restée battue; tout y a été brûlé dans une circonférence assez vaste. En vingt ans la nature a pu faire là le jardin de ses fleurs, un parterre pour elle, comme un jour un artiste se donne le plaisir de peindre un tableau pour lui. Cette délicieuse corbeille est entourée de beaux arbres, dont les têtes retombent en vastes franges, ils dessinent un immense baldaquin à cette couche où repose la déesse. Les charbonniers ont été par un sentier chercher de l'eau dans une fondrière, une mare toujours pleine, où l'eau est pure. Ce sentier subsiste, il vous invite à descendre par un tournant plein de coquetterie, et tout à coup il est déchiré; il vous montre un pan coupé où mille racines descendent à l'air en formant comme un canevas à tapisserie. Cet étang inconnu est bordé d'un gazon plat, serré; il y a des arbres aquatiques, et le banc de gazon que s'est fait un jovial charbonnier. Les grenouilles sautent chez elles, un lièvre s'en va; vous êtes maître de cette adorable baignoire parée des joncs vivants les plus magnifiques. Sur vos têtes les arbres pendent tous dans des attitudes diverses; c'est des troncs qui descendent en forme de boas constrictors, c'est des fûts de hêtres droits comme des colonnes grecques. Les limaçons ou les limaces se promènent en paix. Une tanche vous montre son museau, l'écureuil vous regarde. Enfin, quand Emile et la comtesse, fatigués, se furent assis, le rossignol fit entendre un chant que tous les oiseaux écoutèrent, un de ces chants fêtés avec amour, et qui s'entendent par tous les organes ensemble.

— Quel silence! dit la comtesse émue et à voix basse.

Ils regardèrent les taches vertes de l'eau qui sont des mondes où la vie s'organise, le lézard qui s'enfuyait en les voyant, conduite par laquelle il a mérité le nom d'ami de l'homme; il prouve ainsi combien il la connaît, dit Emile. Cette poésie pénétrante les pénétrait, ils se montraient les grenouilles, qui, plus confiantes, revenaient à fleur d'eau sur des lits de cresson, et montraient leurs yeux d'escarboucles. En ce moment, Blondet dit à l'oreille de la comtesse : « Entendez-vous ?... »

— Quoi ?

— Un bruit singulier...

— Voilà bien les gens de cabinet, qui ne savent rien de la campagne; c'est un pivert qui fait son trou... Je gage que vous ne savez même pas le trait le plus curieux de la conduite de cet oiseau; dès qu'il a donné un coup de bec, et il en donne des milliers pour creuser un chêne deux fois plus gros que votre corps, il va voir derrière s'il a percé l'arbre, et il y va à chaque instant.

— Ce bruit, chère institutrice d'histoire naturelle, n'est pas le bruit fait par un animal; il y a là je ne sais quoi d'intelligent qui annonce l'homme.

La comtesse fut saisie d'une peur panique; elle se sauva dans la corbeille de fleurs en reprenant son chemin, et voulut quitter la forêt.

— Qu'avez-vous ?...

— Il m'a semblé voir des yeux... dit-elle quand elle eut regagné un des sentiers par lesquels ils étaient venus à la charbonnière. En ce moment, ils entendirent la sourde agonie d'un être égorgé subitement, et la comtesse, dont la peur redoubla, se sauva si vivement, que Blondet put à peine la suivre. Elle courait, elle courait comme un feu follet; elle n'entendit pas Emile qui lui criait : « Vous vous trompez... » Elle courait toujours. Blondet put arriver sur ses pas, et elle le mena très loin. Enfin, ils furent arrêtés par Michaud et sa femme qui venaient bras dessus bras dessous. Emile essoufflé, la comtesse essoufflée, furent quelque temps sans pouvoir parler, puis ils s'expliquèrent. Michaud se joignit à Blondet pour se moquer de la comtesse, et le garde remit les deux promeneurs égarés dans le chemin pour regagner le tilbury. En arrivant à la barrière, madame Michaud dit :

— Prince!

— Prince! Prince! cria le garde; et il siffla, resiffla, point de lévrier.

Emile parla des singuliers bruits qui avaient commencé l'aventure.

— Ma femme a entendu ce bruit, dit Michaud, et je me suis moqué d'elle.

— On a tué Prince! dit la comtesse, et on l'a tué en lui coupant la gorge d'un seul coup; car ce que j'ai entendu était le dernier soupir d'un chien.

— Diable! dit Michaud, la chose vaut la peine d'être éclaircie.

Emile et le garde laissèrent les deux dames avec Joseph et les chevaux, et retournèrent au bosquet naturel fait par l'ancienne charbonnière. Ils descendirent à la mare; ils en fouillèrent les talus, et ne trouvèrent aucun indice. Blondet était remonté le premier; il vit dans une des touffes d'arbres de l'étage supérieur un de ces arbres à feuillage desséché; il le montra à Michaud, et il voulut aller le voir. Tous deux s'élancèrent en droite ligne à travers la forêt, évitant les troncs, tournant les buissons de ronces ou de houx impénétrables, et trouvèrent l'arbre.

— C'est un bel orme! dit Michaud; mais c'est un ver, un ver qui a fait le tour de l'écorce au pied, et il se baissa, prit l'écorce et la leva : « Tenez, voyez quel travail! »

— Il y a beaucoup de vers dans votre forêt, dit Blondet.

En ce moment, Michaud aperçut à quelques pas une tache rouge, et la tête de son lévrier. Il poussa un soupir : « Les gredins! Madame avait raison. »

Blondet et Michaud allèrent voir le corps, et trouvèrent que, selon les observations de la comtesse, on avait tranché le cou à Prince, et, pour l'empêcher d'aboyer, on l'avait amorcé avec un peu de petit salé qu'il tenait entre sa langue et le voile du palais.

— Pauvre bête, elle a péri par où elle péchait!

— Absolument comme un prince, répliqua Blondet.

— Il y avait là quelqu'un qui ne voulait pas être surpris par moi, dit Michaud, et qui conséquemment faisait un délit grave; mais je ne vois point de branches ni d'arbres coupés.

Blondet et le garde se mirent à fureter avec précaution, regardant la place où ils posaient un pied avant de le poser. A quelques pas, Blondet montra un arbre devant lequel l'herbe était foulée, abattue, et deux creux marqués.

— Il y avait là quelqu'un d'agenouillé, et c'était une femme; car les jambes d'un homme ne laisseraient pas, à partir des deux genoux, une aussi ample quantité d'herbe couchée; voici le dessin de la jupe...

Le garde examina le pied de l'arbre et trouva le travail d'un trou commencé; mais point ce ver de peau forte, luisante, squameuse, formée de points bruns, terminé par une extrémité déjà semblable à celle des hannetons, et dont il a déjà la tête, les antennes, les pattes et deux crocs nerveux avec lesquels il coupe les racines.

— Mon cher, je comprends maintenant la grande quantité d'arbres morts que j'ai remarqués ce matin de la terrasse du château et qui m'a fait venir ici pour chercher la cause de ce phénomène. Les vers se remuent; mais c'est vos paysans qui sortent du bois...

Le garde laissa échapper un juron, et il courut, suivi de Blondet, rejoindre la comtesse en la priant d'emmener sa femme avec elle. Il prit le cheval de Joseph, qu'il laissa

regagner le château à pied, et il disparut avec une excessive rapidité pour couper le chemin à la femme qui venait
de tuer son chien, et la surprendre avec la serpe ensan-
glantée et l'outil à faire les incisions du tronc. Blondet
s'assit entre la comtesse et madame Michaud, et leur
raconta la fin de Prince et la plus triste découverte qu'il
avait occasionnée.

— Mon Dieu, disons-le au général avant qu'il ne
déjeune! s'écria la comtesse; il pourrait mourir de colère.

— Je le préparerai, dit Blondet.

— Ils ont tué le chien, dit Olympe en laissant couler
des larmes.

— Vous aimiez donc bien Prince, dit la comtesse,
ma chère, pour pleurer ?...

— Je ne pense pas à Prince, mais à mon mari; j'ai peur
qu'il ne lui arrive malheur!

— Comme ils nous ont gâté cette matinée!

— Comme ils gâtent le pays! dit la jeune femme.

Ils trouvèrent le général à la grille.

— D'où venez-vous donc? dit-il.

— Vous allez le savoir, répondit Blondet d'un air
mystérieux en faisant descendre madame Michaud, dont
la tristesse frappa le comte.

Un instant après, le général et Blondet étaient sur la
terrasse des appartements.

— Vous êtes bien suffisamment muni de courage
moral, vous ne vous mettrez pas en colère...

— Non, dit le général; mais finissez-en, ou je crois
que vous voulez vous moquer de moi...

— Voyez-vous ces arbres à feuillages morts ?

— Oui.

— Voyez-vous ceux qui sont pâles ?

— Oui.

— Eh! bien, autant d'arbres morts, autant de tués par
vos paysans que vous croyez avoir gagnés par vos bienfaits. Et Blondet raconta les aventures de la matinée.

Le général était si pâle qu'il effraya Blondet.

— Eh bien! jurez, sacrez, emportez-vous, votre contrac-
tion peut vous faire encore plus de mal que la colère.

— Je vais fumer, dit le comte, qui alla à son kiosque.

Pendant le déjeuner, Michaud revint; il n'avait pu
rencontrer personne. Sibilet, mandé par le comte, vint
aussi.

— Monsieur Sibilet, et vous, monsieur Michaud,
faites savoir, avec prudence, dans le pays, que je donne

mille francs à celui qui me fera saisir en flagrant délit
ceux qui tuent ainsi mes arbres ; il faut connaître l'outil
dont ils se servent, où ils l'ont acheté, et j'ai mon plan...

— Ces gens-là ne se vendent jamais, dit Sibilet, quand
il y a des crimes commis à leur profit et prémédités ; car
cette invention-là a été réfléchie, combinée...

— Oui, mais mille francs pour eux, c'est un ou deux
arpents de terre.

— Nous essayerons, dit Sibilet ; mais aucun homme ne
se rendrait qu'à deux mille.

— Deux mille, dit le général ; mais si je saisis quelqu'un à l'ouvrage...

— A deux mille, je réponds de trouver un traître,
dit Sibilet, surtout si on lui garde le secret.

— Mais faisons comme si nous ne savions rien, moi
surtout ; il faut plutôt que ce soit vous qui vous soyez
aperçu de cela ; je l'ignore encore, sans quoi nous serions
victimes de quelque combinaison ; il faut plus se défier
de ces brigands-là que de l'ennemi.

— Mais c'est l'ennemi, dit Blondet.

Sibilet lui jeta le regard en dessous de l'homme qui
comprenait la portée du mot, et il se retira.

— Votre Sibilet, je ne l'aime pas, reprit Blondet quand
il l'eut entendu quitter la maison, c'est un homme faux.

— Jusqu'à présent, il n'y a rien à en dire, répondit
Michaud.

lui en laissera quelque chose pour vivre en prison, elle
ira, elle s'amusera, elle n'aura pas plus de souci qu'à
Coches, accroirs à donneil.

Le lendemain à cinq heures du matin, au petit jour,
Bonnébault et sa mère frappaient à la porte de Grand-I-
Vry, où la vieille mère Tonsard seule était levée.

Marie et le bonhomme dormaient encore.

— Tonsard, c'est moi, dit la mère.

CHAPITRE VIII

VERTUS CHAMPÊTRES

A la nuit, Marie Tonsard était vers Soulanges, assise
sur la marge d'un ponceau de la route, attendant Bonnébault, qui avait passé, suivant son habitude. la journée
au café. Elle l'entendit de loin, et son pas lui indiqua
qu'il était ivre et qu'il avait perdu, car il chantait quand
il avait gagné.

— Est-ce toi, Jacques ?

— Oui, petite...

— Qu'as-tu ?

— Je dois vingt-cinq francs, et l'on me tordrait bien
vingt-cinq fois le cou avant que je les trouve.

— Eh! bien, nous pourrons en avoir cinquante, lui
dit-elle à l'oreille.

— Oh! il s'agit de tuer quelqu'un; mais je veux vivre...

— Eh! non, Vaudoyer nous les donne, si tu lui fais
prendre ta mère à un arbre.

— J'aime mieux tuer un homme que de vendre ma
mère. Toi, tu as ta grand-mère, la Tonsard, pourquoi
ne la livres-tu pas ?

— Si ça se faisait, mon père empêcherait les farces.

— C'est vrai; c'est égal, ma mère n'ira pas en prison;
pauvre vieille! elle me cuit mon pain, elle me trouve des
hardes et cela pour moi! Aller en prison... Je n'aurais
point de cœur. Et de peur qu'on ne la vende, je vas lui
dire ce soir de ne plus cercler les arbres...

— Eh! bien, mon père fera ce qu'il voudra, je lui dirai
qu'il y a cinq cents francs à gagner, et il demandera à ma
grand-mère si elle le veut. C'est qu'on ne mettra jamais
une femme de soixante-dix ans en prison. D'ailleurs, elle
y sera mieux que dans son grenier...

— Cinq cents francs!... J'en parlerai à ma mère, dit
Bonnébault; au fait, si ça l'arrange de me les donner, je

lui en laisserai quelque chose pour vivre en prison; elle
filera, elle s'amusera, elle n'aura pas plus de soucis qu'à
Couches. Acteurs, à demain!

Le lendemain, à cinq heures du matin, au petit jour,
Bonnébault et sa mère frappaient à la porte du *Grand-I-
Vert*, où la vieille mère Tonsard seule était levée.

— Marie! cria Bonnébault, l'affaire est faite.

— Est-ce l'affaire d'hier pour les arbres? dit la vieille
Tonsard; c'est moi qui la prends.

— Mon garçon a promesse d'un arpent pour ce prix-là,
de M. Rigou...

Les deux vieilles se disputèrent à qui serait vendue par
ses enfants. Au bruit de la querelle, la maison s'éveilla. Tonsard et Bonnébault prirent chacun parti pour leurs mères.

— Tirez à la courte paille, dit Mme Tonsard.

La courte paille décida pour le cabaret. Trois jours
après, au point du jour, les gendarmes emmenèrent, du
fond de la forêt à La-Ville-aux-Fayes, la vieille Tonsard
surprise en flagrant délit par les gardes et le garde champêtre, avec une mauvaise lime qui servait à déchirer l'arbre, et un chasse-clou avec lequel les délinquants lissaient
cette hachure annulaire, comme l'insecte lisse son
chemin. On constata, dans le procès-verbal, l'existence
de cette perfide opération sur soixante arbres, dans un
rayon de cinq cents pas. La vieille Tonsard fut trans-
férée à Auxerre; le cas était de la juridiction de la Cour
d'Assises.

Quand Michaud vit au pied de l'arbre la vieille Tonsard, il ne put s'empêcher de dire: « Voilà les gens sur
qui M. et Mme la comtesse versent leurs bienfaits!...
Ma foi! s'il m'écoutait, il ne donnerait point de dot à la
petite Tonsard, elle vaut encore moins que sa grand-
mère... »

La vieille leva vers Michaud ses yeux gris et lui lança
un regard de vipère. En effet, en apprenant quel était
l'auteur de ce crime, le comte défendit à sa femme de
rien donner à Catherine Tonsard.

— Monsieur le comte fera d'autant mieux, dit Sibilet,
que j'ai su que le champ que Godain a acheté, c'était trois
jours avant que Catherine vînt parler à madame. Ainsi
ces deux gens-là avaient compté sur l'effet de cette scène
et sur la compassion de madame. Elle est bien capable,
Catherine, de s'être mise dans le cas où elle était, pour
avoir un motif d'avoir la somme, car Godain n'est pour
rien dans l'affaire...

— Quelles gens! dit Blondet, les mauvais sujets de Paris sont des saints...

— Ah! monsieur, dit Sibilet, l'intérêt fait commettre des horreurs partout. Savez-vous qui a trahi la Tonsard?

— Non!

— Sa petite-fille Marie; elle était jalouse du mariage de sa sœur et, pour s'établir...

— C'est épouvantable! dit le comte; mais ils assassineraient donc pour...

— Oh! dit Sibilet, pour peu de chose; ils tiennent si peu à la vie, ces gens-là; ils s'ennuient de toujours travailler. Oh! monsieur, il ne se passe pas, au fond des campagnes, des choses plus belles que dans Paris; mais vous ne le croiriez pas.

— Soyez donc bon et bienfaisant! dit la comtesse.

Le soir de l'arrestation, Bonnébault vint au cabaret du *Grand-I-Vert*, où toute la famille était joyeuse.

— Oui, oui, réjouissez-vous, dit-il, je viens d'apprendre par Vaudoyer que, pour vous punir, la comtesse retire les mille francs promis à la Godain; son mari ne veut pas.

— C'est Michaud qui le lui a conseillé, dit Tonsard, ma mère l'a entendu, elle me l'a dit à La-Ville-aux-Fayes où je suis allé lui donner de l'argent et toutes ses affaires. Eh! bien, qu'elle ne les donne pas; nos cinq cents francs aideront la Godain à payer, et je me vengerai de ça; nous deux Godain... Ah! Michaud se mêle de nos petites affaires! Qu'est-ce que ça lui fait? ça se passe-t-il dans son bois? C'est lui qu'est l'auteur de tout ce tapage-là; c'est lui qu'a découvert la mèche le jour où ma mère a coupé le sifflet à son chien. Et si je me mêlais des affaires du château, moi! si je disais au général que sa femme se promène le matin dans les bois avec un jeune homme, sans craindre la rosée; faut avoir les pieds chauds pour ça...

— Le général, le général, dit Courtecuisse, on en ferait tout ce qu'on voudrait, mais c'est Michaud qui lui monte la tête... un faiseur d'embarras, il ne sait rien de son métier.

— Le fait est, dit Vaudoyer, que si Michaud n'y était plus nous serions tranquilles.

— Assez causé, dit Tonsard, nous parlerons de cela plus tard, au clair de lune, en plein champ.

Vers la fin d'octobre, la comtesse partit et laissa le général seul pour une quinzaine; elle ne voulait pas perdre les représentations au Théâtre-Italien; elle était d'ailleurs seule depuis un mois, elle n'avait plus la société

d'Emile qui l'aidait à passer les moments où le général
courait la campagne et allait à ses affaires.

Novembre fut un vrai mois d'hiver, sombre et gris,
entrecoupé de froid et de dégel, de neige et de pluie.
L'affaire de la vieille Tonsard avait nécessité le voyage
des témoins, et Michaud était allé déposer. M. Rigou
s'était intéressé à cette vieille femme, il lui avait donné un
avocat qui s'appuya de l'absence de tout témoin autre que
les intéressés ; mais les témoignages de Michaud et de ses
gardes, corroborés de ceux du garde champêtre et de
deux des gendarmes, décidèrent la question ; la mère de
Tonsard fut condamnée à cinq ans de prison, et l'avocat
dit à Tonsard fils :

— C'est la déposition de Michaud qui nous vaut cela.

Mais ce qui influa le plus, fut la récidive et la méchanceté préméditée, attestée par les outils.

CHAPITRE IX

LA CATASTROPHE

Un samedi soir, Courtecuisse, Bonnébault, Godain, Tonsard, ses filles, sa femme, Vaudoyer et plusieurs manouvriers étaient à souper dans le cabaret, il faisait un demi-clair de lune, et une de ces gelées qui rendent le terrain sec; la première neige était fondue, ainsi les pas d'un homme dans la campagne ne laissaient point de ces traces au moyen desquelles on finit, dans les cas graves, par avoir des indices sur les délits. Ils mangeaient un ragoût fait avec des lièvres pris au collet; on riait, on buvait, c'était le lendemain des noces de la Godain, que l'on devait reconduire chez elle. Sa maison n'était pas loin de celle de Courtecuisse. Quand Rigou vendait un arpent de terre, c'est qu'il était isolé et près des bois. Courtecuisse et Vaudoyer avaient leurs fusils pour reconduire la mariée, tout le pays était endormi. Pas une lumière ne se voyait, il n'y avait que cette noce d'éveillée et qui tapageait de son mieux. À cette heure la vieille Bonnébault entra, chacun la regarda.

— La femme, dit-elle à l'oreille de Tonsard et de son fils, a l'air de vouloir accoucher. Il vient de faire seller son cheval et il va quérir M. Gourdon, à Soulanges.

— Asseyez-vous, la mère, lui dit Tonsard, qui lui donna sa place à table et alla se coucher sur un banc.

En ce moment on entendit le bruit d'un cheval au galop qui passa rapidement sur le chemin. Tonsard, Courtecuisse et Vaudoyer sortirent brusquement et virent Michaud qui allait par le village.

— Comme il entend son affaire! dit Courtecuisse, il a descendu le long du perron, il prend par Blangy et la route, c'est le plus sûr...

— Oui, dit Tonsard, mais il amènera M. Gourdon.

— Il ne le trouvera peut-être pas, dit Courtecuisse;

il vient d'aller à Couches, pour la bourgeoise de la poste,
qui fait le monde à cette heure.

— Et c'est sûr, dit Vaudoyer, il aime assez sa femme
pour ça.

— Mais alors il ira par la grande route de Soulanges
à Couches, c'est le plus court.

— Et c'est le plus sûr pour nous, dit Courtecuisse, il
fait en ce moment un joli clair de lune, sur la grande
route il n'y a pas de gardes comme dans les bois, on
entend de loin; et des pavillons, là, derrière les haies, à
l'endroit où elles joignent le petit bois, on peut tirer sur
un homme par-derrière comme sur un lapin, à cinq pas...

— Il sera onze heures et demie quand il passera là,
dit Tonsard, il va mettre une demi-heure pour aller à
Soulanges, et autant pour revenir là... Ah çà! mes enfants,
si M. Gourdon était sur la route...

— Ne t'inquiète pas, dit Courtecuisse, moi je serai
à dix minutes de toi, sur la route au droit de Blangy,
tirant sur Soulanges, Vaudoyer sera à dix minutes de toi,
tirant sur Couches, et s'il vient quelqu'un, une voiture
de poste, la malle, les gendarmes, enfin qui que ce soit,
nous tirons un coup en terre, un coup étouffé.

— Et si je le manque ?...

— Il a raison, dit Courtecuisse; je suis meilleur tireur
que toi, Vaudoyer, j'irai avec toi, Bonnébault me remplacera, il jettera un cri, ça s'entendra mieux et c'est
moins suspect.

Tous trois rentrèrent, la noce continua; seulement à
onze heures, Vaudoyer, Courtecuisse, Tonsard et Bonnébault sortirent avec leurs fusils sans qu'aucune des
femmes y fît attention. Ils revinrent d'ailleurs trois quarts
d'heure après, et se mirent à boire jusqu'à une heure du
matin. Les deux filles Tonsard, leur mère et la Bonnébault avaient tant fait boire le meunier, les manouvriers
et les deux paysans, ainsi que le père de la Tonsard, qu'ils
étaient couchés par terre, et ronflaient quand les quatre
convives partirent; et à leur retour, on secoua les dor-
meurs, qu'ils retrouvèrent chacun à sa place.

Pendant que cette orgie allait son train, le ménage de
Michaud était dans de mortelles inquiétudes. Olympe
avait eu de fausses douleurs, et ces douleurs se calmèrent
aussitôt que son esprit se préoccupa des dangers que
sa servante lui disait être imaginaires. Elle était dans sa
chambre au coin de son feu, prêtant l'oreille à tout; et,
dans sa terreur qui s'accroissait de quart d'heure en

quart d'heure, elle avait fait lever le domestique. La pauvre
petite femme allait et venait dans une agitation fébrile;
elle regardait à ses croisées malgré le froid; elle descendait,
elle écoutait.

— Je ne sais ce que j'ai, disait-elle à sa servante et
au domestique, mais il me semble qu'il arrive malheur
à mon mari.

A minuit un quart environ, elle s'écria : « Le voici,
j'entends son cheval! » et elle descendit suivie du domestique, qui se mit en devoir d'ouvrir la grille. « C'est singulier, dit-elle, il revient par les bois de Couches. » Puis,
elle resta comme frappée de terreur, immobile, sans voix.
Le domestique partagea cette horreur, car il y avait dans
le galop furieux du cheval et dans le claquement des étriers
vides qui sonnaient, je ne sais quoi de désordonné, accompagné de ces hennissements significatifs que les chevaux
poussent quand ils vont seuls; sa respiration annonçait
une course faite avec effroi. Bientôt, trop tôt pour la
malheureuse femme, le cheval arriva trempé de sueur
à la grille, seul; il avait cassé ses brides, dans lesquelles
il s'était sans doute empêtré. Olympe regarda le domestique ouvrir la grille; elle vit le cheval, et se mit à courir
au château comme une folle; elle y arriva; elle tomba
sous les fenêtres du général, en criant : « Monsieur, *ils*
l'ont assassiné!... »

Ce cri fut si terrible, qu'il réveilla le comte; il sonna,
mit toute la maison sur pied, et les gémissements de
Mme Michaud, qui accouchait par terre, attirèrent
le général et ses gens. On releva la pauvre femme mou-
rante, et qui mourut en disant au général : « Mort! *Ils*
l'ont tué! »

— Joseph! dit le comte à son valet de chambre, cou-
rez chercher M. Gourdon, car il faut tâcher de sauver
l'enfant!... Et vous, dit-il à un jardinier, allez savoir
ce qui s'est passé.

— Il s'est passé, dit le domestique du pavillon, que le
cheval de M. Michaud vient de rentrer tout seul, les
brides cassées, les jambes en sang... Il y a une tache de
sang sur la selle, comme une coulure.

— Que faire la nuit ? dit le comte. Allez éveiller Groison, allez chercher les gardes, sellez les chevaux, et nous
battrons la campagne.

Au petit jour, huit personnes, le comte, Groison, les
trois gardes et deux gendarmes venus de Soulanges avec
le maréchal des logis, explorèrent le pays. On finit par

trouver, au milieu de la journée, le corps du garde général dans un bouquet de bois, entre la grande route et
celle de La-Ville-aux-Fayes, au bout du parc des Aigues,
à cinq cents pas de la grille de Couches. Deux gendarmes
partirent, l'un pour La-Ville-aux-Fayes, chercher le Procureur du roi, et l'autre pour Soulanges, chercher le
juge de paix. En attendant, M. de Montcornet fit un
procès-verbal, aidé par le maréchal des logis. On trouva
sur la route le piétinement d'un cheval qui s'était cabré,
à la hauteur du second pavillon, et les traces vigoureuses
du galop d'un cheval effrayé jusqu'au premier sentier du
bois au-dessous de la haie. Le cheval n'étant plus guidé
avait pris par là; le chapeau de Michaud fut trouvé dans
ce sentier. Pour revenir à son écurie, le cheval avait pris
le chemin le plus court. Michaud avait une balle dans le
dos, la colonne vertébrale était brisée.

Groison et le maréchal des logis étudièrent avec une
sagacité remarquable le terrain autour du piétinement qui
indiquait ce qu'en style judiciaire on nomme le théâtre
du crime, et ils ne purent découvrir aucun indice. La
terre était trop gelée pour garder l'empreinte des pieds
de celui qui avait tué Michaud; ils trouvèrent seulement
le papier d'une cartouche. Quand le Procureur du roi,
le juge d'instruction et M. Gourdon vinrent pour
relever le corps et en faire l'autopsie, il fut constaté que
la balle, qui s'accordait avec les débris de la bourre, était
une balle de fusil de munition, tirée avec un fusil de munition, et il n'existait pas un seul fusil de munition dans
la commune de Blangy. Le juge d'instruction et M. Soudry, le soir, au château, furent d'avis de réunir les éléments
de l'instruction et d'attendre. Ce fut aussi l'avis du Procureur du roi, du maréchal des logis et du lieutenant de
la gendarmerie de La-Ville-aux-Fayes.

— Il est impossible que ce ne soit pas un coup monté
entre les gens du pays, dit le maréchal des logis; mais il
y a deux communes, Couches et Blangy, et il y a dans
chacune cinq à six gens capables d'avoir fait le coup. Celui
que je soupçonnerais le plus, Tonsard, a passé la nuit
à godailler; mais votre adjoint était de la noce, votre
meunier, il ne les a pas quittés; ils étaient gris à ne pas
se tenir, ils ont reconduit la mariée à une heure et demie,
et l'arrivée du cheval annonce que Michaud a été assassiné
entre onze heures et minuit. A dix heures et un quart,
Groison a vu toute la noce attablée, et M. Michaud
a passé par là pour aller à Soulanges, où il est venu à

onze heures. Son cheval s'est cabré entre les pavillons
de la route; mais il peut avoir reçu le coup avant Blangy,
et s'être tenu pendant quelque temps. Il faut décerner
des mandats contre vingt personnes au moins, arrêter
tous les suspects; mais ces messieurs connaissent les
paysans comme je les connais, vous les tiendrez pendant
un an en prison, vous n'en aurez rien tiré que des déné-
gations. Que voulez-vous faire à tous ceux qui étaient
chez Tonsard ?

On fit venir Langlumé, le meunier et l'adjoint de
M. de Montcornet, et il raconta sa soirée; ils étaient
tous dans le cabaret; on n'en était sorti que pour quelques
instants, dans la cour... Il y était allé avec Tonsard sur
les onze heures, ils avaient parlé de la lune et du temps;
ils n'avaient rien entendu. Il nomma tous les convives :
à deux heures, on avait reconduit les mariés.

Le général convint avec le maréchal des logis, le lieutenant de la gendarmerie et le Procureur du roi, d'envoyer de Paris un homme habile de la Police de sûreté, qui
viendrait au château, comme ouvrier, et qui se conduirait
assez mal pour être renvoyé, qui boirait, et qui resterait
dans le pays mécontent du général. C'était le meilleur
plan à suivre pour guetter une indiscrétion.

— Quand je devrais y dépenser dix mille francs, je
finirai par découvrir le meurtrier...

Le général partit, et revint, au mois de janvier, avec un
des plus rusés acolytes du chef de la Police de sûreté, qui
s'installa pour diriger les services, et qui braconna. On fit
des procès-verbaux contre lui, le général le mit à la porte,
et revint à Paris au mois de février.

CHAPITRE X

LE TRIOMPHE DES VAINCUS

Au mois de mai, quand la belle saison fut venue, et
que les Parisiens furent arrivés aux Aigues, un soir,
M. de Troisville, que sa fille avait amené, Blondet,
le curé, le général, le sous-préfet de La-Ville-aux-Fayes,
qui était en visite, jouaient au whist; il était onze heures et
demie. Joseph vint dire à son maître que ce mauvais
ouvrier renvoyé voulait lui parler, il disait que le général
lui redevait quelque chose, il était complètement gris.

— Bon, j'y vais. Et le général alla sur la pelouse.

— Monsieur le comte, on ne tirera jamais rien de ces
gens; tout ce que j'ai deviné c'est que, si vous continuez
à rester dans le pays et à vouloir que les paysans renoncent
aux habitudes que Mlle Laguerre leur a laissé prendre,
on vous tirera quelque coup de fusil aussi... D'ailleurs, ils
se défient plus de moi que de vos gardes.

Le comte paya l'espion, qui partit, et dont le départ
justifia les soupçons des complices de la mort de Michaud.
Mais quand il revint dans le salon, il y eut sur sa figure
trace d'une émotion, et sa femme lui demanda ce qu'il
venait d'apprendre.

— Mais la mort de Michaud est un avis indirect qu'on
nous donne de quitter le pays...

— Moi, dit M. de Troisville, je ne quitterais point;
j'ai eu de ces difficultés-là en Normandie, mais sous
une autre forme, et j'ai persisté, maintenant tout va
bien.

— Monsieur le marquis, dit le sous-préfet, la Normandie et la Bourgogne sont deux pays bien différents,
ici nous avons le sang plus chaud, nous ne connaissons
pas si bien les lois, et nous sommes entourés de forêts,
l'industrie ne nous a pas encore gagnés; nous sommes
sauvages... Si j'ai un conseil à donner à monsieur le comte,

c'est de vendre sa terre et de la placer en rentes, il doublera son revenu, et n'aura pas le moindre souci; s'il aime la campagne, il aura, dans les environs de Paris, un château avec un parc entouré de murs, aussi beau que celui des Aigues, où personne n'entrera, et qui n'aura que des fermes louées à des gens qui viendront en cabriolet le payer en billets de banque, et il ne fera pas dans l'année un seul procès-verbal... Il ira et viendra en trois ou quatre heures, et M. Blondet ne nous manquera pas si souvent, madame la comtesse...

— Moi, reculer devant des paysans, quand je n'ai pas reculé même sur le Danube!

— Oui, mais où sont vos cuirassiers ? dit Blondet.

— Une si belle terre!...

— Vous en aurez aujourd'hui plus de deux millions!

— La château a dû coûter cela, dit M. de Troisville.

— Une des plus belles propriétés qu'il y ait à vingt lieues à la ronde! dit le sous-préfet; mais vous retrouverez mieux aux environs de Paris.

— Qu'a-t-on de rentes avec deux millions cinq cent mille francs ? demanda la comtesse.

— Aujourd'hui, environ cent quarante mille francs, répondit Blondet.

— Les Aigues ne rapportent pas en sac plus de quarante mille francs, dit la comtesse; encore, ces années-ci, vous avez fait d'immenses dépenses; vous avez entouré les bois de fossés...

— On a, dit Blondet, un château royal aujourd'hui, pour cinq cent mille francs, aux environs de Paris. On achète les folies des autres.

— Je croyais que vous teniez aux Aigues ? dit le comte à sa femme.

— Oui, mais je tiens encore plus à votre existence, dit-elle. Je vous aime encore assez pour ne pas vouloir être veuve.

Le lendemain soir, dans le salon de M. Gaubertin, à La-Ville-aux-Fayes, le sous-préfet fut accueilli par cette phrase que lui dit le maire :

— Eh! bien, vous venez des Aigues ?...

— Oui, mais j'ai bien peur que nous ne perdions le général; il va vendre sa terre...

— On ne peut donc toujours pas découvrir les auteurs de l'assassinat commis sur la personne du garde, dit le juge d'instruction.

— Ça nuira beaucoup à la vente des Aigues, dit Gaubertin devant tout son monde; je sais bien, moi, que je ne les achèterais pas... Les gens du pays sont trop mauvais; même du temps de Mlle Laguerre, je me disputais avec eux, et Dieu sait comme elle les laissait faire.

Sur la fin du mois de mai, rien n'annonçait que le général eût l'intention de mettre en vente les Aigues; il était indécis. Un soir, sur les dix heures, il rentrait de la forêt par une des six avenues qui conduisaient au pavillon du Rendez-vous, et il avait renvoyé son garde, en se voyant assez près du pavillon. Au retour de l'allée, un homme armé d'un fusil sortit d'un buisson.

— Général, dit-il, voilà la troisième fois que vous vous trouvez au bout de mon canon, et voilà la troisième fois que je vous donne la vie...

— Et pourquoi veux-tu me tuer, Bonnébault? dit le comte sans témoigner la moindre peur.

— Ma foi! si ce n'était pas moi, ce serait un autre; et moi, j'aime les gens qui ont servi l'Empereur : je peux pas me décider à vous tuer comme un pigeon. — Ne me questionnez pas, je veux rien dire... Mais vous avez des ennemis plus puissants que vous; j'aurai mille écus si je vous tue, et j'épouserai Marie Tonsard. Eh! bien, donnez-moi quelques méchants arpents de terre et une méchante baraque, je continuerai à dire ce que j'ai dit, qu'il ne s'est pas trouvé d'occasion... Vous aurez le temps de vendre votre terre et de vous en aller... Je suis encore un honnête homme, dans ce que je suis; je vous le répète, si ce n'est pas moi, ce sera un autre.

— Et si je te donne ce que tu me demandes, me diras-tu qui t'a promis deux mille francs?

— Je ne le sais pas; et la personne qui me pousse à cela, je l'aime trop pour vous la nommer; et quand vous sauriez que c'est Marie Tonsard, Marie Tonsard est comme un mur; et moi, je nierai vous l'avoir dit; et d'elle, moi, je ne peux rien savoir.

— Viens me voir demain matin, dit le général.

— Ça suffit, dit Bonnébault; si l'on me trouvait maladroit, je vous préviendrais.

Huit jours après cette conversation singulière, tout l'arrondissement, tout le département et Paris étaient farcis d'énormes affiches annonçant la vente des Aigues par lots, en l'étude de maître Corbinet, notaire à Soulanges. Tous les lots furent adjugés à Rigou et montèrent, malgré les demandes du général qui, dans le concours des adjudicataires venus de tous les coins, avait envoyé un

homme pour pousser à la somme totale de deux millions
trois cent mille francs. Le lendemain Rigou fit changer
les noms; M. Gaubertin avait les bois en commun,
et lui, les vignes. Le château et le parc furent revendus
à la bande noire, moins le pavillon et ses dépendances,
que se réserva M. Gaubertin.

En 1837, pendant l'hiver, au moment où l'un des plus
remarquables écrivains politiques et journalistes de ce
temps, Emile Blondet, arrivait au dernier degré de la
misère, cachée sous les dehors d'une vie bruyante et débau-
chée, et qu'il hésitait à prendre un parti désespéré en
voyant que ces travaux, son esprit, son savoir, sa science
des affaires, ne l'avaient amené à rien qu'à écrivailler au
profit des autres, en voyant toutes les places prises, en se
sentant arrivé au bord de l'âge mûr, sans considération,
en apercevant de sots et de niais bourgeois remplacer
les gens de cour et les incapables de la Restauration, et
le gouvernement se reconstituer comme il était avant 1830.
Un soir, où il était bien près du suicide, qu'il avait tant
poursuivi de ses plaisanteries, et qu'en jetant un dernier
regard sur sa déplorable existence, calomniée et surchargée
de travaux bien plus que de ces orgies qu'on lui reprochait,
il voyait une noble et belle figure de femme, comme on
voit une statue restée entière et pure au milieu des plus
tristes ruines, son portier lui remit une lettre cachetée en
noir, où la comtesse de Montcornet lui annonçait la mort
du général, qui avait repris du service et commandait une
division. Elle était son héritière; elle n'avait pas d'enfants.
La lettre, quoique digne, indiquait à Blondet que la
femme de quarante ans, qu'il avait aimée jeune, lui
tendait une main fraternelle et une fortune considérable.
Il y a quelques jours, le mariage de la comtesse de Montcornet et de M. Blondet, nommé préfet, a eu lieu. Pour
se rendre à sa préfecture, il prit par la route où se trouvaient autrefois les Aigues, et il fit arrêter dans l'endroit
où étaient jadis les deux pavillons, voulant visiter la
commune de Blangy, peuplée de si doux souvenirs pour
les deux voyageurs. Le pays n'était plus reconnaissable.
Les bois mystérieux, les avenues du parc, tout avait été
défriché; la campagne ressemblait à la carte d'échantillons d'un tailleur. Le paysan avait pris possession de la
terre en vainqueur et en conquérant. Elle était déjà
divisée en plus de mille lots, et la population avait triplé
entre Couches et Blangy. La mise en culture de ce beau
parc, si soigné, si voluptueux naguère, avait dégagé le

pavillon du Rendez-vous, devenu la villa *il Buen-Retiro* de dame Isaure Gaubertin; c'était le seul bâtiment resté debout, et qui dominait le paysage, ou, pour mieux dire, la petite culture remplaçant le paysage. Cette construction ressemblait à un château, tant étaient misérables les maisonnettes bâties tout autour, comme bâtissent les paysans.

— Voilà le progrès! s'écria Emile. C'est une page du *Contrat social* de Jean-Jacques! Et moi, je suis attelé à la machine sociale qui fonctionne ainsi!... Mon Dieu! que deviendront les rois dans peu! Mais que deviendront, avec cet état de choses, les nations elles-mêmes dans cinquante ans ?...

— Tu m'aimes, tu es à côté de moi; je trouve le présent bien beau, et ne me soucie guère d'un avenir si lointain, lui répondit sa femme.

— Auprès de toi, vive le présent! dit gaiement l'amoureux Blondet, et au diable l'avenir! Puis il fit signe au cocher de partir, et tandis que les chevaux s'élançaient au galop, les nouveaux mariés reprirent le cours de leur lune de miel.

TABLE DES MATIÈRES

LES PAYSANS

A Monsieur P.-S.-B. Gavault 57

PREMIÈRE PARTIE — QUI TERRE A, GUERRE A

GF — TEXTE INTÉGRAL — GF

3015-1970. — IMPRIMERIE-RELIURE MAME
N° d'édition 8040. — 1er trimestre 1970. — PRINTED IN FRANCE.